新时代高校基层党建工作的创新性探索与实践

高俊玲　董国疆◎著

燕山大学出版社
·秦皇岛·

图书在版编目（CIP）数据

新时代高校基层党建工作的创新性探索与实践 / 高俊玲，董国疆著．—秦皇岛：燕山大学出版社，2023.12

ISBN 978-7-5761-0576-6

Ⅰ．①新… Ⅱ．①高… ②董… Ⅲ．①中国共产党—高等学校—党的建设—研究 Ⅳ．① D267.6

中国国家版本馆 CIP 数据核字（2023）第 211042 号

新时代高校基层党建工作的创新性探索与实践

XINSHIDAI GAOXIAO JICENG DANGJIAN GONGZUO DE CHUANGXINXING TANSUO YU SHIJIAN

高俊玲 董国疆 著

出 版 人：陈　玉
责任编辑：孙志强
责任印制：吴　波　　封面设计：刘馨泽
出版发行：燕山大学出版社 YANSHAN UNIVERSITY PRESS　　电　　话：0335-8387555
地　　址：河北省秦皇岛市河北大街西段 438 号　　邮政编码：066004
印　　刷：涿州市般润文化传播有限公司　　经　　销：全国新华书店

开　　本：710 mm×1000 mm　1/16　　印　　张：19.75
版　　次：2023 年 12 月第 1 版　　印　　次：2023 年 12 月第 1 次印刷
书　　号：ISBN 978-7-5761-0576-6　　字　　数：302 千字
定　　价：79.00 元

序　言

高校党建是党的建设新的伟大工程的重要组成部分，在整个党的建设中具有特殊而重要的地位。加强高校党建工作，对于全面贯彻党的教育方针、保证社会主义办学方向、落实立德树人根本任务、办好人民满意的教育具有重要意义。2021 年第二十七次全国高校党建工作会议提出，要着力健全高校党建工作体系，压实高校党建工作政治责任，增强基层党组织政治功能，推动高校党建与高校事业发展深度融合。

基础不牢，地动山摇。党的根基在基层，活力在基层，党的工作最坚实的力量支撑也在基层，党的基层组织是党的全部工作和战斗力的基础。基层党组织建设是党的整个执政能力体系中的重要组成部分，是党的执政能力建设的落脚点。基层党组织既是深化改革的“先锋者”，也是保持稳定的“稳压器”。抓好高校基层党建工作是巩固党的执政地位的根本保证，是培养中国特色社会主义事业合格建设者和可靠接班人的必然要求，是推进我国高等教育教学改革发展的基本途径。抓基层党建，事关全局，事关长远。实践证明，高校凡是基层党建工作抓得好，业务工作就有成效；反之，基层党建抓不好，其他工作也很难抓好。

党的十八大以后，中国特色社会主义进入新时代。习近平总书记多次围绕加强高校党的建设工作发表重要讲话、作出重要指示批示，党中央对高校党建工作创新发展作出系列重要部署，制定出台系列重要制度和文件，相继开展系列党内重大学习教育，对高校基层党建工作提出了新要求，部署了新任务，高校基层党建工作开启了新篇章。

2018 年，为全面贯彻习近平新时代中国特色社会主义思想和党的十九大精神，深入贯彻落实全国高校思想政治工作会议精神，坚持和加强党对高校的全面领导，按照新时代党的建设总要求，根据写好教育“奋进之笔”的总体部署，教育部党组先后印发了《中共教育部党组关于高校党组织“对标争先”建设计划的实施意见》《教育部办公厅关于开展新时代高校党建示范创建和质量创优工作的通知》等文件，大力推进新时代高校党建示范创建和质量创优工作。由此，产生了一大批高校优秀党组织、先进典型和切实有效的工作方法、创新举措，高校党建工作体系更加科学、更加严密、更加高效。

习近平总书记在党的二十大报告中指出，“从现在起，中国共产党的中心任务就是团结带领全国各族人民全面建成社会主义现代化强国、实现第二个百年奋斗目标，以中国式现代化全面推进中华民族伟大复兴”，强调“实施科教兴国战略，强化现代化建设人才支撑”，更加突出了科教兴国在社会主义现代化建设全局中的重要地位，更加突出了教育、科技和人才在社会主义现代化建设中的战略支撑作用，更加突出了教育在科教兴国中的基础性、战略性地位。党的中心任务的转变，赋予了新时代党的建设以新的内容。我们要认清形势，把握大局，要发挥党建的引领作用，始终坚持党的领导，不断提高党建工作站位，深化党建工作内涵，拓宽党建工作思路，切实建设坚强有力、朝气蓬勃的基层党组织，不断推进各项工作向上、向好发展。

高校基层党建工作具有空前的艰巨性和重要性，当前和今后一个时期高校基层党建工作，要全面准确把握面临的新形势新任务新要求，加强基层党建工作促党建重点任务落实，促进学校内涵发展，确保学校成为坚持党的领导、培养社会主义事业建设者和接班人的坚强阵地。

2022 年，燕山大学机械工程学院党委入选第三批全国高校党建工作标杆院系，同时有全国高校“双带头人”教师党支部书记工作室、全国高校“百个研究生样板党支部”、全国高校党建工作样板党支部各 1 个。全面总结和凝练学院党建工作方法和重要成果是本书编写的初衷，也是全国高校党建工作标杆院系建设进行广泛辐射和宣传推广的重要任务。

本书针对高校基层党建工作存在的突出问题，梳理分析新时代高校基层党建工作的发展趋势与要求，根据新时代全国高校党组织“对标争先”建设计划和指标任务，以燕山大学机械工程学院为例全面总结燕山大学全国高校党建工作标杆院系和示范性党支部建设的体系、方案、案例等，为新时代高校基层党建工作提供具有系统性、创新性、可操作性的建设经验。

本书在编写的体例上，为了更具有针对性和实践性，在介绍高校基层党建工作发展形势和任务要求的基础上，重点介绍了燕山大学机械工程学院全国高校党建工作标杆院系的申报和建设过程、学院“四位一体”党建工作体系的构建框架和具体举措、党建工作的创新方法和实践过程、示范性党支部的建设情况、党建与中心工作融合的典型经验等，在重点内容的编写上还提供了具有代表性的案例，增加了内容的可操作性，是学院党建工作标杆院系建设的结晶。

本书的出版得到了教育部2023年度高校思想政治工作精品项目“‘四位一体’党组织育人体系创建与实践”、河北省教育厅委托课题“新时代构建我省高校党建工作体系研究”（WTZX202323）等项目的支持，同时，本书也是河北省教育科学发展重点课题“河北省高校基层党建与事业发展融合研究”（20230101005）的阶段性研究成果。本书由长期从事高校基层党建思政工作的高俊玲和董国疆撰写，两人也是燕山大学机械工程学院全国高校党建工作标杆院系申报和建设的主要负责人。其中，第一、二、四、五、六章由高俊玲撰写，第三、七章由董国疆撰写。本书在写作过程中，也得到了燕山大学机械工程学院广大党务人员和一些专业教师的支持与帮助，在此深表感谢。

由于著者水平和经验所限，书中难免有错误和疏漏之处，恳请广大读者批评和指正。

著者

2023年3月

目　　录

第一章　高校基层党建工作的理论发展与现实困境

习近平总书记强调："中国特色社会主义大厦需要四梁八柱来支撑，党是贯穿其中的总的骨架，党中央是顶梁柱。同时，基础非常重要，基础不牢，地动山摇。"[①] 只有基层党组织坚强有力，党员发挥应有作用，党的根基才能牢固，党才能有战斗力。基层党建是党建的基础领域和环节，是新时代党的建设新的伟大工程的重要内容，事关党的全面领导与长期执政根基。高校党建工作是新时代党的建设新的伟大工程的重要组成部分，高校基层党建工作开展的质量和效果事关党在高校的领导，事关我国高等教育发展和教育强国建设。厘清高校基层党建工作的发展脉络是开展高校基层党建工作的前提和基础，新时代高校基层党建工作需要坚持问题导向，深刻认识高校基层党建工作发展面临的主要困境。

第一节　高校基层党建工作的实践探索与理论发展

中国共产党自成立之日起，就高度重视高校党的建设工作，回顾高校党建工作发展历程，与中国共产党和中国社会的发展一脉相承，主要经历了萌芽起步、初步探索、曲折发展、重构完善、全面提升等阶段。在不同时期和发展阶段，中国共产党将马克思主义基本原理与中国高校实际工作相结合，提出了一

①《习近平李克强栗战书赵乐际分别参加全国人大会议一些代表团审议》，《人民日报》2018 年 3 月 11 日第 1 版。

系列关于高校和高校基层党建工作的理论思想，不断丰富和完善具有中国特色的高校基层党建工作体系。[①]

1. 萌芽起步。中国共产党创建到新中国成立前期，高校的基层党建工作主要是宣传马克思主义理论，建立党组织，以及扩大党员队伍。高校党建工作是党的传统工作，这可以溯源到中共一大代表成员。可查资料显示，中共一大的13名代表均为知识分子，全国50多名党员中，多数人有过高校经历。在这个时期，党先后创办多所新型高校，这些高校均实行校长负责制。毛泽东提出健全党委制的意见，指出：党委制是保证集体领导、防止个人包办的党的重要制度。在学校、研究室等，都应有领导分子的集体会议。[②]这些为新中国成立后高校党建和基层党组织的建设提供了宝贵经验和重要思想理论基础。

2. 初步探索。新中国成立后到改革开放前，是高校党建工作和基层党组织建设的初步探索阶段。1958年9月，中共中央、国务院颁布《关于教育工作的指示》，其中明确规定："在一切高等学校中，应当实行学校党委领导下的校务委员会负责制。"[③]1961年9月，《教育部直属高等学校暂行工作条例（草案）》批准试行，其中明确规定："高等学校的党委员会，是中国共产党在高等学校中的基层组织，是学校工作的领导核心，对学校工作实行统一领导。"[④]由此，进一步确立了党委在高校各项工作中的领导核心地位。该条例对高校教职工和学生建立学生党支部进行了规定，对党支部的主要工作提出了要求，指出系的党总支要做好思想政治工作和党的建设工作，教育党员模范完成任务，同时要团结和教育本单位的全体人员。这一时期，高校和各基层党组织积极贯彻党的教育方案，将高校教学、科研与生产相结合，推动了我国高等教育事业的迅速发展。可惜的是，"文化大革命"时期，高校党组织的作用难以有效发挥，

---

① 方雷、周明明、张荣林：《新时代高校党建创新形态研究》，山东大学出版社，2021，第40–41页。

②《毛泽东选集》第四卷，人民出版社，1991，第1340–1341页。

③ 中共中央文献研究室：《建国以来重要文献选编》第11册，中央文献出版社，1995，第493页。

④ 姚小玲、刘佳：《改革开放以来北京高校党建史》，人民出版社，2018，第71页。

高校整体党建工作名存实亡。

3. 曲折发展。改革开放后到党的十四大期间，我国高校党建工作在曲折中发展。1978 年 10 月，颁布的《全国重点高等学校暂行工作条例（试行草案）》明确规定，高等学校领导体制是党委领导下的校长分工负责制，并进一步指出学校的教学、科研、后勤等工作中的重大问题一定要经过党委讨论决定后，由校长负责组织实施。党委在高校的领导核心地位再次得以巩固，高校基层党组织恢复正常运转。但到了 20 世纪 80 年代，特别是 1982 年党的十二大召开后，高等教育领域改革效仿工业战线的“厂长负责制”，逐步实行“校长负责制”。其中，高校党委的领导作用受到冲击，党的领导核心地位淡化，思想政治工作软弱无力。80 年代末 90 年代初，党中央先后颁布和发布《关于加强高等学校工作中几个问题的意见》《关于加强高等学校党的建设的通知》等，用实践和制度明确了党委领导下的校长负责制是符合我国高等学校实际的正确选择。

4. 重构完善。党的十四大到十八大召开之前，高校党建工作在重构后不断丰富，体系逐渐完善，思想理论越来越丰富。党和国家深入贯彻科教兴国战略，强调党建工作在高等教育发展中的重要作用，先后出台大量党建文件。其中，1996 年颁布的《中国共产党普通高校基层组织工作条例》，是关于高校基层党组织工作的一部专门性、系统性制度，充分显示出高校基层党组织工作开始上升到突出地位和发挥重要作用。1998 年的《中华人民共和国高等教育法》，以法律形式规定了高等学校实行“党委领导下的校长负责制”，高校党建工作由党内法规上升到法律层面。2007 年 5 月，《中共教育部党组关于加强普通高等学校基层党组织建设的意见》进一步明确了院系党委和党支部的工作体制和运行机制。

党中央各届领导集体高度重视高校基层党组织建设工作。其中，党的十五大报告中指出：“党的基层组织都要从各自的特点出发，认真履行党章规定的职责，努力成为贯彻党的路线方针政策、团结和带领群众完成本单位任务的坚强战斗堡垒。”[①] 为高校基层党组织建设指明了方向。党的十七大报告中指出：

①《江泽民选集》第二卷，人民出版社，2006，第 45 页。

“党的基层组织是党执政的组织基础。要落实党建工作责任制，全面推进农村、企业、城市社区和机关、学校、新社会组织等的基层党组织建设，优化组织设置，扩大组织覆盖，创新活动方式，充分发挥基层党组织推动发展、服务群众、凝聚人心、促进和谐的作用……注重解决基层组织经费保障和活动场所等问题。”① 高度重视基层组织建设，强调高校基层党组织的职责和功能发挥，重视解决基层党组织建设过程中的突出问题。党的十七届四中全会通过的《中共中央关于加强和改进新形势下党的建设若干重大问题的决定》进一步指出：“党的基层组织是党全部工作和战斗力的基础。”② 决定指明了基层党组织建设和基层党建工作在巩固党的执政地位中的关键性作用。同时，决定高度重视在高级知识分子群体、大学生等领域的优秀青年中发展党员，体现了高校基层党组织建设特别是党员发展工作对壮大基层党员队伍的重要意义。

此外，坚持召开全国高校党建工作会议。从 1990 年开始，中央组织部、中央宣传部和教育部党组织基本每年联合召开一次全国高校党的建设工作会议，研究部署高校党建工作重大问题。2003 年 10 月，第十二次全国高校党建工作会议提出要科学合理调整和设置基层党组织，实现高年级学生党支部建在班上。2005 年 12 月，第十四次全国高校党建工作会议要求有针对性地做好党员教育管理工作，合理设置基层党组织，发挥党员先锋模范作用，增强党组织服务功能。2009 年 12 月，习近平在第十八次全国高校党建工作会议上强调，要做好抓基层、打基础工作，健全高校党的各级组织，明确职责任务，加强指导督促，严格按照标准和程度把优秀知识分子和大学生吸收到党内来，充分发挥基层党组织的战斗堡垒作用和先锋模范作用。2012 年 1 月，习近平在第二十次全国高校党建工作会议上强调，要把青年教师队伍思想政治建设作为高校党的建设的一个重大问题来抓，深入细致地做好青年教师的思想引导工作。

---

① 胡锦涛：《高举中国特色社会主义伟大旗帜 为夺取全面建设小康社会新胜利而奋斗——在中国共产党第十七次全国代表大会上的报告》，人民出版社，2007，第 54 页。

②《中共中央关于加强和改进新形势下党的建设若干重大问题的决定》，人民出版社，2009，第 25 页。

5. 全面提升。党的十八大以来，中国特色社会主义进入新时代，高校党委在落实全面从严治党过程中，抓好制度建设和体系建设，夯实基层党建基础，提升基层党建工作质量，形成了大抓基层和基层党建工作创新发展的良好局面，推动高校基层党建工作全面提升。

高校基层党建工作的制度化建设深入推进。2021 年 4 月 16 日中央印发修订的《中国共产党普通高等学校基层党组织工作条例》（以下简称《条例》），对高校基层党组织工作作出全面规范，体现了近年来高校党建工作的理论、实践和制度创新成果。《条例》是新时代高校党的建设的基本遵循，强调坚持抓基层强基础，健全高校党的组织体系、制度体系和工作机制，全面增强高校基层党组织生机活力。其中，分层级、分类别进一步完善了高校基层党组织的职责和功能。《条例》指出，高校院（系）级单位党组织应当强化政治功能，履行政治责任，保证教学科研管理等各项任务完成，支持本单位行政领导班子和负责人开展工作，健全集体领导、党政分工合作、协调运行的工作机制。教职工党支部围绕本单位改革发展稳定等开展工作，落实立德树人根本任务，发挥教育管理监督党员和组织宣传凝聚服务师生员工的作用。学生党支部应当加强思想政治引领，筑牢学生理想信念根基，引导学生刻苦学习、全面发展、健康成长。并且，中共教育部党组先后印发《普通高等学校学生党建工作标准》《关于加强新形势下高校教师党支部建设的意见》《高校党建工作重点任务》等文件，基层党建制度健全有效。

坚持采取“三会一课”制度，推进“两学一做”、党史学习教育等常态化制度化长效化。“三会一课”作为党组织生活的基本形式，是党的基层支部长期坚持的重要制度，在健全党组织生活、严格党员管理、加强党员教育、提高党员素质、增强基层党组织凝聚力和战斗力方面发挥着重要作用。2017 年 3 月，中共中央办公厅印发《关于推进“两学一做”学习教育常态化制度化的意见》，指出基层党组织要以“三会一课”为基本制度，以党支部为基本单位，把“两学一做”作为党员教育的基本内容，长期坚持、形成常态。突出问题导向，建立完善及时发现和解决问题的有效机制，推动各级党组织和党员依靠自身力量修正错误、改进提高；激发基层活力，充分调动党支部积极性主动性创造性，探索创新党内教育和组织生活的有效方法。2022 年 3 月，中共中央办公厅印发《关于推动党史学习教育常态化长效化的意见》，指出推动党史学习教育常态化长效化是建设马克思主义学习型政党的一项长期重要任务。各级党委（党组）要提高政治站位，落实主体责任，加强组织领导，完善制度机制，进一步巩固拓展党史学习教育成果。领导干部要学在前、作表率，带着对党的深厚感情学党史，带着对事业的强烈责任用党史，形成一级带一级、全党一起学的良好局面。积极探索适合不同行业、不同领域、不同群体深入学党史的方法途径，既要精准有效覆盖，又要生动鲜活开展，使学党史、知党史、用党史在全社会蔚然成风。

高校基层党建工作质量不断提升。2012 年 11 月，习近平总书记在党的十八届中央政治局常委同中外记者见面会上首次论述党要管党、从严治党。此后，从严治党思想不断丰富完善，并呈现向纵深发展的趋势。全面从严治党不仅体现在反腐工作的大力推进上，也对高校党建工作领域产生重要影响。这一影响的突出表现在于高校基层党建工作空前加强，教师党支部书记“双带头人”培育不断加强，教师党员“双培养”有序推进，高校院系党组织书记抓党建述职评议考核和基层党支部书记集中轮训成为常态，高校党建工作的巡视整改常态化等。高校基层党建工作责任日益增强，任务不断增多，建设质量也得到了显著提升。

习近平总书记在党的十九大报告中强调：“不断提高党的建设质量，把党建设成为始终走在时代前列、人民衷心拥护、勇于自我革命、经得起各种风浪考验、朝气蓬勃的马克思主义执政党。”[①] 这是以习近平同志为核心的党中央根据国内外发展大势作出的重要论断，是深刻把握管党治党规律作出的理论创新，是在新时代向全党发出的坚定不移全面从严治党的动员令。为贯彻落实党的十九大精神以及习近平总书记重要指示精神，教育部党组耳提面命亲自抓，各地党委认真履行属地管理责任，高校党委认真落实主体责任，基层党组织不断加强党建工作的执行能力和自主能力，逐渐形成了教育部党组、地方党委教

① 《习近平谈治国理政》第三卷，外文出版社，2020，第 48 页。

育工作部门、高校党委、学校基层党组织“四级联动”的责任体系。

为全面贯彻落实习近平新时代中国特色社会主义思想和党的十九大精神，深入贯彻落实全国高校思想政治工作会议精神，坚持和加强党对高校的全面领导，推动全面从严治党向高校基层延伸，落实立德树人根本任务，培养德智体美全面发展的社会主义建设者和接班人，培养担当民族复兴大任的时代新人，教育部党组2018年出台《关于高校党组织“对标争先”建设计划的实施意见》（以下简称《意见》），启动实施高校党组织“对标争先”建设计划。《意见》提出高校党组织要在管党治党取得新成效上争先，在办学治校展现新作为上争先，在推动高质量发展取得新成效上争先，在全面从严治党呈现新气象上争先。同年，教育部办公厅印发《关于开展新时代高校党建示范创建和质量创优工作的通知》，启动开展新时代高校党建示范创建和质量创优，建设目标是面向全国高校首批培育创建10所党建工作示范高校、100个党建工作标杆院系、1000个党建工作样板党支部，开展万名基层党组织书记示范培训，建设周期为两年，以点带面发挥引领带动作用，推动全国高校各级党组织全面进步、全面过硬，推动全国高校党建质量全面创优提升。在这种背景下，各地方党委、教育部门、高校党委也纷纷启动实施本地区、本学校的“创先争优”和示范培育计划，由此产生了一大批示范性高校、标杆院系、样板党支部、教师党支部书记“双带头人”工作室等，形成了很多创新性党建工作体系、党建特色品牌、优秀案例等，高校党建工作质量全面提升，基层党组织建设工作效果显著增强。

第二节　新时代高校基层党建工作的重要论述

党的十八大以来，习近平总书记高度重视基层党建工作，强调把基层党组织建设成为宣传党的主张、贯彻党的决定、领导基层治理、团结动员群众、推动改革发展的坚强战斗堡垒。习近平总书记站在党和国家事业全局的高度，就推动高等教育改革发展、加强高校党的建设和思想政治工作发表一系列重要讲话，作出一系列重要指示，为高校做好基层党建工作指明了前进方向、提供了根本遵循。

一、有关高校基层党建工作的重要会议和讲话

1. 2014 年 12 月，习近平在第二十三次全国高等学校党的建设工作会议上对高校党建工作作出重要指示，强调要坚持立德树人思想引领，加强改进高校党建工作，指出办好中国特色社会主义大学，要坚持立德树人，把培育和践行社会主义核心价值观融入教书育人全过程；强化思想引领，牢牢把握高校意识形态工作领导权；坚持和完善党委领导下的校长负责制，不断改革完善高校体制机制；全面推进党的建设各项工作，有效发挥基层党组织战斗堡垒作用和共产党员先锋模范作用。各级党委和宣传思想部门、组织部门、教育部门要加强对高校党的建设工作的领导和指导，坚持党的教育方针，坚持社会主义办学方向，加强和改进思想政治工作，切实把党要管党、全面从严治党落到实处。

2. 2016 年，在全国高校思想政治工作会议上，习近平指出，我们的高校是党领导下的高校，是中国特色社会主义高校。办好我们的高校，必须坚持以马克思主义为指导，全面贯彻党的教育方针。办好我国高等教育，必须坚持党的领导，牢牢掌握党对高校工作的领导权，使高校成为坚持党的领导的坚强阵地。党委要保证高校正确办学方向，掌握高校思想政治工作主导权，保证高校始终成为培养社会主义事业建设者和接班人的坚强阵地。各级党委要把高校思想政治工作摆在重要位置，加强领导和指导，形成党委统一领导、各部门各方面齐抓共管的工作格局。各地党委书记和有关部门党组书记要多到高校走走，多同师生接触，多次去高校作报告，回答师生关注的理论和现实问题。习近平强调，高校党委对学校工作实行全面领导，承担管党治党、办学治校主体责任，把方向、管大局、作决策、保落实。要加强高校党的基层组织建设，创新体制机制，改进工作方式，提高党的基层组织做思想政治工作的能力。要做好在高校教师和学生中发展党员工作，加强党员队伍教育管理，使每个师生党员都做到在党爱党、在党言党、在党为党。

3. 2018 年，在全国教育工作大会上，习近平强调，加强党对教育工作的全面领导，是办好教育的根本保证。教育部门和各级各类学校的党组织要增强“四个意识”、坚定“四个自信”，坚定不移维护党中央权威和集中统一领导，

自觉在政治立场、政治方向、政治原则、政治道路上同党中央保持高度一致。各级党委要把教育改革发展纳入议事日程，党政主要负责同志要熟悉教育、关心教育、研究教育。各级各类学校党组织要把抓好学校党建工作作为办学治校的基本功，把党的教育方针全面贯彻到学校工作各方面。思想政治工作是学校各项工作的生命线，各级党委、各级教育主管部门、学校党组织都必须紧紧抓在手上。要精心培养和组织一支会做思想政治工作的政工队伍，把思想政治工作做在日常、做到个人。

二、有关高校基层党建工作的主要观点

1. 贯彻全面从严治党，推动基层党建工作高质量发展。党的十八大以来，中共中央推进全面从严治党向基层延伸，坚定不移推进全面从严治党，程度上更严、更紧、更硬，范围更广。习近平总书记指出：“各级党委要把从严治党责任承担好、落实好，坚持党建工作和中心工作一起谋划、一起部署、一起考核，把每条战线、每个领域、每个环节的党建工作抓具体、抓深入，坚决防止‘一手硬、一手软’。”[①] 习近平总书记多次强调，要贯彻党要管党、从严治党方针，“必须扎实做好抓基层、打基础的工作，使每个基层党组织都成为坚强战斗堡垒”[②]。党的十八大以来，中央加强了对高校工作的巡视，有效发挥了震慑作用。党中央指出：“要以巡视整改为契机，严肃党内政治生活，加强高校领导班子建设，切实防范廉洁风险，营造风清气正的教书育人环境。”[③] 全面从严治党在高等院校的大力推进和有效落实，为高校党建工作特别是基层党建工作的深入和高质量开展施加了压力，也提供了有效动力。

2. 落实高校立德树人根本任务，培养新时代合格人才。习近平指出：“培育德智体美全面发展的中国特色社会主义合格建设者和可靠接班人，是高校的

---

① 中共中央纪律检查委员会、中共中央文献研究室：《习近平关于严明党的纪律和规矩论述摘编》，中央文献出版社、中国方正出版社，2016，第 119 页。

② 习近平：《在全国组织工作会议上的讲话》，载《十八大以来重要文献选编》（上），中央文献出版社，2014，第 351 页。

③《中共中央政治局召开会议审议〈关于巡视 31 所中管高校党委情况的专题报告〉》，《人民日报》，2017 年 6 月 29 日第 1 版。

根本任务，也是高校党的建设的根本任务。”[①] 党的十八大以来，习近平总书记反复强调：“办好中国特色社会主义大学，要坚持立德树人。”[②] 党的十八大报告中指出：“把立德树人作为教育的根本任务”，十九大报告再次重申“落实立德树人根本任务”，二十大报告中进一步指出：“全面贯彻党的教育方针，落实立德树人根本任务，培养德智体美劳全面发展的社会主义建设者和接班人。”由此表明，高校的根本任务是立德树人，最终目的是培养德智体美劳全面发展的社会主义建设者和接班人。因此，高校基层党建工作应以高校的根本工作任务为落脚点，紧紧围绕和认真贯彻落实立德树人的根本任务，培养德智体美劳全面发展的社会主义建设者和接班人。

3. 加强党对高校的全面领导，推进高等教育事业健康发展。习近平总书记几乎在每次与教育和高校党建工作有关的会议上都会强调，要坚持党对高校工作的领导，使高校成为坚持党的领导的坚强阵地。我们要深刻认识到确保社会主义办学方向，办好中国特色社会主义高校，不断推进我国高等教育事业健康发展，就要加强党对高校的全面领导。习近平总书记在全国教育大会上强调，各级各类学校党组织要把抓好学校党建工作作为办学治校的基本功，把党的教育方针全面贯彻到学校工作各方面。可见，高校党建是我国高等教育事业发展的保障和支撑，如果没有党建工作，没有党的坚强领导，高等教育事业发展就会失去主心骨，失去领路人。这就要求我们要毫不动摇地坚持和完善党的领导，毫不动摇地把党的建设建设得更加坚强有力。高校党委和基层党组织积极参与学校办学治校全过程，重点起到政治核心和组织保障作用，使党的教育方针政策和措施得以有效贯彻落实，确保高校各级各项事业发展和工作任务能够有效开展、完成。

4. 着力增强思想引领，抓好意识形态工作。习近平总书记指出：“思想建

---

① 《在新的历史起点上努力开创高校党建工作新局面》，《人民日报》，2008 年 12 月 20 日第 1 版。

② 《习近平就高校党建工作作出重要指示强调　坚持立德树人思想引领 加强改进高校党建工作》，《人民日报》，2014 年 12 月 30 日第 1 版。

设是党的基础性建设。”[①] 注重思想建设是中国共产党在高校进行党建工作的优良传统。习近平强调：“强化思想引领，牢牢把握高校意识形态工作领导权。”[②] 2018 年，习近平在全国教育大会上指出，思想政治工作是学校各项工作的生命线，各级党委、各级教育主管部门、学校党组织都必须紧紧抓在手上。这就要求高校党组织必须将意识形态工作作为一项重大的战略任务抓好、抓出成效。一方面，我们需要进一步充实高素质的大学生思想政治工作干部队伍。习近平指出：“建设一支专兼结合的高素质党务工作和大学生思想政治工作干部队伍，是全面加强高校党的建设、加强和改进大学生思想政治工作的必然要求。”[③] 我们要按照德才兼备和专兼结合的原则，选拔和吸收更多具有良好思想政治素养、较高学术造诣和较强组织管理能力的党员干部从事高校的党务和思想政治工作。另一方面，高校还要构建合理有序的思想政治工作格局。习近平认为：“各级党委要把高校思想政治工作摆在重要位置，加强领导和指导，形成党委统一领导、各部门各方面齐抓共管的工作格局。”[④] 同时，习近平强调：“高校党委对学校工作实行全面领导，承担管党治党、办学治校主体责任，把方向、管大局、作决策、保落实。要加强高校党的基层组织建设，创新体制机制，改进工作方式，提高党的基层组织做思想政治工作能力。要做好在高校教师和学生中发展党员工作，加强党员队伍教育管理，使每个师生党员都做到在党爱党、在党言党、在党为党。”[⑤] 高校以及各级党委要充分认识到思想政治工作的重要性，统筹协调相关部门助力思想政治工作的有效开展，不

---

① 习近平：《决胜全面建成小康社会 夺取新时代中国特色社会主义伟大胜利——在中国共产党第十九次全国代表大会上的报告》，人民出版社，2017，第 63 页。

②《坚持立德树人思想引领 加强和改进高校党建工作》，《人民日报》，2014 年 12 月 30 日第 1 版。

③《在新的历史起点上努力开创高校党建工作新局面》，《人民日报》，2008 年 12 月 20 日第 1 版。

④ 习近平：《把思想政治工作贯穿教育教学全过程 开创我国高等教育事业发展新局面》，《人民日报》，2016 年 12 月 9 日第 1 版。

⑤ 习近平：《把思想政治工作贯穿教育教学全过程 开创我国高等教育事业发展新局面》，《人民日报》，2016 年 12 月 9 日第 1 版。

断推进高校意识形态工作。

5. 夯实组织建设，突出政治功能。“党的政治建设是党的根本性建设，决定党的建设方向和效果。”① 习近平认为基层党组织建设要突出政治功能，提升组织力。“抓基层、打基础，必须坚持围绕中心、服务大局、拓宽领域、强化功能，进一步巩固和加强党的基层组织，着力扩大覆盖面、增强生机活力。”② 党的十九大以来，习近平进一步强调要发挥党的组织优势，要加强党的组织体系建设。“我们党是按照马克思主义建党原则建立起来的，形成了包括党的中共中央组织、地方组织、基层组织在内的严密组织体系。这是世界上任何其他政党都不具有的强大优势。”③ 加强和改进高校党的组织系统是夯实党的执政根基的重要保障。“党的力量来自组织。党的全面领导、党的全部工作要靠党的坚强组织体系去实现。进入新时代，开启新征程，我们必须更加注重党的组织体系建设，不断增强党的政治领导力、思想引领力、群众组织力、社会号召力，把党员组织起来，把人才凝聚起来，把群众动员起来，为实现党的十九大提出的宏伟目标团结奋斗。”④ 习近平总书记指出：“党支部是高校教育和管理党员的基本单位，抓好了党支部建设就抓住了高校党建工作的基础一环。”⑤ 党的十九大报告对党的建设提出了新的要求，强调“要以提升组织力为重点，突出政治功能，把企业、农村、机关、学校、科研院所、街道社区、社会组织等基层党组织建设成为宣传党的主张、贯彻党的决定、领导基层治理、团结动员群众、推动改革发展的坚强战斗堡垒。党支部要担负好直接教育党员、管理党员、监督党员和组织群众、宣传群众、凝聚群众、服务群众的职责，引导广大党员发挥先锋模范作用。”⑥ 党的二十大报告中强调增强党组织政治功能和组织

① 习近平：《决胜全面建成小康社会 夺取新时代中国特色社会主义伟大胜利——在中国共产党第十九次全国代表大会上的报告》，人民出版社，2017，第 62 页。

② 习近平：《加强和改进新形势下党的建设的纲领性文献》，《人民日报》，2009 年 10 月 9 日第 2 版。

③ 习近平：《在全国组织工作会议上的讲话》，《党建研究》，2018 年第 9 期。

④ 习近平：《在全国组织工作会议上的讲话》，《党建研究》，2018 年第 9 期。

⑤ 教育部课题组：《深入学习习近平关于教育的重要论述》，人民出版社，2019，第 42 页。

⑥《习近平谈治国理政》第三卷，外文出版社，2020，第 51 页。

功能，指出严密的组织体系是党的优势所在、力量所在。各级党组织要履行党章赋予的各项职责，把党的路线方针政策和党中央决策部署贯彻落实好，把各领域广大群众组织凝聚好。

第三节　高校基层党建工作的主要困境

进入新时代，党的建设面临着新的形势和挑战。习近平认为党的建设形势总体是好的，但同时应当清醒认识到党建工作面临的难题："一是社会多样化发展使人们思想多元化、复杂性的特征越来越明显，这必然增加党内统一思想的难度，我们党是一个大党，统一思想历来不易。二是尽管每个党员都编入一个党组织进行管理，也有严明的组织纪律规定，但就全党来说，一些党组织软弱涣散，一些党员、干部难以受到监督，队伍管理缺位、不到位情况不是个别。三是党内存在大量思想问题和利益矛盾，某些矛盾涉及党员、干部多，同其他社会矛盾错综交织，协调处理难度很大。四是党内生活政治性、原则性在下降，自由主义、好人主义有所滋长，制度执行不严情况大量存在，很多制度只是摆设。"① 我们要正确认识高校基层党建工作面临的主要困境及问题，找准影响高校基层党建工作创新发展的症结，才能为高校基层党建工作创新发展探索方法路径。

一、思想意识困境

思想决定态度和行动，思想不重视行动肯定会受影响，工作落实的质量和效果也会打折扣。党建责任意识不强，不敢轻视却无法重视，这是高校基层党建工作面临的一个很无奈的困境。一方面，对基层党组织书记狠抓基层党建的压力传递、责任落实、检查监督、绩效考核等制度、机制，还不健全、不完善。基层党务工作者对"抓好党建是最大政绩"的认识还存在偏差，将党建工作作为第一责任的意识需要进一步强化。特别是在业务性比较强的单位和部

①《习近平在中共中央政治局第十六次集体学习时强调 坚持从严治党落实管党治党责任 把作风建设要求融入党的制度建设》，《人民日报》，2014 年 7 月 1 日第 1 版。

门，少数基层的党组织书记党建第一责任人职责履行不到位，存在抓业务比较实、抓党建比较虚的思想，认为行政工作是实的，党建工作是虚的，抓党建还影响了行政工作。有的院（系）存在基层党建工作摆不上重要位置、党建意识弱化的问题。另一方面，党支部书记一般是兼职干部，特别是高校教师党支部书记，往往身兼数职，他们既要全面负责基层党组织建设的日常工作，同时还有大量的教学科研任务。在高校职称评定、岗位晋升等制度制定中，更多的是以教学和科研考核为主，对从事党建工作缺乏政策引导和激励，这使大家对党建工作缺乏积极性，存在“有时间就做一做，没时间就放一放”的消极想法，对党建工作无法投入充分的时间和精力。同时，党建工作与普通教师的切身利益往往没有关系，是否参加党内的组织生活或活动缺乏约束性，一般靠党性自觉。因此，基层党建工作很难有硬性指标和强制性约束机制，党建工作显示度不高，党建工作人员的存在感和价值感不强，时常有“搭台唱戏，却没有观众”的失落感。对党建工作缺乏积极性，重视程度不够，一定程度上降低了基层党建工作质量，弱化了基层党组织的战斗堡垒作用。基层党建工作不同程度地存在“说起来重要，做起来次要，忙起来不要”的现象；部分党员重业务轻党建的思想还较为根深蒂固，党建工作摆不上应有的位置，即使抓党建工作也是被动应付，缺乏搞好基层党建工作的责任和激情。

二、工作实践困境

一是基层党组织和党员作用发挥不明显。一方面政治功能发挥不够。政治功能是党组织的首要功能，很多基层党组织政治功能弱化，主要表现在：一是有的党组织生活质量不高、不严肃，吸引力低。有些党组织生活单一化，就事论事多，思想交锋少；组织生活主要采取集会报告、集体讨论和观看视听资料等形式，有的党支部组织生活频次不能达到要求；民主生活会和组织生活会讲成绩多讲问题少，不能很好地开展批评与自我批评；教育手段单一化，导致部分党员对组织生活产生反感甚至抵触情绪；在落实党员领导干部双重组织生活会制度过程中，一些领导干部以普通党员身份参加党支部组织生活的频率较低。另一方面党支部对党员管理存在宽、松、软的现象，少数党员不能有效发挥先锋模范作用。党支部在本单位、本部门不能发挥战斗堡垒作用，个别教师党支部在教学改革、科研攻关、提升学校治理水平上不能团结带领党员发挥更大作用。个别党员党性观念不强，组织性、纪律性较差，难以在工作和生活中发挥先锋模范作用；个别党员工作不够投入，事业上不求上进，对于自身的工作职责和具体要求不明确；个别教师党员过于关注个人利益和得失，将申请课题、在外上课、兼职赚钱等放在重要位置，对组织发展和建设漠不关心；有的学生党员入党前后差异大，入党后“消极怠工”，不积极参加党支部组织生活和志愿服务活动，特别是在无偿服务、结对帮扶等活动中缺乏奉献精神。作为党员，我们有责任有义务顾全学校大局、政治上与校党委保持高度一致，极力维护执行学校的大政方针，争当各方面的模范。但实际情况是，有些党员事不关己高高挂起，对集体的事情漠不关心，对一些不良现象视而不见，认为只要做好自己的事情就可以了，教好自己的书就行了，思想改造缺乏自觉性，结果是业务素质上去了，政治素质下来了，但最终因为政治素质的影响，业务素质也好不到哪里去。

此外，组织力不够强。不少基层党组织在团结凝聚师生群众方面做得不够，不能有效解决师生的思想问题和解决教学科研、学习就业等实际问题，不能很好地发动、组织、宣传群众。有的教师党支部积极主动开展青年教师思想政治工作的意识还不够强，青年教师入党积极性有待进一步提高，党支部的向心力和吸引力还不强，无法团结凝聚广大师生党员在日常工作中发挥作用。当前高校面临“双一流”建设和学校内涵建设的重任，在职教工党员应围绕“立德树人”根本任务，奋力推进学校改革发展，但部分在职教工党员作用发挥不明显，有的教工党员在工作中斤斤计较，在联系服务群众、完成重大任务中不敢担当作为，离“做到平常时候看得出来、关键时刻站得出来、危急关头豁得出来”还有差距，个别教工党员在教学、科研方面的表现甚至不如普通群众，造成非常坏的影响。

二是党建工作与中心工作融合度低。在2018年全国组织工作会议上，习近平深刻分析党的形势，指出党的建设过程中存在重数量不重质量、重形式轻内容等方面的突出问题：“从各方面反映看，一些地方和部门党建工作还存在重形式轻内容、重过程轻结果、重数量轻质量的问题，看起来热热闹闹，实际效果却不佳，甚至与中心工作‘两张皮’、没有什么效果。”[①] 新时代高校基层党建工作与中心工作融合过程中，存在党建工作自娱自乐的现象，与中心工作常常表现出独立发展的态势，党建工作与中心工作“两张皮”的现象仍旧是一个普遍存在和不容忽视的问题。大家都知道党建工作要与中心工作紧密结合，相互融合，但在实际工作中又难以找到契合点，即使有一些融合的内容和方法，看上去又似乎过于牵强，党建工作和中心工作还不能同频共振、协同发展，总体上融合度还比较低。具体表现在以下方面：基层党委（党总支）统筹谋划、协调各方、把握大局的能力不足，对党建工作开展缺乏统筹谋划，对党支部工作缺乏具体指导，不能对学院和学科专业发展起到很好的政治引领和组织保障作用。基层教师党支部更多地满足于对日常规定性动作和基层党组织建设工作任务的完成，没有积极地思考如何更好地在系部的中心工作发展方面发挥作用，不能更好地为系部和专业的发展搭建平台以及凝聚力量。在党支部的组织生活中，往往组织开展单纯的政治活动和党建活动，没有更多地引入涉及专业、学科建设以及单位管理服务等方面的话题。基层学生党支部往往工作重点在党员发展，支部活动也略显丰富，形式上有所提升，但往往又喧宾夺主，忽略了对实质性内容的追求和把握，支部建设工作难以真正为学生的成长成才服务，没有在提高学生对学科和专业的深入理解方面发挥充分作用。总之，基层党组织在发挥促进学校中心工作方面的主体作用不够理想，不少学院党委或党支部不能围绕中心抓党建，在教育引导教师党员发挥先锋模范作用方面做得不够，团结带领师生积极投身学校事业改革、落实立德树人根本任务方面与师生期望有较大差距。

此外，党建工作内容不丰富也是普遍存在的问题。基层党内组织生活缺少创新意识和手段，存在流于形式的倾向，吸引力和凝聚力不够；部分党组织对党员的思想教育缺乏针对性，教育内容枯燥，方式方法单一，缺乏生机和活力；基层党建工作无特色。

---

① 习近平：《在全国组织工作会议上的讲话》，《党建研究》，2018 年第 9 期。

三、工作力量困境

配备齐全、结构合理是发挥一个队伍力量的核心要素。基层党组织工作队伍配备不足、专业化程度不高，在某种程度上，高校党建工作力量存在逐层衰减的现象。在学校层面，有党委全委会、常委会，还有党委办公室、纪委办公室、组织部、宣传部、统战部、学工部等众多职能部门，力量相对比较强。到了院（系）层面，一般设有党委（党总支）委员会，但从实际的情况来看，党委（党总支）委员的配备形式大于内容，参与党内工作的积极性和精力不够，发挥作用明显不足。到了支部层面，工作力量便更加弱化，有的支部只有党支部书记一个“光杆司令”，有的支委都不齐，即使配备齐全，也主要由党支部书记负责开展工作，支部委员参与党支部工作的积极性不足。

从高校二级院系党组织书记队伍的配备来看，“兼职书记”和“专职书记”均占一定比例，二者各有利弊。“兼职书记”如果具有一定的学术地位，能更好更多地参与学院各项工作，较好地起到党委统筹协调和引领方向的功能，缺点就是往往对党建工作缺乏专业性，精力投入也会受到一定限制。“专职书记”一般能够保证在党建工作精力上的投入，但由于缺乏对学院业务工作的了解，不能较好地参政议政，往往难以树立学院党委书记的权威，特别是在党建与实际工作结合、党建引领作用的发挥等方面受到极大限制。根据实际情况来看，在学校中具有重要地位的学院党委书记还是有必要由具有一定学术地位的教师来担任比较适合，但最好又要具有较为丰富的党建或学生工作等相关工作经历，善于研究党建思政领域内的问题或具有较强的学习能力，同时要能保证在书记岗位上投入充分精力。对高校党委来说，有计划地、积极地做好二级院系党组织书记的发现、培养、选配还不够，往往到换届改选时会感到合适的人选太少，甚至无人可选。

从党支部书记选配来看，党支部书记基本为兼职，缺乏相应政治和经济待遇，党支部委员更是没有任何待遇。实际工作中，普遍发现支部书记没人做，不愿意做，岗位吸引力相对较低，存在“有号召力的教师做支部书记时间精力上不能保证，愿意做工作的教师又缺乏号召力”的现象。主要原因是在高校现有的考核体系中，专业教师的职业发展和考核中，主要还是看业务成绩，从事党务工作花费大量时间但是很多工作润物无声，没有很好的显示度，也很难量化，容易被忽视，工作成就感不高。此外，高校受限于编制，对专职组织员的配备明显不足。中共中央、国务院印发《关于加强和改进新形势下高校思想政治工作的意见》，明确要求高校配齐建强思想政治工作队伍和党务工作队伍。每个院（系）配备1名专职组织员。不少高校仍然没有配齐专职组织员队伍，为了完成工作会采取专兼职结合的办法。组织员一般既要从事繁多的日常党务工作，又要负责大量的文案撰写工作，人员配备不充分，往往会影响工作质量和工作效率，从而影响高校基层党建工作整体质量的提升。

此外，“双带头人”（“党建带头人、学术带头人”）教师党支部书记培养选配不足。中共教育部党组先后印发《关于加强新形势下高校教师党支部建设的意见》和《关于高校教师党支部书记“双带头人”培育工程的实施意见》，要求各高校选优配强教师党支部书记，大力推进教师党支部书记培育工程，力争通过3年左右的时间，实现“双带头人”党支部书记全覆盖。但从实际情况来看，目前高校教师党支部书记队伍和党支部班子队伍建设主要存在如下几个问题：一是“双带头人”队伍建设进展并不顺利，不少高校没有完成“双带头人”配备，有的高校对“双带头人”理解出现偏差，认为只要教师党支部书记具有副高职称或者博士研究生学位便是“双带头人”，结果导致有的党支部书记党务能力不足、工作积极性不高。二是党支部书记培养和激励机制不健全。大多数高校虽能定期举办党支部书记培训班，给予党支部书记一定的工作津贴，但从干事创业平台、强化待遇保障等方面支持“双带头人”教师党支部书记工作的力度还不够，保障还不到位，有效调动和激励党支部书记和支委积极性的机制办法不够健全。三是支委班子建设不够有力。有的支部没有配齐配强支委班子，有的高校对除党支部书记以外的支委没有相应的支持和保障，关心和培养远远不够，导致支委工作积极性不够，支部工作不能有效开展。

四、机制体制困境

一是议事决策程序不明确。高校二级院（系）党委（党总支）会议与党政联席会议出席人员高度趋同，如何界定两个会议之间的关系，发挥二级单位班子整体功能，成为高校多数院（系）的困扰。不少高校二级单位党组织会议决策存在较大的问题，如有的高校学院党组织发挥政治核心作用流于形式，用党政联席会议代替党组织会议，党组织书记在议事决策中的话语权和影响力普遍较弱；有的高校二级学院以党政联席会议代替党委会会议；有的高校学院党组织会议不规范。2020 年 10 月，中共中央组织部和中共教育部党组印发了《普通高等学校院（系）党委会会议和党政联席会议议事规则示范文本的通知》，各高校也普遍出台了二级学院党委会会议和党政联席会议议事规则，对院（系）党委会会议和党政联席会议决策内容及程序进行了规范，但在实际运作过程中，党委会会议和党政联席会议关系仍然有待进一步理顺，特别是针对“由党委会会议研究形成决议或决定，并提交党政联席会议成员共同研究落实”的内容，还需要进一步统一思想，作出具体规范和调整。

二是基层党建工作考核评价不清晰、不科学。党的十八大以来，从中央到地方，加强了基层党建工作责任考核。2019 年 12 月，中共中央组织部印发《党委（党组）书记抓基层党建工作述职评议考核办法（试行）》，对各级党组书记抓基层党建工作述职评议进行规范。实际工作中，大多数高校院（系）党组织的党建职责范围不明确，党建工作质量评价标准不清晰，缺乏考核激励机制，无法调动工作积极性。各高校虽然开展对院（系）基层党建工作责任制考核，但考核指标往往不够具体，存在考核“粗放”“走过场”的情况。有的院（系）书记在述职过程中大讲特讲好的经验和做法，对存在的问题避而不谈或者“蜻蜓点水”。有的高校对基层党建责任制考核结果反馈、运用不充分，导致“做好做坏一个样”，极大地挫伤基层党组织负责人的积极性。因此，建立健全科学合理的基层党建工作考核评价制度便显得尤为迫切。

三是基层党支部工作与保障机制不健全。一方面，不能有效参与二级学院重要决策。当前高校二级学院参与决策的群体主要是行政领导、系科主任，党支部书记较少能参与二级学院重要事项的决策。教师党支部书记“参与本单位工作规划、干部人事、年度考核、提职晋级、评奖评优等重要事项讨论决策”落实不到位，结果导致支部在二级学院存在感弱，向心力不强。另一方面，考核和保障体系不健全。目前，各高校针对二级单位党组织书记的考核和激励制度相对比较完善，但对于基层党支部和党支部书记的考核尚缺乏强有力的抓手。由于上级党组织没有硬性、可量化、与党员利益密切相关的指标，致使基层党支部工作虚化、弱化、边缘化，一些教师党员不愿意担任党支部负责人、不愿意做党建工作。与院（系）书记相比，基层党支部书记岗位吸引力更低，岗位责任感更弱，岗位工作成效更加堪忧。主要原因在于基层党支部书记都是兼职，有着比较繁重的教学、科研或管理职责。学校在兼职津贴、职称评定、发展方向等方面尚未探索出有效的激励办法，特别是实行绩效工资后，基层党支部书记工作的积极性总体上有所下降。

四是工作队伍缺乏有效激励。近年来，一方面，随着全面从严治党要求的不断深入，高校基层党务工作者队伍面临的工作压力也日益增大，“5+2”“白加黑”甚至成为工作常态。另一方面，党务工作者存在待遇普遍不如业务工作者高、职称上不去等诸多现实问题，导致队伍内生动力不足，严重制约着高校党建人才队伍的发展。高校党务工作队伍专业化建设的制度还不够完善，党务工作者职称评定、收入待遇等问题仍然较为突出。全国高校思想政治工作会议提出：“推动高校思想政治工作队伍和党务工作队伍专业化职业化建设，探索职务职级‘双线’晋升办法和保障激励机制，实行职务（职称）评审单列计划、单设标准、单独评审。”这一政策极大地调动了基层党务工作者的积极性，但由于各高校对政策的理解和把握有偏差，党务工作队伍职称评审单列计划、单设标准、单独评审推进并不顺利，使得高校党务工作队伍的职业化建设进展较为缓慢。

五、组织自身困境

一方面，基层党支部设置还不够优化，科学合理设置党支部是党支部能有效发挥作用的前提和基础。目前，高校基层党组织设置主要存在两个方面的问题：一是支部设置与师生实际不适应。大多数高校基层党支部设置主要是根据传统的教学、科研和管理机构来设置，教工党支部一般按院（系）内设教学科研机构进行设置，管理、教辅机构一般按部门设置党支部，本科生一般以年级、班级为单位设立党支部，研究生一般以年级、专业或实验室为单位设立党支部。随着高校管理体制和机制的调整，探索依托重大项目组、创新团队、科研平台等设置教师党支部的呼声越来越高，但实际落地的较少。二是部分基层党支部规模过大、人数过多。《中国共产党普通高等学校基层组织工作条例》规定：党员 100 人以下、50 人以上的，设立党的总支部委员会。正式党员 3 人以上要成立党支部。党支部人数为 3 ～ 50 人，弹性比较大。实际工作中，部分党支部接近或超过 50 人，支部人数过多，导致支部教育管理党员难度增大，部分人数较多的支部没有设置党小组，结果造成支部开展活动不便，特别是年度（专题）组织生活会和民主评议党员、发展党员等工作效率低下，不利于开展党员教育、管理、监督，不利于组织、宣传、凝聚、服务师生。

另一方面，党员队伍建设也存在一些主要问题，主要表现在：在专任教师中发展党员缓慢。党的十九大报告提出，要“注重从产业工人、青年农民、高知识群体中和在非公有制经济组织、社会组织中发展党员”①。但从实际工作中看，多数非党员教师缺乏入党积极性，高校知识分子特别是专任教师中发展党员进展缓慢。学生党员发展存在着“重发展，轻教育”的现象。高校学生党员发展任务重，客观上造成学生党支部工作重心容易集中在培养入党积极分子和发展对象上。高校从事党员教育管理工作的人员相对不足，学生党员入党及后续教育工作往往就靠几名从事学生工作的辅导员和组织员。个别学生党员入党前后差异大，有极少数学生党员入党动机不单纯，入党前积极，入党后消极，有的不勤奋学习，有的只注重个人利益，学生工作和志愿服务活动中怕苦怕累、患得患失，有的在服务群众等方面不积极。相较于教工党员大多有一定的党龄而言，学生党员大多数入党后不久，党内政治生活历练还不够，有的学生党支部组织生活和主题党日不够严肃，有的支部在落实“三会一课”、党内谈心谈话、民主评议制度上不够严肃，流于形式，导致学生党员党内政治生活严重不足。

---

①《习近平谈治国理政》第三卷，外文出版社，2020，第 51 页。

第二章　新时代高校基层党建工作的任务与要求

党的十八大以来，中国特色社会主义进入新时代。习近平总书记多次围绕加强高校党的建设工作发表重要讲话、作出重要指示批示。党中央对高校党建工作创新发展作出系列重要部署，制定出台系列重要制度和文件，相继开展系列党内重大学习教育，对高校基层党建工作提出了新要求与新任务，高校基层党建工作开启了新篇章。习近平总书记就推进全面从严治党向基层延伸，扎实做好抓基层、打基础、固基本的工作，作出一系列重要指示，系统回答了新时代基层党建工作怎么看、抓什么、怎么抓等重大理论和实践问题，为建强战斗堡垒、夯实执政之基指明了前进方向、提供了根本遵循。

党中央总揽全局，科学谋划，加强顶层设计，有关部门召开全国高校党的建设工作会议、全国教育大会等，修订《中国共产党普通高等学校基层组织工作条例》，制定《中国共产党支部工作条例（试行）》《中国共产党党员教育管理工作条例》。各级党委坚持问题导向，系统梳理传统领域党建工作薄弱环节，着力解决“灯下黑”“两张皮”等问题，压紧压实党建工作责任，紧盯重点任务集中发力，推动党的领导贯通到底、党的建设落到实处，把党的领导贯穿办学治校、立德树人全过程，把党建工作优势更好地彰显出来。

第一节　新时代高校基层党建工作的内涵

高校基层党建指高校的党组织所开展的党建相关理论与实践活动，有广义和狭义两种理解。从广义上看，高校党组织在党的组织体系中属于基层组织，因此高校基层党建泛指高校各级党组织为了完成党章赋予的任务而开展的政治建设、思想建设、组织建设、作风建设、纪律建设、制度建设等工作，包含高校党委、院（系）党委（党总支）和党支部三个层面的党组织所开展的相关建设。从狭义上看，高校基层党组织往往指高校下设的基层党组织，一般分两个层级，即院（系）党委（党总支）、党支部。因此，高校基层党建主要指：上级党委和高校党委为加强院（系）党组织和党支部工作而开展的系列工作。从内容上看，高校基层党建一般不包括高校党委自身建设方面的工作，主要包括：院（系）党组织建设、党支部建设、党支部书记选配及培养、党员发展、党员教育、党员日常管理监督服务等。

一、常见对党建工作的错误理解

党的基层组织是党在社会基层组织中的战斗堡垒，是党的全部工作和战斗力的基础，在党的事业和党的建设中处于基础性地位。高校基层党组织在推动事业发展、组织服务群众、加强自身建设等方面发挥了重要作用。但在实践中，很多基层党务工作者对党建工作还有不少模糊认识甚至错误理解。

错误认知 1：党建工作就是务虚的。很多人都认为党建工作比较虚，就是“务虚”的工作。一方面，党建工作的内容、特点和考评体系与其他业务工作有很大不同，而高校的教学、科研等成果有就是有，没有就是没有，看得出、摸得到，而党建工作的成效往往用图片和文字来展示。另一方面，基层党组织在党建工作上没有找到有力的抓手和着力点，支部会议召开不严谨，支部活动变成行政活动甚至工会活动，党员也对支部工作抱一种无所谓的态度，参加支部会议也是云里雾里混时间，支部学习听不懂也不想听，长此以往，党建工作必然变得比较虚，得不到广大师生的重视。实际上，党建工作事关高校为党育才、为国育人的重要使命，这是一项抓根本、利长远的工作，不仅不能虚，还必须抓实，是一项大有可为、大有作为的工作。但是，要想把基层党建工作做好、做实确实很不容易，需要花大心思、下大力气，不然也只能变成表面功夫，成了“虚功”。

错误认知 2：党建工作没有业务工作重要。党的领导高于一切，党管一切等一些观念已深入人心，大家已深刻认识到党建工作是中国特色社会主义制度下不可或缺、至关重要的工作。因此，无论在任何领域，党建工作的地位和重要性都毋庸置疑。但在实际工作中，很多人都觉得党建工作没有业务重要。无论高校的业务部门，还是教师和学生，接触更多的工作主要集中在教学、科研等业务或管理性工作，相对而言，这些工作与师生的工作学习密切相关，工作的指令性、操作性等更强，更容易被上级和师生关注。党建工作常常被置于次要位置，领导干部对教学、科研等这些“硬实力”抓得很紧，认为党建只是“软指标”，少干、干差甚至不干也不会造成严重损失或后果。这实际上是对党建工作内涵缺乏深刻认识和理解，高校基层党建的核心任务是通过党建来引领事业发展，为业务工作开展提供思想引领和组织保障，从而高质量推动业务工作。党政需要互相支撑借鉴，紧密配合，共同推动高校各项工作顺利开展。一个单位或集体，如果组织涣散，思想不统一，肯定不会有好的发展。

错误认知 3：党建工作与业务工作没有关系。很多人都觉得党建工作或党员活动就是开会、学习，与业务工作关系不大。造成这一错误认识的原因，主要归咎于党建工作在基层开展过程中走了样、失了职。无论从《党章》中对基层党组织职责的论述、党的重要理论还是党和国家领导人的重要讲话精神中，都显示党的工作要和影响单位发展的重要工作相结合。特别是 2021 年召开的第二十七次全国高校党的建设工作会议要求，高校党建一定要认真增强“四个意识”、坚定“四个自信”、做到“两个维护”，牢记“国之大者”，落实到高校教学、科研、管理全过程和各方面。党的发展历史和我国的发展成就也充分深刻印证：党的建设常常事关根本和全局，党建工作服务大局就会大有成就，偏离中心就难有作为，党建工作与业务工作必须相辅相成、相互支持，绝不能一分为二，成为两张皮。

错误认知 4：党建工作就是党务工作。很多人容易把党建工作和党务工作二者混为一谈，认为党建工作就是党务工作。实际上，党务工作只是党建工作的一种体现，主要指组织党内会议、“三会一课”、党员发展等日常事务性工作。党建工作的范畴很大，包括思想建设、作风建设、制度建设、廉政建设、文化建设等，可以说覆盖一个单位各项工作的方方面面。党建工作检查主要围绕一些具体的党务内容和指标来开展，比如“三会一课”记录、党委会记录、党政联席会记录、党建活动新闻报道等。党支部的工作多数停留在党务工作上，还没有充分上升到党建工作层面。虽然抓党建必须依靠抓党务来实现，但不能简单地将党建与党务等同起来。如果认为只要把会议开好、记录做好就是把党建工作抓好了，这个片面而错误的认识不仅导致抓不好党建，还会对其他工作产生负面作用。

错误认知 5：党管一切就是党组织领导和包办一切。从本质上讲，党建引领就是要用高质量党的自身建设引导正确方向、带领党员群众推动事业发展。但在实践中，有的党员干部对于党建引领存在认识上的偏差。一是将党建引领泛化，随意将党建嫁接到某项具体工作中去，言必称“党建引领”，一切工作冠以党建引领，将党建引领随意化、形式化、庸俗化。二是将党建引领异化，把党领导一切误认为是党管理一切、包办一切。在实际工作中，不少部门或人员认为党建引领就是由党组织来解决任何所有问题，靠党组织的包办代替，遇到承担责任的时候言必称“党管一切”。表面上看起来是坚持党的领导，实则有时是想逃避或推卸责任。基层党组织的党建引领，不是对任何工作事无巨细地包办代替，更不是决策随意、用权任性。在工作范围方面，高校基层党组织的党建引领主要体现在坚定的政治方向领航和强有力的思想与组织保障。因此，高校基层党组织要重点强化其政治功能和组织功能。在工作举措方面，高校基层党组织要着力推动党建工作与本单位事业发展的中心工作有机融合、深度结合，提高党建工作质量和党员、群众的参与度、满意度，以高质量党建真正发挥党建的引领作用，领导和推动各项事业不断向前发展。

二、准确把握新时代高校基层党建工作的关键点

习近平总书记在党的二十大报告中指出，“从现在起，中国共产党的中心任务就是团结带领全国各族人民全面建成社会主义现代化强国、实现第二个百年奋斗目标，以中国式现代化全面推进中华民族伟大复兴”，强调“高质量发展是全面建设社会主义现代化国家的首要任务。发展是党执政兴国的第一要务。没有坚实的物质技术基础，就不可能全面建成社会主义现代化强国”，为我们统一思想，深化认识、强化共识，下定决心、坚定信心，凝聚人心、汇聚

力量，指明了前进方向，提供了根本遵循。党的中心任务的转变，赋予了新时代党的建设以新的内容。我们要认清形势，把握大局，要发挥党建的引领作用，始终坚持党的领导，不断提高党建工作站位，深化党建工作内涵，拓宽党建工作思路，切实建设坚强有力、朝气蓬勃的基层党组织，不断推进各项工作向上、向好发展。

（一）准确把握高校基层党组织的工作定位

党政军民学，东西南北中，党是领导一切的。坚持党对一切工作的领导，在新时代坚持和发展中国特色社会主义基本方略中处于首要位置。然而，党领导一切并不意味着各级党组织在一切工作中都具有领导权，或者说不同层级的党组织在工作领导权方面是有区别的。特别是在党的基层组织中，由于不同层级和领域的基层党组织的工作重点和具体定位存在差异，其领导作用的发挥也并不相同，不能一概而论。因此，在党对工作的领导方面，并非“上下一般粗”“左右一个样”。厘清这一问题，首先需要回到党章关于基层党组织的定位中来。党的八大通过的党章指出党的中央组织和地方组织的职权应当有适当的划分，并对党的基层组织领导作用的发挥进行了区分，指出企业、农村、学校和部队中的基层党组织应当领导和监督本单位和行政机构和群众组织积极地实现上级党组织和上级国家机关的决议。在机关中的党的基层组织，由于机关工作的特殊条件，不能领导和监督机关的工作，但是应当对党员的思想政治情况进行监督。可见，党的八大通过的党章中，企业、农村、学校和部队中的基层党组织发挥领导作用，而机关中的基层党组织是不发挥领导作用的。

2022 年 10 月 22 日，中国共产党第二十次全国代表大会通过了《中国共产党章程（修正案）》，其中第三十二条指出党的基层组织是党在社会基层组织中的战斗堡垒，是党的全部工作和战斗力的基础，基本任务包括八个方面。

（1）宣传和执行党的路线、方针、政策，宣传和执行党中央、上级组织和本组织的决议，充分发挥党员的先锋模范作用，积极创先争优，团结、组织党内外的干部和群众，努力完成本单位所担负的任务。

（2）组织党员认真学习马克思列宁主义、毛泽东思想、邓小平理论、“三个代表”重要思想、科学发展观、习近平新时代中国特色社会主义思想，推进“两学一做”学习教育、党史学习教育常态化制度化，学习党的路线、方针、政策和决议，学习党的基本知识，学习科学、文化、法律和业务知识。

（3）对党员进行教育、管理、监督和服务，提高党员素质，坚定理想信念，增强党性，严格党的组织生活，开展批评和自我批评，维护和执行党的纪律，监督党员切实履行义务，保障党员的权利不受侵犯。加强和改进流动党员管理。

（4）密切联系群众，经常了解群众对党员、党的工作的批评和意见，维护群众的正当权利，做好群众的思想政治工作。

（5）充分发挥党员和群众的积极性创造性，发现、培养和推荐他们中间的优秀人才，鼓励和支持他们在改革开放和社会主义现代化建设中贡献自己的聪明才智。

（6）对要求入党的积极分子进行教育和培养，做好经常性的发展党员工作，重视在生产、工作第一线和青年中发展党员。

（7）监督党员干部和其他任何工作人员严格遵守国家法律法规，严格遵守国家的财政经济法规和人事制度，不得侵占国家、集体和群众的利益。

（8）教育党员和群众自觉抵制不良倾向，坚决同各种违纪违法行为作斗争。

不同领域的基层党组织基本任务是一致的，但不同的领域基层党组织的工作重点和具体定位又有所不同。党章第三十三条规定：

街道、乡、镇党的基层委员会和村、社区党组织，统一领导本地区基层各类组织和各项工作，加强基层社会治理，支持和保证行政组织、经济组织和群众性自治组织充分行使职权。

国有企业党委（党组）发挥领导作用，把方向、管大局、保落实，依照规定讨论和决定企业重大事项。国有企业和集体企业中党的基层组织，围绕企业生产经营开展工作。保证监督党和国家的方针、政策在本企业的贯彻执行；支持股东会、董事会、监事会和经理（厂长）依法行使职权；全心全意依靠职工群众，支持职工代表大会开展工作；参与企业重大问题的决策；加强党组织的自身建设，领导思想政治工作、精神文明建设、统一战线工作和工会、共青团、妇女组织等群团组织。

非公有制经济组织中党的基层组织，贯彻党的方针政策，引导和监督企业遵守国家的法律法规，领导工会、共青团等群团组织，团结凝聚职工群众，维护各方的合法权益，促进企业健康发展。

社会组织中党的基层组织，宣传和执行党的路线、方针、政策，领导工会、共青团等群团组织，教育管理党员，引领服务群众，推动事业发展。

实行行政领导人负责制的事业单位中党的基层组织，发挥战斗堡垒作用。实行党委领导下的行政领导人负责制的事业单位中党的基层组织，对重大问题进行讨论和作出决定，同时保证行政领导人充分行使自己的职权。

各级党和国家机关中党的基层组织，协助行政负责人完成任务，改进工作，对包括行政负责人在内的每个党员进行教育、管理、监督，不领导本单位的业务工作。

如此看来，高校基层党组织的工作定位应该是对重大问题进行讨论和作出决定，同时保证行政领导人充分行使自己的职权，重点发挥政治领导核心、思想引领和组织保障等作用。

（二）正确理解基层党建工作与党务工作的关系

作为党的肌体的“神经末梢”，不少基层党组织在日常工作中存在的一个普遍问题是往往将党建工作等同于党务工作。实际上，党建工作与党务工作是相互联系又相互区别的两个范畴，二者的内涵和外延都不相同，需要从认识上准确把握两者的关系。从内容上来看，党建工作的内容相对丰富，包括政治建设、思想建设、组织建设、作风建设、纪律建设、反腐败斗争、制度建设等一系列工作。党务工作的内容则相对具体，是围绕着党的建设展开的一系列具体的管理活动，比如发展党员、收缴党费、“主题党日”、“三会一课”、做好有关工作记录纪要等工作。在对待二者的关系上，如果以包含与被包含来认识党建工作与党务工作的关系是简单化的，可能会将两者割裂开来；如果将党建工作等同于党务工作，容易导致党建工作异化，降低党建工作的标准和重要性。在实际工作中，要正确理解党建工作，就必须要认识到党建工作的参与主体是多元化的，工作范畴是全方位的。具体来说，党建工作的参与主体应该是全体党员，作为党务人员或党务干部，不能“反主为客”，党务工作者要为广大党员干部搭建发挥作用的平台，而不是自己搭台自己唱戏、表演“独角戏”，不能让广大党员成为旁观者而是要让他们当主角。作为高校基层党组织书记要切实履行党建工作“第一责任人”职责，树立大党建工作格局，既保证党务干部抓好基础性的党务工作，又深入探索党建工作发挥作用的具体领域，不断丰富党建工作内容，创新党建工作手段，促进党建工作的高质量发展和内涵化提升。

（三）正确理解党建标准化规范化

习近平总书记指出："标准决定质量，有什么样的标准就有什么样的质量，只有高标准才有高质量。"党的十八大以来，党中央高度重视基层党建标准化规范化建设。2018 年，《中国共产党支部工作条例（试行）》正式施行，使基层党建工作建有标尺、抓有方向、评有依据，基层党组织的标准化规范化建设迈入新阶段。一些党组织以标准化建设为抓手提升基层党建工作质量，陆续编制党建工作有关规划标准化手册，使党建工作由原有的经验化、活动化方式变为规范程序、量化评估的标准化管理。在落实过程中，一些地方的基层党组织对标准化规范化建设存在误解、执行跑偏，一定程度上使党建标准化规范化沦为了形式化，重形式轻内容，造成了工作重心的偏离，其突出表现之一就是从"痕迹管理"走向"痕迹主义"。看新闻有声有色，看记录有章有法，阵地建得轰轰烈烈、材料上墙满满当当，但实际效果却不尽如人意，不少党员和广大群众没有感受到党建活动的意义，甚至抱怨"文山会海""形式主义"。

党建工作标准化规范化一般应包括以下方面：一是制度建设标准化。通过建章立制，健全"三会一课"、组织生活制度、政治理论学习制度等规章制度，实现党建工作制度化、规范化。二是主题活动标准化。将党建工作与中心工作协调统一，可以根据结合点制定开展相关主题活动的内容、流程和方法，促进二者同频共振，克服党建"自我空转""自娱自乐"等顽疾。三是工作资料规范化。编制有关工作记录手册，规范记录党内各种会议、活动等，比如党委会和党政联席会记录、党员大会、党课、民主生活会、组织生活记录等，使党内重要活动形成规范化档案，做到有据可查。四是考核优量化。定期督导检查基层党建工作，考核机制要完善，考核指标要优化、量化，促进基层党建工作执行标准、认真落实。基层党组织要正确理解、认真落实党建工作标准化规范化，摒弃形式主义，不断激发开展党建工作的内生动力，调动起党员参与的积极性，增强党建实效。

（四）正确把握党建与中心工作的辩证关系

党的十八大以来，以习近平同志为核心的党中央高度重视高校党的建设，习近平总书记先后作出一系列重要论述，深刻阐明了加强高校党建工作的方向性、根本性问题，为推进高校党的建设提供了根本遵循。各高校坚决贯彻落实全面从严治党主体责任，抓实筑牢基层党建工作，不断突出思想引领，夯实党建基础，强化思政实效，坚持为党育人、为国育才的立场，着力推动基层党建工作更好地服务于中心工作，成为新时代高校基层党建工作的重要内涵。2018年9月，习近平总书记在全国教育大会上指出，加强党对教育工作的全面领导，是办好教育的根本保证。党的领导是引领中国特色社会主义教育事业不断前进的最大优势，是办好中国特色、世界水平的现代教育的根本政治保证。加强党对学校工作的全面领导，把抓好学校党建工作作为办学治校的基本功，就要把党的组织嵌入大学治理结构的各层级，把党的领导融入办学治校的各个环节，把党的教育方针全面贯彻到学校工作的各个方面，确保学校始终成为党领导的坚强阵地，成为学生德智体美劳全面发展的成长沃土。2021年8月召开的第二十七次全国高校党的建设工作会议指出，增强“四个意识”、坚定“四个自信”、做到“两个维护”，提高政治判断力、政治领悟力、政治执行力，牢记“国之大者”，将高校党建工作切实落实到高校教学、科研、管理全过程和各方面，着力健全高校党建工作体系，压实高校党建工作政治责任，增强基层党组织政治功能，推动高校党建与高校事业发展深度融合。探索新时代高校基层党建工作与中心工作深度融合，是进一步加强党对高校工作领导的重要手段，落实全国教育大会和高校党建工作会议精神，推动我国高等教育教学科研管理发展的客观需求。无论是谋求基层党建工作的不断深入推进，还是教学科研管理等工作的不断发展，都需要在探寻二者的契合点上下功夫，在探寻二者的关联性上下功夫。因此，在实际工作中，我们必须正确把握党建与中心工作的辩证关系，切实地找到契合点，并在实际工作中着力提升二者的融合度，运用多种手段，不断挖掘党建工作内容和创新工作形式，最终实现围绕中心抓党建、抓好党建促发展的良好生态。要加强党建引领作用，破除对党建工作的狭义理解和误解，正确认识党建工作内涵，党政互相借鉴，互相支撑，紧密配合，共同推动高校基层单位各项工作顺利开展。

第二节　新时代高校基层党建工作的发展趋势

提高党的建设质量，是习近平总书记着眼于永葆党的先进性和纯洁性，顺应新时代党的建设总要求提出的重大课题。作为党建工作的基石，高校基层党组织必须坚实稳固，才能发挥坚强战斗堡垒的作用。习近平就提高党的建设质量提出明确思路，要求在继承的基础上进行创新，解决突出问题："提高党的建设质量，既要坚持和发扬我们党加强自身建设形成的优良传统和成功经验，又要根据党的建设面临的新情况新问题大力推进改革创新，用新的思路、举措、办法解决新的矛盾和问题。"① 在此指导和推动下，新时代高校基层党建工作呈现了新气象和新趋势。

一、高校基层党建工作谋划要提升高度

坚持和加强党对高校的全面领导，必须夯实高校党建工作基础，增强基层党组织的创造力凝聚力战斗力。高校基层党组织建设是全面加强党对高校的领导以及改进高校思想政治工作的基础工程，是高校党的全部工作的基本依托，是提升广大师生凝聚力和向心力的重要方面，是集中党员和群众的智慧和力量、贯彻落实党的教育方针、落实立德树人根本任务的组织保证。新形势新时代，站在新的历史方位，加强高校基层党组织和党员队伍建设的战略意义日益凸显，需要以系统思维、创新思维为指导来推进，要将高校基层党组织建设放在加强党对教育工作领导和贯彻党的教育方针的高度来认识。

当前，高校基层党建工作大多缺少顶层设计，围绕学科特色和发展需求的党建工作系统谋划不足，对党支部建设的精准有效指导缺失，普遍缺乏体系完整、特色鲜明、行之有效的党建工作体系和行动举措，党建工作多在传接层面，缺少自主特色创新，存在左右一个样、上下一般粗的问题，拿得出、叫得响、立得住的党建范式和案例较少，限制了党建引领作用的发挥和高质量工作

① 习近平：《在全国组织工作会议上的讲话》，《党建研究》，2018 年第 9 期。

成效的形成。

新时代，以习近平同志为核心的党中央作出优先发展教育事业、加快一流大学和一流学科建设、实现高等教育内涵式发展的战略部署。高校基层党组织要紧紧围绕培养什么样的人、怎么培养人、为谁培养人这一根本问题，适应高校发展趋势，遵循高校发展规律，在坚持引领办学发展方向、紧密聚焦教育发展关键任务、更好服务事业发展中心工作等方面充分发挥领航作用，做好党建工作顶层设计和系统谋划，既要遵循党建工作的一般性规律，又要结合自身实际充分反映办学和育人特色。

二、高校基层党建工作功能要拓展广度

一方面，切实优化基层党组织设置，扩大组织覆盖。党支部是高校基层党组织建设的基础，是保障党组织面向全校师生党员以及群众服务的抓手。高校要在符合条件的行政、教学、科研单位单独设置党支部，建立横向到边、纵向到底的基层党组织体系，最大限度地把师生组织起来。随着高校内部管理体制改革的不断深入，师生员工的工作和生活发生了一系列的变化，高校基层党组织必须正视这些变化，主动适应变化，大胆探索新的党员教育管理模式，用创新的精神推进基层党的组织建设。要坚持把党支部建在教研团队上、建在班级课堂上、建在学生社区上、建在学生社团上，确保教育教学科研推进到哪里、党支部建设就跟进到哪里、共产党员的先锋模范作用就体现在哪里。党支部尤其要注意覆盖和照亮新形势下出现的“盲区”，积极适应高校组织结构、管理模式、学科设置、办学形式的新变化和新需求，探索依托重大项目组、学科组、课题组、创新团队、科研平台、中外合作办学项目和机构、学生公寓、学生社区、社团组织等设置教师党支部或学生党支部，探索基层党建工作向最活跃、最具创新能力的组织拓展，扩大党的覆盖面。

另一方面，党员教育管理应拓宽领域强化功能。党员教育管理是高校基层党建的一项基础性工作，要把这项工作抓紧抓实，党的肌体才能拥有更多“活力细胞”。由于高校党员队伍结构变化大、党支部设置形式多，要求基层党组织必须要不断拓宽党员教育管理领域、强化教育管理实效。要认真总结多年来行之有效的教育管理方法，还要研究师生党员教育管理的特点，有针

对性地做好教育工作。首先从严管理，切实发挥好党支部主体作用，让每一个支部自觉扛起教育管理监督党员的职责，也要切实增强广大党员的身份意识，使每一名党员牢固树立党员的权利和义务。其次创新载体，把握信息化时代的新趋势要求，用好用活各种现代信息技术，不断提高党员教育管理工作的现代化水平，拓展党员教育管理的“辐射面”，使党员随时随地参与党组织的教育管理培训。再次拓宽教育内容，深入调研了解师生的教育诉求，不仅只是进行党的理论的学习教育，也要关注师生对学习工作技能、心理健康教育等方面的培训培养，将理论学习与专业技能培训、综合素质提升等紧密结合，实现共同促进共同提升。

三、高校基层党建工作举措要体现温度

高校只有开展有温度的党建工作，才能让广大师生党员在思想上认同组织、政治上依靠组织、工作上服从组织、感情上信赖组织。开展有温度的党建工作，要求党建工作内容要体现需求性、党建工作方法要讲究艺术性。

一方面，党建工作内容要“党业融合”。教师党支部和学生党支部是高校基层党组织建设的支点。高校教师党支部是教育、管理、监督和服务广大教师党员的基本单位，是党团结和联系广大教师的桥梁纽带，在教师党支部工作中，要坚持推进政治与业务的结合、融合，促进广大教师党员把践行社会主义核心价值观贯穿教育教学的全过程，处处育人、时时育人，引导学生把握好人生方向；坚持把解决实际问题、增强教师归属感获得感以及促进教师成长发展作为教师党支部工作的重要落脚点。高校学生党支部是发挥广大党员学生先锋模范作用的组织保障，是营造良好学风、班风和校风的重要依托，在学生支部工作中，要坚持面向广大党员学生和群众解决思想问题与实际问题相结合，注重人文关怀和心理疏导，在引领优良班风、校风、学风，践行社会主义核心价值观和维护学校改革发展稳定大局中发挥战斗堡垒作用；要善于运用一站式学生社区、“两微一端”等网络新媒体推进广大学生专业学习、志愿服务、社会实践、就业创业等方面的工作。

另一方面，党建工作方法要“情理结合”。党建工作的开展不能简单地部署和要求，作为一项思想性很强的工作，必须体现人文关怀、彰显组织情怀。

要坚持需求导向，注重微小性和可行性，在开展工作的过程中密切关注和解决师生党员和群众的个性化诉求，灵活采取谈心谈话、互助帮扶等多种工作手段，真正做师生党员和群众的坚强后盾。作为基层党组织，也要积极开展有温度的党建活动，特别是以为民办实事为抓手，深度参与基层单位治理，努力构建基层党建和基层治理格局，实现二者“双提升、双促进”，使高校基层党建工作产生热度和温度。

四、高校基层党建工作执行要彰显力度

学校党建工作千头万绪，全面落实新时代党的建设总要求，要善于抓住基层党建工作的“牛鼻子”，分清主次，在重点工作上加大执行力度。

一是抓学习。思想是行动的先导和引领。只有理论上清醒，政治上才能坚定，行动上才能自觉。要把学习当作一种生活态度、一种工作责任、一种精神追求，树立“终身学习”的观念，少一些应酬、多一些阅读、少一些空谈、多一些调研。当前，要学习贯彻党的二十大精神的着力重点，真正把思想和行动统一到大会部署要求上来，把智慧和力量凝聚到实现大会确定的目标任务上来。将学到的理论和思考的结果用来指导实践，做到能用学习的力量来推动干事创业、实现发展。

二是抓载体。党建工作不能只是务虚，不能只停留在理论层面，要依托一定载体去实现其引领功能，使其转化为鲜活的实践，发挥出积极作用。积极利用新的传播方式和教育方式，提高工作水平和效率。通过开展“党建+”、主题党日、“党员先锋岗”等系列活动，把党员的身份亮出来，本领显出来，形象树起来。组织开展活动要贴紧工作实际，做到内容具体、标准清晰、成效显著。

三是抓阵地。“阵地”建设是基层党建工作的重要平台和载体，直接影响着基层党组织活动的吸引力和影响力。加强对意识形态阵地的有效管理，牢牢掌握意识形态工作领导权，坚决杜绝出现任何违反党和国家大政方针、违反宪法和法律、危害国家安全、破坏民族团结的言行。加强党员活动室内涵建设，突出党建文化元素，体现党组织政治属性，发挥党组织政治功能。充分发挥“一室多用”的综合效用，把党员活动室打造为党员活动中心、学习培训中

心以及为师生服务中心。用“活”党员活动室，在坚持“三会一课”制度基础上，结合实际开展党员教育、管理、服务工作，提升党员队伍战斗力。

四是抓品牌。充分利用基层单位的学科专业优势，探索开展党建特色品牌活动，创新载体设计，加大品牌化创建，结合实际，培育推树，形成“一个党组织一品牌、一个支部一特色”，增强广大党员群众对党组织的认同感和归属感。深入推进已经成型的党建工作品牌，并在推进过程中不断挖掘新的亮点，丰富和完善党建品牌；对没有成型的党建工作品牌要加大工作力度，列入重要议事日程，抓出成效，形成品牌。

五是抓融合。树立抓党建就是抓发展、抓党建就是抓民生的理念，坚持把服务中心、服务大局作为学校各级党组织工作的出发点和落脚点，坚决防止党建和业务“两张皮”现象。把党建工作和业务工作同部署、同安排、同落实，以党建促发展，以党建保发展。坚持以人才培养为中心、以就业为导向，找准工作切入点和着力点，把党建工作主动融入到教育、教学、科研、管理、服务等各项工作中去。坚持党建工作与教育教学，加强学校内部管理和队伍建设、群团工作相结合，结合新的形势、新的任务和新的目标，充分发挥基层党组织推动发展、服务群众、凝聚人心、促进和谐的作用，为学校发展提供坚强的组织保障，推动学校各项事业全面健康可持续发展。

六是抓规范。把党支部建设作为重点，树立一切工作到支部的鲜明导向，从基本组织、基本队伍、基本制度严起，推动党建工作重心下移。按照《关于加强新形势下高校党支部建设的意见》的要求，结合实际制订师生党支部建设标准，严肃党的组织生活，解决党内政治生活庸俗化、随意化、平淡化问题。以提升组织力为重点，以打造“样板支部”为抓手，把基层党组织建设成为宣传党的主张、贯彻党的决定、领导基层治理、团结动员群众、推动改革发展的坚强战斗堡垒。

七是抓创新。创新是一个政党永葆生机的力量源泉。要激励改革创新的精神状态，将党建工作当作一种事业去追求，全身心投入。围绕中心、服务大局，把学校中心工作的难点作为党建工作的重点，把业务工作的薄弱环节作为党建工作的重要抓手，贯彻落实于党建工作的各个方面、各个环节，坚决防止和纠正“就党建抓党建”、党建与业务“两张皮”的倾向，着力提高基层党建工作的针对性，不断创新和实践富有时代特征的新方法，搭建改革创新的载体平台，突破解决好党建工作的开展瓶颈，使高校党建工作的整体思路更加适应新时期党建工作的新要求。

八是抓典型。榜样是一种向上的力量，是一面镜子，是一面旗帜，更是一盏照亮前路的灯。一方面要抓好典型集体选树。按照“抓点带面、连点串线、示范带动、整体推进”的思路，树立先进集体典型，打造基层党建工作示范点，发挥典型示范和辐射带动作用，以创建促规范、以示范带全盘，提升党建工作整体水平；另一方面要做好典型人物选树工作。注重对身边先进模范的挖掘，在不同领域选树一批党员身边的先进典型，加大对身边事、身边人的宣传力度，让“合格党员”的标准更加鲜明，让学做“合格党员”的路径更加清晰，充分发挥先进典型模范带动作用，引导广大党员在推动学校各项事业发展中积极作为、敢于担当、建功立业。

九是抓保障。充分发挥二级学院党组织政治核心作用，严格执行党委会议和党政联席会议制度，进一步健全集体领导、党政分工合作、协调运行的工作机制。全面实施教师党支部书记“双带头人”培育工程，要以建设“双带头人”工作室为重要手段，搭建平台载体、提供政策条件，支持“双带头人”开展理论和实践探索，切实发挥党支部书记“头雁效应”。

五、高校基层党建工作结果增强效度

高校基层党组织要大力增强在党员思想政治教育、管理、服务等方面工作中的针对性和实效性。首先，要选优配强支部书记，充分发挥高校党支部“领头羊”的作用。要选优配强教师党支部书记，推进教师党支部书记党务、业务“双肩挑”；要选优配强学生党支部书记，注重从优秀辅导员、骨干教师、优秀大学生党员中选拔学生党支部书记。其次，高校基层党建工作要主动适应新常态，探索基层党组织建设长效机制以及党建工作优化、创新机制，随着高等教育改革和发展进入新时代，高校基层党组织要因时而进、因势而新，广泛运用大数据、云计算等互联网技术，构建网络化、智能化、数据化、个性化的党建工作机制，增强高校基层党组织建设科学化、现代化和信息化水平。

党建工作要围绕中心、服务大局。所谓“围绕中心”，就是要围绕学校教育教学科研工作中心；所谓“服务大局”，就是要服务学校建设发展大局。只有这样，才能克服党的组织建设和思想政治工作与学校教学行政后勤业务工作相脱节、“两张皮”的倾向，把党组织的“政治核心”和“战斗堡垒”作用落到实处。“围绕中心”“服务大局”来开展党的基层组织建设，核心要在“围绕”和“服务”上下功夫。“围绕”就是党建工作要联系和渗透于中心工作，不能脱离中心工作；“服务”就是党建工作要能帮忙、帮好忙，而不是不帮忙、帮倒忙。这里需要克服两种倾向：一是克服学习教育与实际工作相脱节的倾向，二是克服借口实际工作“繁忙”而把组织建设放置不顾的倾向。也就是说，必须坚持形式与内容的统一，解决好“低头拉车”与“抬头看路”的内在统一问题，把基层组织建设和中心工作开展有机结合起来，做到胸中有大局，工作有重点，使党建工作服从服务于学校中心工作和发展大局。

基层组织生活要讲求实效。党支部是高校党的最基层组织，面临任务繁多、时间紧张的情况，党支部必须要在改进组织活动内容形式、讲求实际效果上多下功夫，这是增强党组织凝聚力、战斗力的重要环节。当前，高校一些基层组织生活方式单一，缺乏吸引力。党员获取各种信息渠道广泛，教师学生党员文化素质高，独立见解多，教育的效果不如社会的影响及时。另外，还存在以行政工作为主和以教学科研工作为主而使党员活动难以统一安排的实际问题。这就要求组织生活必须适应变化了的情况，基层党组织可按照学校党委统一要求合理安排组织生活，坚持组织生活制度不能少，党员教育的内容不能减，但在基层组织活动时间和形式上保持一定的灵活性，鼓励党支部活动在内容、方法、组织形式上创新，提高组织生活的生命力。要尝试采取参观访问、考察、讲座、报告、竞赛等各种形式，走出去，请进来，扩大党组织生活的时间和空间。利用现代化的手段开展网上论坛、网上考试答题等，适应构建开放的网络教育要求。另外，组织生活也不要只限于理论学习和讨论，还可以把提高党员适应工作能力的业务活动纳入组织生活内容之中，以提高业务能力，争当工作标兵为主题，安排丰富多彩的业务活动。这样的活动看得见，摸得着，讲究实效，易于为年轻党员接受。

第三节　新时代高校基层党建工作的新要求与新任务

立德树人是发展中国特色社会主义高等教育事业的核心所在，也是高校为党育人、为国育才的初心使命所在。党的二十大报告提出要深入实施科教兴国战略，突显教育优先发展和建设高质量高等教育体系的重大意义，标志着科教兴国开启新征程，教育高质量发展进入快车道。站在新的历史起点，高校基层党建工作要紧密结合党中央对高等教育发展提出的新要求和新任务，不断提升党建工作水平和工作质量，努力构建实施与高校人才培养更加适应的工作体系，找准党建工作着力点。

一、服务科教兴国战略和教育高质量发展

近年来，高校党建工作面对着诸多新情况、新问题，也面临着前所未有的机遇与挑战。从外部大局看，我国经济发展进入新常态，全面深化改革进入深水区，意识形态领域呈现新的复杂局面，这对我们牢牢掌握高校意识形态工作的领导权和主动权、引导广大师生统一思想认识、维护和谐稳定局面提出了新的挑战。从内部大局看，高等教育深化改革的大格局已经形成，学校发展也步入了由规模发展向内涵提升的新阶段，如何使我们的工作理念、标准、方法、制度能够适应学校快速发展的需要，这对学校党建工作提出了新的更高要求。

党的二十大标志着我国科教兴国开启新征程，教育高质量发展进入快车道，报告将教育从以往的社会建设与民生领域单列出来，更加凸显教育对于全面建设社会主义现代化国家的基础性、战略性支撑作用，更加凸显教育优先发展的战略定位。同时，以创新驱动发展为核心，首次将教育、科技、人才作为一个有机整体系统阐述，形成了科教兴国战略、人才强国战略、创新驱动发展战略“三位一体”协同发展战略，进行统筹部署，更加凸显教育、科技、人才在我国现代化建设全局中的内在联系。高校具有科学研究、人才培养、文化传承创新、服务社会、国际交流合作等五大功能，这决定了高等教育肩负着促进教育公平和追求卓越、增强国家核心竞争力的双重任务。“实施科教兴国战略，强化现代化建设人才支撑”是中国式现代化建设的必然要求，高校要不负神圣使命，为发展科技第一生产力、厚植人才第一资源、增

强创新第一动力作出新的更大贡献。

高等教育要实现高质量发展，必须坚持党对教育工作的全面领导，全面把握世界百年未有之大变局和中华民族伟大复兴战略全局，在改革发展中育新机、开新局。高校党委要始终坚持党对学校工作的全面领导，充分发挥学校党委引领、推进和保证学校高质量发展的领导核心作用，深刻把握、主动适应高等教育历史性变革，守正创新、与时俱进、统筹推进党建和各项事业发展，站位新时代、践行新思想、奋进新征程，以高质量党建引领和推动事业高质量发展进行实践探索，切实将党建工作融入中心工作，为事业高质量发展提供坚强保障。高校基层党建是值得我们不断探索、不断研究的课题，是个永恒的话题。高校的党建工作必须牵住高校基层党建的“牛鼻子”，才能更好地发挥基层党组织的战斗堡垒作用，才能充分发挥基层党员的先锋模范作用，才能更好地服务科教兴国战略和推动教育高质量发展。高校基层党建工作要在高校党委的领导下，紧紧把握党和国家对高等教育作出的战略部署，紧紧围绕高等教育发展任务开展工作，为我国科教兴国战略实施和高等教育高质量发展发挥强大政治引领和组织保障作用。

1. 着力引领科技自立自强。高校作为国家创新体系的重要组成部分，一切科技创新活动必须体现党的意志和国家意志。要坚持以党建引领科技创新方向，牢牢把握建设世界科技强国的战略目标，面向世界科技前沿、面向经济主战场、面向国家重大需求、面向人民生命健康，从国家急迫需要和长远需求出发，在关键核心技术上全力攻坚，提升原始创新能力，不断向科学技术广度和深度进军。坚持以党建引领科技体制改革深化，营造一流创新生态，服务支撑创新驱动发展战略，推动产教深度融合和科技成果转移转化，完善国家创新体系。

2. 着力引领人才资源建设。科技创新的本质是人才创新，创新驱动的本质是人才驱动，人才是实现民族振兴、赢得国际竞争主动的战略资源。新发展阶段，人才资源作为经济社会发展第一资源的特征和作用更加明显。习近平总书记在中央人才工作会议上强调，要坚持党管人才，坚持“四个面向”，深入实施新时代人才强国战略，全方位培养、引进、用好人才，加快建设世界重要人才中心和创新高地。习近平总书记特别强调，我国拥有世界上规模最大的高等教育体系，完全能够源源不断培养造就大批优秀人才，完全能够培养出大师。要深入贯彻落实新时代人才强国战略，确立人才引领发展的战略地位，全方位培养、引进、用好人才，加强党对人才的政治引领，通过高质量党建工作更好地把准方向、整合资源、推进改革，不断推动党的人才工作开创新局面。

3. 着力引领创新发展。新时代，我们更要重视和加强高校党建对创新发展的引领作用，使高校成为适应新发展阶段、践行新发展理念、构建新发展格局的模范之地，更好地满足新时代党和国家事业创新发展的需要。一是要坚持以党建引领理论创新。深化习近平新时代中国特色社会主义思想研究，不断丰富党的创新理论和马克思主义中国化最新成果内涵；及时开展教育研究，吸收教育研究最新理论成果，探索教育规律和人才成长规律，实现教育理念、教育理论新突破，促进人的全面成长。二是要坚持以党建引领制度创新。推进人才体制机制、科技体制机制、人才培养模式、教育评价制度、教育治理体系等改革创新，坚持正确改革方向，以制度创新释放办学活力。三是要坚持以党建引领文化创新。弘扬以伟大建党精神为代表的中国共产党人精神谱系，弘扬中华优秀传统文化、革命文化、社会主义先进文化，构筑中国特色社会主义大学文化，结合新时代伟大实践赋予文化生机活力，不断坚定文化自信，为教育改革发展和社会文明进步提供不竭的精神动力。

二、服务“双一流”建设

习近平总书记在北京大学师生座谈会上的讲话中指出：“党中央作出了建设世界一流大学的战略决策，我们要朝着这个目标坚定不移前进。办好中国的世界一流大学，必须有中国特色。……我们要认真吸收世界上先进的办学治学经验，更要遵循教育规律，扎根中国大地办大学。”[①] 为贯彻落实习近平总书记重要讲话精神，国家相继出台一系列文件推进战略部署的落实。2015 年国务院印发了《统筹推进世界一流大学和一流学科建设总体方案》，2017 年教育部联合财政部、国家发展改革委印发了《统筹推进世界一流大学和一流学科建设实施办法（暂行）》。此后，三个部委继续出台重要文件，2018 年制定《关于高校加快“双一流”建设的指导意见》，2020 年出台《关于“双一流”建设高校

① 习近平：《青年要自觉践行社会主义核心价值观——在北京大学师生座谈会上的讲话》，《人民日报》，2014 年 5 月 5 日第 1 版。

促进学科融合加快人工智能领域研究生培养的若干意见》等。这些文件都强调了加强党的领导，对改进高校党建工作提出了明确要求。

教育强则国家强。高等教育发展水平是一个国家发展水平和发展潜力的重要标志。实现中华民族伟大复兴，教育的地位和作用不可忽视。我们对高等教育的需要比以往任何时候都更加迫切，对科学知识和卓越人才的渴求比以往任何时候都更加强烈。党中央作出加快建设世界一流大学和一流学科的战略决策，就是要提高我国高等教育发展水平，增强国家核心竞争力。我国高等教育肩负着培养德智体美劳全面发展的社会主义事业建设者和接班人的重大任务，必须坚持正确政治方向。高校立身之本在于立德树人。只有能培养出一流人才的高校，才能够成为世界一流大学。办好我国高校，办出世界一流大学，必须牢牢抓住全面提高人才培养能力这个核心点，并以此来带动高校其他工作。

要建设一流的大学，就要建设一流的课程、专业和学科，培养一流的师资和人才，形成一流的管理和服务，而这首先取决于有一流的领导班子和一流的基层组织。《中华人民共和国教育法》明确规定："高等学校实行党委领导下的校长负责制"；对高校基层党组织的职责，《中国共产党普通高校基层组织工作条例》明确规定：基层党组织必须发挥"政治核心"和"保证监督"作用。由此可见，高等院校的领导班子和基层组织，应该建立党政协作、共同负责的工作体制。事实也充分证明，实现一流大学和一流学科战略发展蓝图，离不开党的领导，更加需要通过党建工作来统一思想，凝聚力量，把握新时代特征和高等教育规律；更加需要通过党建引领，发挥党员干部的带头作用和党员教师的先锋模范作用，增强改革精神，破解历史一流的疑难杂症，保持主动作为、锐意进取的精神状态，为"双一流"建设提供有力保障。"双一流"建设是以学院一流学科建设为基础，从而创建世界一流大学，因此要创建世界一流大学，必先争创一流学科，一流学科建设必须依靠二级学院党委。

1. 加强基层党的组织建设，发挥党员的模范带头作用。高校基层党委要把政治建设摆在首位，深入实施基层党建质量提升攻坚行动，全面推进高校党组织"对标争先"建设计划和教师党支部书记"双带头人"培育工程，加强教工党支部和学生党支部建设。一是高校二级学院党委要树立党的一切工作到支部的鲜明导向，按照有利于发挥党支部战斗堡垒作用和党员先锋模范作用、有利于开展师生教育管理服务活动的原则设置党支部；二是要按照“守信念、重品行、有本领、敢担当、讲奉献”的要求由党性党悟高，思想政治素质好，作风正派，教学科研、学习成绩突出，有奉献精神，在师生中有较高威信的党员同志担任支部书记和支部委员，选强配齐支部班子；三是要按照“全覆盖、常态化、重创新、求实效”要求，加强党支部政治理论学习，坚持读原著、学原文、悟原理，联系实际学、带着问题学、跟进思考学，让党员牢固树立“四个意识”，每个党员能够“扛红旗、做先锋”，不断坚定理想信念，做到平常时候看得出来，关键时刻冲得上去。同时，真正发挥教工党员在学科建设、教育教学、师德师风、基层单位文化建设等工作中的模范带头作用，促进学科发展和教学质量的提高，为一流学科建设提供坚强的政治保障。发挥学生党员在优秀校园文化建设、优良学风养成、高尚道德追求中的模范带头作用，用实际行动践行习近平总书记对当代青年学生的期待。

2. 重视育人工作，培养中国特色社会主义事业的接班人。党的二十大报告指出：“青年强，则国家强。当代中国青年生逢其时，施展才干的舞台无比广阔，实现梦想的前景无比光明。全党要把青年工作作为战略性工作来抓，用党的科学理论武装青年，用党的初心使命感召青年，做青年朋友的知心人、青年工作的热心人、青年群众的引路人。”高等学校承担着为国家培养高学历、高素质、高水平的青年一代，责任十分重大，高校二级学院党委在高校人才培养中任重而道远，要充分发挥党组织思想教育和育人功能，坚持用党的科学理论武装青年，用党的初心使命感召青年，教育引导学生心怀“国之大者”，将个人成长与国家发展相结合，把青春奋斗融入党和人民事业。要注重将学校、学院和学科发展元素融入课程思政，将新工科人才培养与思政教育有机融合，加大优秀青年人才培养力度，促进优秀人才成长成才，努力为党和国家培养更多担当民族复兴大任的时代新人。

3. 建好人才队伍，凝聚科技力量。“双一流”建设离不开一流的人才队伍和师资队伍，必须努力培养造就一支师德高尚、业务精湛、结构合理、充满活力的高素质专业化教学科研队伍，既要注重青年教师的培养，又要不断引进高水平领军人才，使学校成为一个流动中的科技资源智库，发挥人才的关键作用。一流的教学科研队伍的培养和引进过程中，二级学院党委则应主要做好以下几方面工作：一是二级学院党委要为人才培养提供条件保障，营造适合人才成长的环境，按照教学、科研不同的特点结合教师的成长规划，制定不同的考核和评价标准，激励教师工作的积极性，为教师快速成长提供通道；二是在教师的培养过程中，注重培养一批坚持中国共产党领导，坚持走中国特色社会主义道路，坚定中国特色社会主义理论，坚守中国特色社会主义制度，坚决认同中国特色社会主义文化的科技人才队伍和师资队伍；三是为学院选拔人才、引进人才、留住人才、培育人才做好政治保障。二级学院党委在引进人才，尤其是从国外、校外引进人才时一定要加强政治和思想意识形态领域把关，严防引进个别人在学生中进行西方、宗教意识形态渗透。

三、与高校事业发展深度融合

党建与发展从来就不是对立的，而是相辅相成、有机统一的。脱离党建抓发展，就难以保证发展的正确方向，难以形成引领科学发展的坚强领导集体和干事创业的良好氛围；脱离发展抓党建，党建就不接地气、没有抓手，就会成为无源之水、无本之木。因此，高校党的建设与事业发展相互支撑、相互促进、不可分割，党建工作决定着高校事业发展的方向，高校事业发展成就是对党建工作成效的最好回报。深度融合高校党的建设与高校事业发展是全面从严治党向纵深发展的必然要求，也是推动党的事业不断向前发展的客观要求。高校党组织的一切工作，都要与高校的根本任务与历史使命深度融合。高校各级党组织只有全心全意服务改革、服务发展、服务党员、服务群众，才能贴近师生、团结师生、引导师生、赢得师生。高校的各项事业只有在党的坚强领导下，才能统一思想、化解矛盾、披荆斩棘、创造辉煌。高校的党建工作与各项事业在深度融合、同向同行的过程中，使改革发展有了方向和力量，也提高了高校党组织解决具体问题的能力。只有党的建设与事业发展真正实现从“两张皮”到“一盘棋”，才能有力推动高校改革发展的成效，完成党和国家赋予高校的使命。

高校党建要发挥引领作用，在宏观上主要包括政治引领、思想引领和组织引领三个方面，在具体落实上主要靠党建与教学科研等中心工作的深度融合来实现。《中国共产党普通高等学校基层组织工作条例》指出，要“推动高校党的建设与高等教育事业发展深度融合，以高质量的党建引领推动高校为党育人为国育才、实现高质量发展”①。高校党组织工作的基本原则是“坚持高校党的建设与人才培养、科学研究、社会服务、文化传承创新、国际交流合作等深度融合，为高校改革发展稳定、完成党和国家重大战略任务提供思想保证、政治保证、组织保证”②。这一表述传递了两个非常重要的概念。一是党的建设通过发挥引领作用，为高校事业发展提供思想保证、政治保证和组织保证；二是引领的途径是党建与中心工作深度融合。这两个概念非常清晰地说明了融合与引领的关系，即通过融合实现引领。高校党建引领作用要通过与业务工作深度融合来实现；党建引领作用的成效，也要通过融合的程度来检验。二者结合得越紧密，融合得越深入，引领作用就发挥得越好。

高校基层党组织工作成效对推动党的建设与事业发展的深度融合起着至关重要的作用，只有激活基层党建的“神经末梢”、打通基层党建的“最后一公里”，才能促进高校的各项事业取得进步，开创新的格局。推动高校党的建设与事业发展深度融合是一项系统工程，高校基层党组织要积极发挥主观能动性，找准党建与发展深度融合的结合点，把握融合过程中的关键点。

（一）理顺党政关系

明确党政职责，理顺党政关系，有利于基层党组织政治核心作用的充分发挥。基层党组织与行政组织虽然工作职责不同、工作侧重点不同，但党政共同承担着本单位改革、发展、稳定的重要责任和培养社会主义合格建设者和可靠接班人的根本任务，需要党政密切配合，互相支持，共同为本单位工作上台阶、升水平而努力。

1. 党政要分工明确。必须各有其责、各负其责，否则，就会互相扯皮干扰，互相纠缠不清；同时，党政要互相支持。一方面，党政负责人必须在各自职权范围内，敢于负责、勇于负责，果断决策、大胆管理；另一方面，党政负责人必须加强沟通和理解，相互配合与支持。总之，既要善于“守界”——恪守职责，不辱使命，负责任地完成分内工作；又要勇于“越界”——相互配合，

① 《中共中央印发中国共产党普通高等学校基层组织工作条例》，《人民日报》，2021 年 4 月 23 日第 3 版。

② 《中共中央印发中国共产党普通高等学校基层组织工作条例》，《人民日报》，2021 年 4 月 23 日第 3 版。

互相支持，创造性地做好部门工作。党组织要保证监督党和国家的方针、政策及学校党委的各项工作部署在本单位、本部门的贯彻落实，在参与讨论决定本单位、本部门教学科研、行政管理的重要事项中，主动支持配合行政领导在其职责范围内独立负责地开展工作，善于把党的工作渗透到行政工作之中。这样做，体现了党的基层组织的重要地位，同时也增强了工作的针对性，调动了党政的积极性，提高了工作效率，发挥了政治核心和监督保证作用。实践证明，在院系工作中，党政联席会议是党政沟通，达成共识，形成科学决策的有效前提和基础。

2. 党政要默契配合。党政班子要做好本单位的工作，关键是党政一把手要团结一心，相互信任，配合默契，形成核心。党政一把手都要有较高的政治素养，宽阔的胸怀，要有大局意识和出色的协调才能。工作中虽各有侧重，但分工不分家，要做到互相支持，换位思考，利用党政联席会议互通情况，坚持民主集中制原则，重大决定事项在开会前先沟通，不搞“一言堂”。党政一把手不但要善于团结与自己意见相同的人一道工作，也要善于团结与自己意见不同的人一道工作。党政一把手既是工作上的搭档，更是心心相印的挚友。高度的责任感和真诚的友谊凝结为强大的动力，才能克服各种困难，保证本单位工作顺利开展。

（二）找准融合路径

推动高校基层党的建设与单位事业发展深度融合，要贯彻落实新时代党的建设总要求，把做好党建工作与学院改革发展稳定各项工作紧密结合起来，同教学科研、管理服务、队伍建设等各项任务一体推进，在“融”上下功夫。

1. 以政治建设引领工作方向。认真学习贯彻习近平新时代中国特色社会主义思想，坚持用党的创新理论武装头脑、指导实践、推动工作，主动融入党和国家发展大局，把党的全面领导落实到谋划、推动学校改革发展的具体实践中，以政治引领汇聚办学治院的强大合力。

2. 以组织建设造就一流干部和人才队伍。选优配强院系党组织书记，健全完善基层党组织书记抓党建述职考核评议制度和行政负责人述职述廉述党建制度，推动党政领导干部主动推进党建和业务深度融合，共同落实党建责任。抓好教师党支部书记“双带头人”队伍建设，推进党建向基层延伸，发挥“双带头人”带动引领作用，汇聚和培育一流师资队伍，引导教师更好地肩负教书育人使命。

3. 以思想建设强化教育初心使命。深入理解党对高等教育的新要求新期待，把新理论、新思想、新观念转化为指导实践、推动工作的根本动力。把思想政治工作作为各项工作的生命线，围绕“培养什么人、怎样培养人、为谁培养人”这一根本性问题，落实立德树人根本任务，克服重科研、轻教学的思想，用习近平新时代中国特色社会主义思想铸魂育人的行动自觉，推动各项工作回归育人本质。要聚焦国家重大战略需求，大力弘扬科学家精神，引导广大教师研究真问题，真研究问题，自觉坚定建设科技强国的使命担当。

4. 以作风建设促进为师生办实事解难题。高校事业发展各项工作的推进，都离不开良好的工作作风。党建的成效只有体现在师生的获得感和满意度上，才能真正得到认同、生发活力。深刻理解以人民为中心的发展思想，树牢以师生为中心的发展理念，把服务师生作为一切工作的出发点和落脚点，推进管理服务精细化，支撑保障精准化，聚焦广大师生急难愁盼问题，有效破解制约学院事业发展的难题，以办实事、开新局检验作风建设成效。

在此过程中，把严格落实“三会一课”作为主要抓手推动党建与事业发展的融合，对党支部学习教育的指导地位，狠抓落实精准指导“三会一课”活动模式和活动内容，积极动脑筋，使“三会一课”活动与教学、科研等业务工作相结合、与日常工作相结合、与党员的工作岗位相结合。如在教工党支部开展“岗位创建”活动，让党支部评选出来的“党员先锋”结合各自工作实际谈收获与体会，充分调动支部党员的积极性与创造力，真正发挥党支部的战斗堡垒作用。

第三章　高校党组织示范创建和质量创优工作概述

开展新时代高校党建示范创建和质量创优工作，是教育部贯彻落实中央对新时代高校建设系列要求、部署安排的总体抓手，坚持培育为基、重在建设、典型引领、整体推进，以政治建设为统领，以质量攻坚为动力，以提升组织力为重点，以推动事业发展为落脚点，严格对标看齐，勇于改革创新，努力争创先进，为加快一流大学和一流学科建设、实现高等教育内涵式发展、办好人民满意教育提供坚强的组织保证。

第一节　高校党组织示范创建和质量创优工作的背景与意义

高校党建是党的建设新的伟大工程的重要组成部分，加强高校党建是确保高校始终作为坚持党的领导的坚强阵地的必然要求，是加快推进“双一流”建设，实现我国高等教育内涵式高质量发展的内在要求。只有站在“使高校成为坚持党的领导的坚强阵地”的政治高度，站位我国高等教育长远发展的战略角度，才能牢牢把握党对高校工作的全面领导，确保党建和办学治校沿着正确轨道前进，才能引导广大教师成为先进文化传播者、民族精神传承者、学生健康成才指导者，才能教育当代大学生树立正确的世界观、人生观、价值观，做堪当民族复兴大任的合格建设者和接班人。

党的十八大以来，以习近平同志为核心的党中央高度重视加强党对高校的全面领导和高校党的建设工作，作出了一系列重大部署。习近平总书记先后发表一系列重要论述，并对高校党的建设和思想政治工作作出重要指示和批示。

党的建设事关重大、牵动全局。党和人民事业发展到什么阶段，党的建设就要推进到什么阶段。这是加强党的建设必须把握的基本规律。新时代高校党建工作的规律性、规范性日益增强，高校对院（系）党建工作质量高度重视。

2018 年，为全面贯彻习近平新时代中国特色社会主义思想和党的十九大精神，深入贯彻落实全国高校思想政治工作会议精神，坚持和加强党对高校的全面领导，按照新时代党的建设总要求，根据写好教育“奋进之笔”的总体部署，教育部党组先后印发了《中共教育部党组关于高校党组织“对标争先”建设计划的实施意见》《教育部办公厅关于开展新时代高校党建示范创建和质量创优工作的通知》等文件，大力推进新时代高校党建示范创建和质量创优工作（以下简称“双创”）。同时，大力加强高校教师党支部书记“党建带头人、学术带头人”培育工作，制定并发布《关于高校教师党支部书记“双带头人”培育工程的实施意见》分批开展高校“双带头人”教师党支部书记工作室建设工作，推动新时代高校教师党支部书记“双带头人”建设工作（以下简称“双带”）。目前，教育部已经推出党建工作示范高校、标杆院系、样板党支部创建三批，推出高校“双带头人”教师党支部书记工作室创建二批（表 3-1）。首批 10 个高校党委、98 个院系党组织、551 个党支部通过验收，第二批 9 个高校党委、98 个院系党组织、990 个党支部通过验收，第三批遴选产生了 11 个全国党建工作示范高校、100 个全国党建工作标杆院系、1000 个全国党建工作样板支部培育创建单位。同时，首批 99 个“双带头人”工作室建设单位通过验收，第二批遴选产生 100 个高校“双带头人”教师党支部书记工作室。

此外，根据教育部写好教育“奋进之笔”的总体部署和《中共教育部党组关于高校党组织“对标争先”建设计划的实施意见》《教育部办公厅关于开展新时代高校党建示范创建和质量创优工作的通知》的安排，组织开展全国高校“百个研究生样板党支部”和“百名研究生党员标兵”创建工作（以下简称研究生党建双创活动）。首批，遴选产生 97 个研究生样板党支部，100 名研究生党员标兵。第二批，遴选产生 100 个研究生样板党支部和 100 名研究生党员标兵。新时代高校党建“双创”“双带”和研究生党建双创工作，系统形成了新时代高校党建工作体系，有效带动了高校党建工作质量的整体提升，充分体现了高校党组织在贯彻党的教育方针方面的重要作用。

表 3-1 新时代高校党组织“对标争先”建设体系

序号	名称	创建情况
1	党建工作示范高校	已创建三批，验收二批
2	党建工作标杆院系	已创建三批，验收二批
3	党建工作样板党支部	已创建三批，验收二批
4	高校“双带头人”教师党支部书记工作室	已创建二批，验收一批
5	全国高校“百个研究生样板党支部”	已创建二批，验收一批
6	全国高校“百名研究生党员标兵”	已创建二批

注：时间截至 2022 年 12 月，有关文件、创建名单见本书附录。

一、引领高校党建工作的新局面

在《中共教育部党组关于高校党组织“对标争先”建设计划的实施意见》《教育部办公厅关于开展新时代高校党建示范创建和质量创优工作的通知》等文件出台后，多个省区市也及时跟进，制定了省内高校党组织的“对标争先”培育计划，并积极开展各省的高校党建示范创建、质量创优和“双带头人”教师党支部书记工作室的培育与建设工作，由此产生了一大批高校优秀党组织、先进典型和切实有效的工作方法、创新举措，高校党建工作体系更加科学、更加严密、更加高效，初步形成了国家层面、省区市党委教育工委、高校党委、院系党组织、师生党支部“五级”联动协同开展党建工作创新实践的一体化创建格局。从目前验收的结果来看，大部分单位按期完成了建设任务，较好地发挥了“标杆”的引领和示范作用，带动了高校党建工作质量的整体提升。与此同时，各省区市高校“对标争先”计划的实施，为更多高校党组织冲击国家级“对标争先”计划奠定了坚实基础，做好了充分准备。

二、引发对高校党建工作的新认识

随着高校“对标争先”计划的深入实施，特别是标杆院系创建工作的不断深入，成效的不断显现，影响力的不断攀升，不仅在高校党建的建设工作领域，在整个高等教育界对高校党建工作的价值、功能和定位都有了新的理解和认识。比如：教育部结合教育评价改革，将党建和思想政治工作作为“双一流”建设、学科评估等的重要指标。在备受关注的第五轮学科评估中（表 3-2），高校党组织建设的主要做法和特色成效集中体现在了人才培养质量一级指标中，成为评估表中的第一栏目——思想政治教育特色与成效中的重要内容和主要内容。

表 3-2　第五轮学科评估指标体系

一级指标	二级指标	三级指标
A. 人才培养质量	A1. 思政教育	S1. 思想政治教育特色与成效
	A2. 培养过程	S2. 出版教材质量
		S3. 课程建设与教学质量
		S4. 科研育人成效
		S5. 学生国际交流情况
	A3. 在校生	S6. 在校生代表性成果
		S7. 学位论文质量
	A4. 毕业生	S8. 学生就业与职业发展质量
		S9. 用人单位评价（部分学科）
B. 师资队伍与资源	B1. 师资队伍	S10. 师德师风建设成效
		S11. 师资队伍建设质量
	B2. 平台资源	S12. 支撑平台和重大仪器情况（部分学科）
C. 科学研究（与艺术 / 设计实践）水平	C1. 科研成果（与转化）	S13. 学术论文质量
		S14. 学术著作质量（部分学科）
		S15. 专利转化情况（部分学科）
		S16. 新品种研发与转化情况（部分学科）
		S17. 新药研发情况（部分学科）
	C2. 科研项目与获奖	S18. 科研项目情况
		S19. 科研获奖情况
	C3. 艺术实践成果	S20. 艺术实践成果（部分学科）
	C4. 艺术 / 设计实践项目与获奖	S21. 艺术 / 设计实践项目（部分学科）
		S22. 艺术 / 设计实践获奖（部分学科）
D. 社会服务与学科声誉	D1. 社会服务	S23. 社会服务贡献
	D2. 学科声誉	S24. 国内声誉调查情况
		S25. 国际声誉调查情况（部分学科）

全国党建工作标杆院系、“双带头人”党支部书记工作室、全国百个研究生样板党支部等是可以填入评估表中的。能够填进学科评估表中的内容都是本领域最具代表性、最有影响力的成果。因此，该轮学科评估在评价体系方面作出的重大调整，在一定程度上提升了高校党建工作在学校和院系中心工作中的地位和权重，凸显了示范性党组织特别是全国党建工作标杆院系创建的价值，反映出高等教育界对党建工作价值与功能的再理解、再认识和再升华，以及对标杆院系品牌的认可和推崇。至此，高校党建从“软指标”变成了“硬杠杠”。在品牌影响力和学科指挥棒双重激励下，广大高校院系申报党建工作标杆院系的积极性空前高涨，申报竞争也越来越激烈，客观上也提高了标杆院系的入围门槛。院系党组织在标杆院系申报和建设过程中，需要引导全员、全要素和全领域的深度参与，无形中也加深了院系行政力量、学

术力量和学生群体对高校党建工作内涵、意义、作用、价值、功能等的理解和认同，进而以党建工作为引领汇聚推动本单位事业高质量发展的强大合力，其意义已经超越了党建工作标杆院系创建本身。新时代，在高等教育内涵式发展和“双一流”建设的背景下，全面有效激活高校基层党组织的生机与活力，确保广大党员广大师生始终与党和国家发展需要同向同行同频共振，是高校基层党组织面临的新的时代课题。

三、引导高校党建工作的新发展

从已经开展的全国党建标杆院系的建设效果来看，能够调动和激发高校基层党组织的积极性、主动性、能动性和创造性，引导和推动高校党组织立足基层、立足实践、立足创新、立足实效开展工作，为高校党建工作高质量发展提供了新思路、新经验和新样本。

1. 全国高校党建工作标杆院系的创建进一步明确了高校党建特别是高校院系党建的功能、职责和定位。标杆院系创建的成功实践充分诠释了：高校院系党组织是党在高校全部工作和战斗力的基础；院系党建工作是党的建设新的伟大工程的重要组成部分；院系党组织是夯实党对高校的全面领导、落实立德树人根本任务的前沿阵地；院系党组织也是高校培养社会主义建设者和接班人、履行为党育人为国育才职能的主战场。标杆院系创建，使得“把抓好党建作为最大政绩”“党建工作就是中心工作”的理念、认识逐步深入人心、形成广泛共识。

2. 全国高校党建工作标杆院系的创建进一步彰显了党建在引领和推动学院事业高质量发展中的重要作用。通过标杆院系的创建，院（系）党组织做到了在谋划中把握大局、发挥了“主心骨”的作用；在落实中确保实效、发挥了“定盘星”的作用；在协调中化解矛盾，发挥了“润滑剂”的作用。除此之外，院系党组织在引领和推动学院事业发展过程中还发挥了以下作用：加强领导班子和人才队伍建设的“领头雁”；积极响应和践行上级作出重大改革举措的“突击队”；将党组织政治优势和组织优势转化为事业发展优势的“反应器”；维护院系安全稳定，防范化解风险挑战的“压舱石”；等等。

3. 全国高校党建工作标杆院系的创建进一步昭示了高校党建工作高质量发展的方向和路径。高校党建工作高质量发展要紧紧围绕“五个必须”做到“五个到位”。一是必须坚持以加强党的全面领导为目标，完善院（系）党政分工合作、协调运行的工作机制，做到党的组织领导和运行机制到位。二是必须坚持以政治建设统领院系党的思政、组织、作风、纪律和制度建设各个方面，具体做到“两个维护”，坚决把好选人用人、育人树人政治观，做到政治把关到位。三是必须坚持以立德树人作为根本出发点、着力点和落脚点，深化“三全育人”综合改革、探索构建高水平思想政治工作体系，做到思想政治工作到位。四是必须坚持以完善党的组织体系建设为重点，严格落实党的组织生活制度、健全院系党建工作体系，做到基层组织制度执行到位。五是必须坚持围绕中心、服务大局，推进党建工作和事业发展的深度融合，做到推动改革发展到位。

第二节　高校党组织示范创建和质量创优的目标与任务

教育部在“对标争先”建设计划和“双创”工作通知中明确提出，高校党建工作示范创建和质量创优工作要以政治建设为统领，以质量攻坚为动力，以提升组织力为重点，以推动事业发展为落脚点，严格对标看齐，勇于改革创新，努力争创先进，为加快一流大学和一流学科建设，实现高等教育内涵式发展、办好人民满意教育提供坚强的组织保证。

1. 以政治建设为统领。这是新时代党的建设总要求的重要内容。党的政治建设是党的根本性建设，是党的建设的灵魂和统领，决定着党的建设方向和效果。要把党的政治建设摆在首位，把政治标准和政治要求贯穿于党的各项建设之中。大力推进习近平新时代中国特色社会主义思想进课堂、进教材、进师生头脑，推动各级党组织和党员干部学习贯彻党章党规党纪，不断增强“四个意识”，坚定“四个自信”，坚决维护习近平总书记党中央的核心、全党的核心地位，坚决维护党中央权威和集中统一领导。

2. 以质量攻坚为动力。坚持质量抓标准，以标准化建设为牵引。一方面坚持问题导向和目标导向相统一，聚焦高校党的领导弱化、党的建设缺失、全面从严治党不力，以及院（系）党组织政治核心作用发挥不足、基层党支部作用发挥不够、团结引领知识分子能力不强等问题，系统谋篇布局，精准施策发力。另一方面坚持把典型引领作为重要推动力，积极创建全国党建工作示范高校、党建工作标杆院系、党建工作样板支部，大力开展基层党组织书记示范培训，精心培育、总结凝练成熟机制、有效办法、典型经验，示范引领、辐射带动基层党建工作开展，推动高校各级党组织全面进步全面过硬。

3. 以提升组织力为重点。对于党的基层组织来说，组织力就是基层党组织为实现其政治、服务和监督的主题功能而不断自发促成组织内制度、文化、人员等资源最优配置的一种能力。以提升组织力为重点，优化基层党组织设置，扩大组织覆盖，创新活动方式，增强党员队伍的生机活力，促进党建工作规范化、科学化，使高校党建工作体系更加科学、更加严密、更加有效。

4. 以推动事业发展为落脚点。坚持把统筹推进中心工作作为基本落脚点，有效发挥高校各级党组织的政治功能、组织功能和服务功能，加强和改进新时代高校师生思想政治工作，统一思想、凝聚共识，引领推动学校改革发展稳定，扎根中国大地办好中国特色社会主义大学。

一、高校党委示范创建的任务与标准

教育部在“对标争先”建设计划和“双创”工作通知中明确提出，高校党委全面领导学校工作，履行管党治党、办学治校主体责任，在“对标争先”中要做到“四个过硬”（表 3-3）。

1. 把方向过硬。自觉在思想上、政治上、行动上同以习近平同志为核心的党中央保持高度一致，巩固马克思主义在高校意识形态领域的指导地位，全面贯彻党的教育方针，确保中国特色社会主义大学鲜明的政治方向、服务面向、育人导向。

2. 管大局过硬。坚持党管办学方向，坚持党管改革发展，坚持党管干部、党管人才，认真落实党建工作责任制和意识形态工作责任制，谋大局、议大事、抓重点，认真贯彻落实中央八项规定及其实施细则精神，锲而不舍地反对“四风”，确保高校党委始终发挥总揽全局、协调各方的作用。

3. 作决策过硬。坚持和完善党委领导下的校长负责制，坚持民主集中制原则，落实“三重一大”决策制度，健全领导班子议事和决策机制，实行科学决策、民主决策、依法决策，统筹推进高校改革发展稳定、教学科研管理等各项工作。

4. 保落实过硬。紧紧围绕学校党的建设和人才培养、科学研究、社会服务、文化传承创新、国际交流合作各项任务，抓调研谋划、抓落实推进、抓监督检查。对事关全局的中心工作和事关师生根本利益的重大事项，党政主要负责同志要亲自挂帅、严格把关、负责到底。

表 3-3 新时代高校党建“双创”工作重点任务指南（高校党委）

一级指标	二级指标	三级指标
1. 把方向过硬	1.1 自觉在思想上、政治上、行动上同以习近平同志为核心的党中央保持高度一致	（1）健全完善党委理论中心组学习等制度，扎实开展“不忘初心、牢记使命”主题教育，推进“两学一做”学习教育常态化制度化，深化习近平新时代中国特色社会主义思想学习宣传、研究阐释，深入推进进学术、进学科、进课程、进培训、进读本，教育引导广大干部师生牢固树立“四个意识”，坚定“四个自信”。 （2）牢牢把握党对学校的领导权，把党的建设贯彻办学立校全过程，全面落实新时代党的建设总要求，把政治建设摆在首位，统筹推进思想建设、组织建设、作风建设、纪律建设、制度建设，深入开展反腐败斗争，在政治立场、政治方向、政治原则、政治道路上同党中央保持高度一致，坚决维护习近平总书记党中央的核心、全党的核心地位，坚决维护党中央权威和集中统一领导。 （3）及时传达学习、贯彻落实习近平总书记重要讲话精神和上级党组织的决策部署，注重发挥党的建设对学校各方面工作的牵引、保障作用，推动党的路线、方针、政策在学校得到切实贯彻执行
	1.2 巩固马克思主义在高校意识形态领域的指导地位，全面贯彻党的教育方针，确保中国特色社会主义大学鲜明的政治方向、服务面向、育人导向	（1）充分发挥学校党委领导核心作用，切实做到对本校工作实行全面领导、对本校党的建设全面负责，贯彻落实“四个坚持不懈”要求，巩固马克思主义在学校人才培养、科学研究、教育教学等各项工作中的指导地位，牢牢把握社会主义办学方向。 （2）准确把握党建工作与业务工作的关系，把坚持“四个服务”的要求贯穿于学校改革发展稳定全过程，确保高校党建工作方向和推进高等教育内涵式发展、“双一流”建设同向同行。 （3）落实立德树人根本任务，把思想政治工作体系贯通学科体系、教学体系、教材体系、管理体系等人才培养体系，着力构建课程育人、科研育人、实践育人等“十大育人”体系，切实增强思想政治工作亲和力和针对性，有效宣传引领师生践行社会主义核心价值观，努力培养和造就中国特色社会主义合格建设者和可靠接班人
2. 管大局过硬	2.1 坚持党管办学方向，坚持党管改革发展，坚持党管干部、党管人才	（1）履行管党治党、办学治校主体责任，确保学校党委始终总揽全局、协调各方，始终使学校各项工作遵循正确的政治立场、政治方向、政治原则、政治道路。 （2）善于把握高等教育规律，坚持以改革促发展，深化学校综合改革，着力解决学校发展建设中的重大问题。 （3）坚持好干部标准和正确选人用人导向，健全完善选人用人机制、干部考核评价机制、干部激励机制和容错纠错机制。加强高校思想政治工作专门力量建设，落实院（系）专职组织员、专职辅导员、专职思想政治理论课教师配备要求。推进党员干部队伍培训常态化、长效化。 （4）坚持党管人才，实行更加积极、开放、有效的人才政策，完善人才评价机制，做好人才政治吸纳，充分发挥人才作用

（续表）

一级指标	二级指标	三级指标
	2.2 认真落实党建工作责任制和意识形态工作责任制	（1）学校党委切实履行管党治党主体责任，健全党建、意识形态工作体系和责任体系，党委统一领导、职能部门协同配合、重点岗位关键环节责任明晰、基层单位具体执行落实的工作机制健全完善、运行有序。学校党委书记切实履行“第一责任人”职责，校领导班子其他成员落实“党政同责、一岗双责”。建立健全教师思想政治工作体系，明确1名党委副书记分管教师思想政治工作，成立党委教师工作部。推进落实党委组织部部长、宣传部部长、统战部部长担任学校党委常委。 （2）认真落实党建工作责任制，加强对基层党建工作的领导和指导，学校党委每半年至少听取1次基层党建工作汇报，健全学校党委班子成员联系院（系）党组织和师生党支部制度。持续推进学校各级党组织书记抓党建述职评议考核工作，建立后进基层党组织常态化整顿机制，定期开展基层党建工作督查，强化党建工作资源投入和条件保障。 （3）严格执行意识形态工作责任制，建立健全定期研究、联系指导、问题研究、校内巡察、党内通报、工作问责等机制。认真落实课堂教育教学管理、宣传思想阵地管理、网络意识形态管理、项目资金管理、重点工作对象教育管理、社团管理、民族宗教工作管理责任。加强师德师风、教风学风建设，严格执行师德师风一票否决制。落实每半年向上级党组织报告1次意识形态工作制度
	2.3 认真贯彻落实中央八项规定及其实施细则精神，锲而不舍地反对“四风”	（1）党委全面从严治党主体责任和纪委监督责任落实到位，重点领域风险防控机制完善，违纪行为查处及时，不敢腐、不能腐、不想腐机制不断完善。 （2）把纪律和规矩挺在前面，严格贯彻落实中央八项规定及其实施细则精神，持之以恒正风肃纪，有效克服形式主义、官僚主义。 （3）驰而不息纠正“四风”，持续推进作风建设，学校党风正、校风清、学风好、作风实
3. 作决策过硬	3.1 坚持和完善党委领导下的校长负责制	（1）健全细化党委领导下的校长负责制实施办法，党委统一领导、党政分工合作工作机制运行良好，党委领导下的校长负责制运行情况向上级报告制度执行到位。 （2）党委书记、校长带头当好党委领导下的校长负责制的维护者和实践者，带头增进班子团结，保持经常性沟通，重大事项提前充分交流意见，形成共识。 （3）加强对院（系）班子建设的指导，推行院（系）党政班子成员交叉任职，党员院长（系主任）一般同时任党组织副书记或委员，党员副院长（系副主任）一般进入党组织领导班子。院（系）党政正职一肩挑的，配备专职常务副书记
	3.2 坚持民主集中制原则，落实“三重一大”决策制度，健全领导班子议事和决策机制，实行科学决策、民主决策、依法决策	（1）中国特色社会主义现代大学制度健全，大学章程完备，内部治理结构合理、运行有序，依法治校扎实推进。 （2）党委全委会、党委常委会、校长办公会议事规则清晰、边界明确、运行顺畅、落实到位。 （3）学校“三重一大”决策制度健全，决策事项、决策程序和决策执行规则清晰、落实到位，重要干部任免、重要人才使用、重要阵地建设、重大发展规划、重大项目安排、重大资金使用、重大评价评奖活动等经党委集体研究决定

（续表）

一级指标	二级指标	三级指标
4. 保落实过硬	4.1 紧紧围绕学校党的建设和人才培养、科学研究、社会服务、文化传承创新、国际交流合作各项任务，抓调研谋划、抓落实推进、抓监督检查	（1）大兴调查研究之风，注重围绕学校改革发展和人才培养等各项任务抓调查研究、抓统筹谋划，把握大势趋势，抢抓发展机遇，决策科学合理，工作求真务实。 （2）建立健全抓落实的工作机制，综合运用责任分工、统筹协调、法制保障、督查督导、评估检查、奖惩激励等办法，推进学校改革发展稳定任务落实。 （3）督查督办机制健全，监督检查及时有效，督查结果充分运用
	4.2 对事关全局的中心工作和事关师生根本利益的重大事项，党政主要负责同志要亲自挂帅、严格把关、负责到底	（1）学校党委书记、校长带领领导班子成员强化责任担当，对事关学校事业发展和师生根本利益的工作亲自部署、重大问题亲自过问、重点环节亲自协调、重要事项亲自督办。 （2）坚持校领导班子成员联系院（系）、基层党支部，联系专家人才、优秀青年教师等制度。严格落实校领导班子成员每学期讲党课、讲思想政治理论课制度。 （3）校领导班子成员加强对分管部门和联系院（系）工作的指导和督查，强化学校各级领导干部责任担当，形成一级抓一级、层层抓落实的工作格局和责任体系

二、高校院（系）党组织示范创建的任务与标准

作为办学治校的中坚力量，院（系）党组织在“对标争先”中要做到“五个到位”（表 3-4）。

1. 组织领导和运行机制到位。党的路线方针政策和上级党组织决定有效宣传贯彻执行，保证监督作用充分发挥。坚持民主集中制，健全完善院（系）党组织会议和党政联席会议制度，领导班子整体功能强，议事决策水平高，院（系）班子成员工作职责明晰，集体领导、党政分工负责、协调运行的工作机制顺畅，在干部队伍、教师队伍建设中发挥主导作用。

2. 政治把关作用到位。严格落实意识形态工作责任制，在教师引进、课程建设、教材选用、学术活动等重大问题上把好政治关，在教学科研管理等重大事项中，坚持正确的政治立场、政治方向、政治原则。加强对院（系）学术组织、研究机构、学生社团等的引导，落实“一会一报”和“一事一报”制度，管好各类宣传思想文化阵地。

3. 思想政治工作到位。院（系）理论学习中心组制度、师生政治理论学习制度健全，习近平新时代中国特色社会主义思想教育深入开展，师生思想政治工作亲和力和针对性强，推进社会主义核心价值观培育践行扎实有效，师德师

风、学术道德、教风学风建设成效显著。

4. 基层组织制度执行到位。对师生党支部工作指导推动到位，基层组织设置合理、按期换届。党内集中学习教育、经常性教育有序推进，党内组织生活经常、认真、严肃。教育、管理、监督党员和组织、宣传、凝聚、服务群众工作扎实有力，党务公开、党纪处分、组织处置等制度执行到位。师生党支部书记选优配强，“双带头人”教师党支部书记全面覆盖。在高层次领军人才、优秀青年教师和大学生中培养入党积极分子、发展党员工作成效明显。专职组织员配齐配强。

5. 推动改革发展到位。谋划推进、保障落实人才培养、学科建设、科研管理等重大改革、重要事项、重点安排坚强有力，党的建设和群团组织建设、基层治理体系建设和维稳工作体系建设有机融合，切实维护学校和谐稳定，文明校园、平安校园建设业绩突出。

表 3-4　新时代高校党建“双创”工作重点任务指南［院（系）党组织］

一级指标	二级指标	三级指标
1. 组织领导和运行机制到位	1.1 党的路线方针政策和上级党组织决定有效宣传贯彻执行，保证监督作用充分发挥	（1）加强习近平新时代中国特色社会主义思想的宣传教育，不断增强干部师生的“四个意识”“四个自信”，在思想上、政治上、行动上同以习近平同志为核心的党中央保持高度一致。 （2）充分发挥党组织政治核心作用，通过党组织会议、党政联席会议等形式及时传达部署，认真贯彻落实上级党组织决议
	1.2 坚持民主集中制，健全完善院（系）党组织会议和党政联席会议制度，领导班子整体功能强，议事决策水平高	（1）院（系）党组织会议、党政联席会议边界明确、运行顺畅，决策议事规则清晰规范、执行到位。 （2）院（系）党组织对党建工作的主导作用充分发挥，有关干部任用、党员队伍建设等工作，由党组织会议研究决定。对重大事项的把关作用充分发挥，涉及办学方向、教师队伍建设、师生员工切身利益等重大事项，党组织先研究再提交党政联席会议决定。 （3）院（系）班子成员工作职责明晰，集体领导、党政分工负责、协调运行的工作机制顺畅，围绕院（系）改革发展稳定和涉及师生切身利益的重大事项统筹谋划、科学决策，推动院（系）事业发展取得显著成绩
2. 政治把关作用到位	2.1 严格落实意识形态工作责任制，在教学科研管理等重大事项中，坚持正确的政治立场、政治方向、政治原则、政治道路	（1）意识形态工作体系健全、制度规范、责任明晰，落实到岗到人。 （2）网络意识形态责任落实到位，注重增强风险防控意识和能力，加强网络阵地管理，做强正面思想舆论，做好舆论引导、舆情应对工作。 （3）在教师引进、课程建设、教材选用、学术活动等重大问题上把好政治关，程序规范、责任明晰、成效突出

（续表）

一级指标	二级指标	三级指标
	2.2 加强对院（系）学术组织、研究机构、学生社团等的引导，管好各类宣传思想文化阵地	（1）院（系）党组织定期研究学术组织、研究机构、学生社团建设发展工作，明确专门院（系）领导或党员干部联系指导开展工作。 （2）严格执行“一会一报”“一事一报”制度，加强哲学社会科学类报告会、研讨会、论坛等审批把关、指导管理。 （3）统筹课堂教学、教材建设、项目资助、对外交流等工作，着力做好少数民族学生教育、国际学生教育等工作，确保学校和谐稳定
3. 思想政治工作到位	院（系）理论学习中心组制度、师生政治理论学习制度健全，习近平新时代中国特色社会主义思想教育深入开展，师生思想政治工作亲和力和针对性强	（1）院（系）理论中心组学习制度、师生政治理论学习制度健全完善，扎实推进习近平新时代中国特色社会主义思想进教材、进课堂、进头脑。 （2）定期调研分析党员和师生思想政治状况，加强师生理想信念教育，强化党员日常教育培训。坚持院（系）党政主要负责同志每学期讲党课和思想政治理论课制度。 （3）加强和改进新时代思想政治工作，结合院（系）专业设置，深入挖掘思政元素，统筹推进全员、全过程、全方位育人，推进社会主义核心价值观培养和践行，加强师德师风、教风学风建设
4. 基层组织制度执行到位	4.1 对师生党支部工作指导推动到位，基层组织设置合理、按期换届	（1）坚持院（系）党组织班子成员结合分工联系教师、学生党支部制度，推动高校党建各项任务落到基层党支部。 （2）优化党支部设置，在按院（系）教学科研机构设置教师党支部、按年级或院（系）设置学生党支部的基础上，积极探索依托重大项目组、课题组和学生公寓、社团组织、创新团队等建立师生党支部。建立提醒督促机制，所属党支部按期换届，严格按照程序选举党支部委员会和书记、副书记。 （3）建立健全党支部工作考核评价办法，完善责任清单，细化责任要求，加强督促检查。建立后进党支部常态化整顿机制，相关支部有效转化、提升达标
	4.2 党内集中学习教育、经常性教育有序推进，党内组织生活经常、认真、严肃。教育、管理、监督党员和组织、宣传、凝聚、服务群众工作扎实有力，党务公开、党纪处分、组织处置等制度执行到位	（1）推进“两学一做”学习教育常态化制度化，党员领导干部民主生活会、“三会一课”和民主评议党员等制度执行严格。党员领导干部按规定参加双重组织生活落实到位。 （2）严格党员日常管理，组织关系管理有序，党费收缴管理规范。做好党内统计工作，加强党建工作信息化建设。推动院（系）党务公开。 （3）组织师生党员充分发挥先锋模范作用，带头攻坚克难，承担重大改革发展稳定任务，积极做好联系服务群众工作，努力帮助师生解决实际问题。 （4）健全党风廉政建设制度，综合运用“四种形态”，重点运用“第一种形态”，加强对师生党员的教育监督管理，对苗头性、倾向性问题，及时“咬耳扯袖”、督促改正。对违反党纪的党员，及时报请上级党组织研究批准，按程序作出党纪处分、组织处置

（续表）

一级指标	二级指标	三级指标
	4.3 师生党支部书记选优配强，“双带头人”教师党支部书记全面覆盖	（1）认真履行“双带头人”教师党支部书记培育责任，做好“双带头人”党支部书记选配、培养、使用等工作，力争3年内使教师党支部书记普遍成为“双带头人”。 （2）注重从优秀辅导员、骨干教师、优秀大学生党员中选拔学生党支部书记，选优配强学生党支部书记和支部委员。 （3）坚持院（系）班子成员联系师生党支部制度，建立党支部书记工作考核机制，推进党支部书记抓党建述职评议考核工作
	4.4 在高层次领军人才、优秀青年教师和大学生中培养入党积极分子、发展党员工作成效明显	（1）细化年度教师党员发展工作安排，指导教师党支部切实做好在高层次领军人才、青年优秀教师中发展党员工作。院（系）党组织书记、教师党支部书记常态化联系教师入党积极分子，主动帮助引导他们向党组织靠拢。 （2）坚持把政治标准放在首位，严把党员发展质量关，做好在高校学生中发展党员工作，将“推荐优秀团员作为入党积极分子”作为重要渠道，重视发展少数民族学生入党
	4.5 专职组织员配齐配强	（1）推进组织员队伍建设，至少配备1～2名专职组织员。 （2）加强组织员培养培训，充分发挥他们在基层党建、党员发展、党内监督等方面的专职专责作用
5. 推动改革发展到位	5.1 谋划推进、保障落实人才培养、学科建设、科研管理等重大改革、重要事项、重点安排坚强有力	（1）强化院系党组织政治功能、组织功能和服务功能，充分发挥政治引领、思想凝聚、组织保证等作用，深入谋划部署、扎实推进落实院（系）改革发展稳定各项工作。 （2）做好组织、宣传、凝聚、服务师生工作，团结凝聚、引领带动师生积极投身院（系）重大改革、重要事项、重点安排，取得优异成绩
	5.2 党的建设和群团组织建设、基层治理体系建设和维稳工作体系建设有机融合。维护学校和谐稳定，文明校园、平安校园建设业绩突出	（1）做好院（系）统战工作，加强对党外知识分子的思想引领，抓好民族宗教等工作。 （2）坚持以党的建设带动群团组织建设，加强院（系）工会、教代会工作和共青团工作，加强对学生社团的管理、引导、服务和联系。 （3）全方位管理重点事项、重点对象、重要节点、重要阵地，健全完善师生安全稳定教育体系、综合防控体系和应急处置体系

三、高校基层党支部示范创建的任务与标准

基层党支部是党在高校全部工作和战斗力的基础，在“对标争先”中，要做到“七个有力”（表3-5）。

1. 教育党员有力。坚持以“三会一课”为基本制度，以“两学一做”为基

本内容，党员理想信念教育、党性教育、纪律教育、道德品行教育扎实开展，主题党日严格规范。

2. 管理党员有力。党员发展、党员培训、党籍管理、党费收缴、党员激励关怀帮扶等工作扎实有效，党员先锋模范作用充分发挥，不合格党员组织处置稳妥有序。

3. 监督党员有力。坚持把纪律和规矩挺在前面，善于发现苗头性倾向性问题，“咬耳扯袖”成为常态，监督党员履行义务、遵规守纪及时到位，教育引导、组织处置等措施有效运用。

4. 组织师生有力。最大限度地把师生组织起来，引领带动师生投入中心工作的动员力、实效性强。

5. 宣传师生有力。学习传达上级党组织决策部署及时到位，注重发现树立、宣传推广师生身边典型人物、典型事迹。

6. 凝聚师生有力。善于统一思想、凝聚人心、增进共识，思想引领和价值观塑造有机融入教师教学科研、学生学习生活，组织引领师生听党话、跟党走成效突出。

7. 服务师生有力。常态化了解师生困难诉求、倾听师生意见建议，师生有困难找支部、有问题找党员的帮扶机制健全有效。

表 3-5 新时代高校党建“双创”工作重点任务指南（基层党支部）

一级指标	二级指标	三级指标
1. 教育党员有力	1.1 突出政治功能，党员教育扎实有效	（1）始终把政治建设摆在首位，用习近平新时代中国特色社会主义思想武装党员头脑、指导实践、推动工作，教育党员牢固树立“四个意识”、坚定“四个自信”。 （2）认真贯彻落实党的路线方针政策，宣传执行上级党组织及本支部的决议，支部党员、干部师生始终在思想上、政治上、行动上同以习近平同志为核心的党中央保持高度一致
	1.2 深入推进“两学一做”学习教育常态化制度化，“三会一课”制度规范落实，支部主题党日严格规范	（1）推进“两学一做”学习教育常态化制度化，“三会一课”突出政治学习和党性锻炼，做到形式多样、氛围庄重。每月召开 1 次党小组会（不设党小组的支部召开支部大会）和支部委员会会议，一般每季度召开 1 次支部党员大会。党支部书记每年至少讲 1 次党课。党员领导干部按规定过好双重组织生活。 （2）每月相对固定 1 天开展主题党日，组织党员集中学习、过组织生活、进行民主议事、开展志愿服务等活动

（续表）

一级指标	二级指标	三级指标
2. 管理党员有力	2.1 党员发展、党员培训、党籍管理、党费收缴、党员激励关怀帮扶等工作扎实有效	（1）坚持党员发展标准，严格党员发展程序，注重政治合格，端正师生入党动机。教师党支部积极团结凝聚高层次人才、优秀青年教师、海外留学归国教师，符合条件的及时吸收入党。学生党支部将“推荐优秀团员作为入党积极分子人选”作为重要渠道，严把“质量关”，重视发展少数民族学生入党。 （2）党员组织隶属关系明晰，按规定做好党员党组织关系接转、流动党员和出国境党员管理。严格落实党费收缴、使用和管理工作。党员激励关怀帮扶工作务实管用、常态长效。 （3）按年度组织师生党员开展集中学习培训，时间一般不少于 32 个学时
	2.2 党员先锋模范作用充分发挥	（1）教育引导师生党员在日常教学科研生活中亮出党员身份、立起先进标尺、树立先锋形象。 （2）教育引导教师党员努力成为“四有好老师”“四个引路人”和“四个相统一”的表率，学生党员努力成为“爱国、励志、求真、力行”“勤学、修德、明辨、笃行”“六有大学生”的表率
3. 监督党员有力	坚持把纪律和规矩挺在前面，监督党员履行义务、遵规守纪及时到位	（1）严格用党章党规党纪规范党员行为，教育引导党员模范遵守教师职业道德规范、践行学术道德、严守纪律底线。落实谈心谈话制度，党支部委员之间、党支部委员和党员之间、党员和党员之间，每年谈心谈话一般不少于 1 次。 （2）及时掌握了解党员思想动态，善于发现苗头性倾向性问题，“咬耳扯袖”成为常态。每年至少召开 1 次组织生活会，严肃开展批评和自我批评，认真查摆和解决问题。 （3）党支部一般每学期末向上级党组织报告 1 次支部工作，每年向支部党员大会报告工作情况。党员一般每年向党支部汇报 1 次学习、思想和工作情况。党支部一般每年开展 1 次民主评议党员。 （4）党员组织处置等措施有效运用、稳妥有序。党员退出机制健全，及时稳妥处置不合格党员
4. 组织师生有力	引领带动师生投入中心工作的动员力、实效性强	（1）积极参与本单位重要事项讨论决策，师生思想政治工作针对性和亲和力强，最大限度地把师生组织起来，引领带动师生积极投身学校改革发展、维护学校和谐稳定。 （2）教师党支部团结带领广大教师落实立德树人根本任务，不断提高人才培养质量。 （3）学生党支部积极参与班级、年级、学生组织管理工作，引领优良班风学风校风建设，推进社会主义核心价值观培育践行

（续表）

一级指标	二级指标	三级指标
5. 宣传师生有力	5.1 学习传达上级党组织决策部署及时到位	（1）组织开展习近平新时代中国特色社会主义思想学习教育，引领师生听党话、跟党走，把师生思想统一到党中央决策部署上来。 （2）认真贯彻落实党的路线方针政策，及时学习传达上级党组织的决议，结合本单位实际抓好组织落实。 （3）巩固马克思主义在高校意识形态领域的指导地位，有效防止各类错误思想文化侵蚀，教育引导师生在课堂教学、论坛讲座等活动中坚持正确的政治立场、政治方向、政治原则、政治道路
	5.2 注重发现树立、宣传推广师生身边典型人物、典型事迹	（1）注重发现挖掘师生身边典型，深入提炼树立具有较大影响力代表性、可学习可复制的典型经验、典型人物、典型事迹。 （2）充分利用校园内外、网上网下等宣传平台，通过组织宣讲报告、座谈交流、文化文艺活动等形式，广泛宣传典型，充分发挥示范带动作用，形成广大师生学做先进、争当先进的深厚氛围
6. 凝聚师生有力	思想引领和价值观塑造有机融入教师教学科研、学生学习生活	（1）教育引导支部党员、任课教师深入挖掘提炼各门课程中蕴含的思想政治教育元素，发挥“课程思政”育人功能。 （2）把思想价值引领贯穿支部党员、单位教师论文选题、科研立项、教学改革等工作中，推进师生遵循中国特色学术评价标准和科研评价办法。 （3）把社会主义核心价值观培育践行贯穿师生专业课实践教学、社会实践活动、创新创业教育、志愿服务等过程，增强思想引领和价值观塑造的实效性。 （4）关心了解师生思想政治状况，及时回应师生重大关切，防止各类错误思想文化侵蚀，建立健全预警机制，积极做好教育引导工作
7. 服务师生有力	常态化了解师生困难诉求、倾听师生意见建议，师生有困难找支部、有问题找党员的帮扶机制健全有效	（1）坚持以支部党的建设带动所在单位团组织、工会组织建设，常态化做好联系、服务师生工作。 （2）健全困难师生关心帮扶机制，把解决思想问题和解决实际问题相结合，积极开展服务、帮扶、慰问等活动。 （3）搭建交流平台，丰富服务载体，及时了解、听取、回应师生意见和诉求，把党支部建成党员之家、师生之家，增强师生归属感、获得感

第四章　全国高校党建工作标杆院系的申报与建设

随着新时代高校党建示范创建与质量创优工作的推进，高校基层党组织建设越来越规范，标杆院系申报和建设质量不断提高。近年来，燕山大学机械工程学院确立并坚持“赓续奋斗精神，铸大国重器；传承红色基因，育科创英才”的党建工作发展理念，注重统筹谋划和总结凝练。2022 年，燕山大学机械工程学院党委入选第三批全国高校党建工作标杆院系。

第一节　广泛调研、找准差距、明确目标

为进一步加强和完善学院党建工作，扩大党建工作影响力和引导作用，充分做好全国党建工作标杆院系申报和准备工作，2019 年开始，燕山大学机械工程学院党委积极谋划筹备，广泛开展调研（表 4-1），找准自身差距、学习先进经验、明确发展方向，力争为学院一流学科建设和事业发展提供强大政治、思想、组织保障。

表 4-1　主要调研工作

地点	单位	调研方式	重点调研事项
大连	大连理工大学机械工程学院 大连海事大学船舶与海洋工程学院	座谈参观	党建工作、学生管理、行政管理，校庆活动组织安排，校史馆建设
哈尔滨	哈尔滨师范大学数学科学学院 哈尔滨理工大学田家炳机械动力学院 哈尔滨工程大学机电工程学院 哈尔滨工业大学机电工程学院	座谈	党建工作、学生管理、行政管理
北京	北京航空航天大学机械学院 北京科技大学机械学院 北京师范大学文学 中国人民大学信息学院	座谈 参观	党建工作、学风建设、创新创业、团委工作、行政管理与学生就业

（续表）

地点	单位	调研方式	重点调研事项
保定	河北农业大学机电工程学院 河北大学化学与环境科学学院 华北电力大学（保定）机械工程系	座谈 访谈 参观	党建工作、学生工作、行政管理
天津	天津大学机械工程学院 南开大学旅游与服务学院 河北工业大学电子信息工程学院	座谈 参观	二级管理、国际化进程、校友校庆、学生工作、党建工作
武汉	武汉理工大学物流工程学院 华中农业大学工学院 武汉大学动力与机械学院	座谈	党建工作、学风建设、网络思想政治教育
上海	华东理工大学机械与动力工程学院 上海交通大学机械与动力工程学院	座谈	党建工作、学风建设、学院管理

一、调研结论

（一）党建工作思路和举措有待进一步完善，党建工作特色品牌有待进一步探索凝炼

调研发现，部分高校尤其是全国党建示范学院，具有非常明确和自身特点的党建工作思路及举措，党建工作具备引领性、方向性和独特性。与之相比，学院党建工作的开展思路和目标需要进一步研究提升，实施举措需要进一步丰富完善。同时，体现学院特色，具有实效性的党建工作特色品牌不多，需要不断探索实践。学院需要加强谋划，形成一套能够体现学院自身特色和实效性强的党建工作体系。

（二）缺乏专职党务党建工作人员，党务工作队伍配备不合理

2019 年，在学院筹备全国党建工作标杆院系建设时，学院党委含 5 个处级单位（2 个正处级，3 个副处级），党员近 1000 人，党支部 30 个。其中，教工党员 212 人，学生党员 720 人（本科生 272 人，研究生 448 人）；教工党支部 11 个，学生党支部 19 个（本科生 4 个，研究生 15 个）。调研发现，学院的党组织和党员规模几乎堪称全国之首。然而，党委工作队伍配备却很不合理，没有专职党务人员。此外，教职工“双带头人”党支部书记选配不足，党支部书记能力、地位亟须提升。这对如此规模巨大和工作量繁重的基层党组织来说，极为不利于工作的开展。调研的其他高校，一般比较合理的党务工作队伍配备为：党委书记 1 人，副书记 2 人（分管学生工作和党建纪检），专职党务秘书

或组织员 1 ～ 2 人，兼职党务干事若干。

（三）师生支部联系不紧密，大思政格局下党员培训体系不健全

由于大学生思政教育、学生党建工作仅由学工队伍承担，其他部门教工参与、配合程度较低，无法将大思政格局以及高校各部门全员育人意识贯穿教育全过程。此外，由于学院没有专职组织员和党建专员，使得一些党建工作的整体规划较弱，专业度不高，教师在学生的思政教育和党员培养过程中参与度较低。结合走访的多所高校院系，对比学院实际情况，发现学院教师党支部与学生党支部联系不够紧密。

（四）党支部管理效果差，建设参差不齐，党员作用发挥不够充分

结合学院党支部建设情况以及走访高校院系党支部建设现状，发现学院跨支部活动较少。本科生低年级党支部党员少，缺少榜样示范，思想引领弱化，并且由于横向党支部均由各年级辅导员担任党支部书记，年级内部规划和管理为支部活动重点，高年级党员的引领带动作用难以影响到低年级党员；研究生党员规模大，入党后放松要求，缺乏自律性和奉献精神，研究生党支部书记通常为低年级研究生党员，对高年级党员的规范和约束性较差，也缺乏各党支部之间的整体规划和统筹管理意识。目前，教工党支部按系部设置，不同支部之间的党员人数差别较大，支部规模大小不一。同时，支部建设水平差距较大，没有形成互相联动、共同进步的局面。此外，教工党支部、学生党支部和党员在实际工作中发挥作用不够明显。

（五）党建工作缺乏实效性，与业务工作联系不紧密

学生党建方面，党建活动创新性、吸引力不强，学生党员参与度较低；党建活动传承性不高，无法形成纵向影响力；党建活动独特性、仪式感较弱，与其他社团活动重复度较高，缺乏区别性和党性教育作用。教工党建方面，存在与实际业务工作脱节的现象，缺乏推动工作的有力抓手，无法将党建工作有效融入教学科研等实际工作中。

二、解决问题的基本思路及工作建议

（一）统筹谋划学院党建工作，完善党建工作体系和特色品牌

1. 成立党建工作推进组，定期开展党建工作研究分析。参考其他高校的优

秀成果，结合学院实际工作，进一步完善“强基础、创品牌、促发展”的学院党建工作思路，建立具体的党建工作举措和工作体系。

2. 进一步凝炼党建特色品牌的继承和发扬。主要包括体现学院服务社会职能的科技扶贫、科普展演、实验室开放日等经典品牌；青年教师党员素质拓展等师德建设品牌；学生党员参与度较高的“微党课”视频大赛；助力学风建设的“一带一进”学业帮扶计划等。

（二）选配专门的党务工作队伍和党支部书记，提升学院党建工作水平

1. 努力向学校争取 1 位党建工作专职副书记、2 名专职组织员或党务人员，同时按学生党员人数配备兼职党务干事，形成比较合理的党务工作队伍。

2. 利用学院干部换届调整时机，进一步优化师生党支部设置，加强对支部的有效管理。

3. 按“双带头人”标准选配优秀的教工党支部书记，选拔优秀学生党支部书记，并建立和完善支部书记培训体系。

（三）建立健全大思政格局，形成全员党员培育体系

1. 建设“教师－研究生联合共建党支部”。探索将教工党员和研究生党员以课题室为单位成立纵向党支部，由课题室负责教师担任党支部书记，高效开展支部活动和发展党员工作。

2. 有效整改学院本科生导师制度。发动青年教师党员志愿担任本科生班主任，将专业教学与党员培养教育相结合，利用课堂和教学活动开展思政工作，使专业教师贴近本科生、了解本科生，形成全员育人的合力。

3. 提升党支部的教育引导作用，做到全覆盖、常态化。支部之间的教育活动注重配合性、带动性，重创新、求实效，吸引学生党员参与，增强学生党员的培养教育效果。

（四）进一步整合学院资源，提供党支部联合活动的线上线下平台与制度支持

1. 学院统一设计党建活动室建设方案。鼓励并支持具备建设条件的党支部建立活动室，在活动室内，各支部可以根据自身情况设立特色板块，为支部风采展示提供线下交流平台。

2. 充分利用微信公众号、党建专题网站等线上平台，加强支部特色活动和

先锋党员线上宣传，注重发挥高年级党支部的引领作用。

3. 制定相关交流制度、管理制度和支部之间志愿服务制度，保障交流高效、可持续。如有必要，可设立本科生党总支和研究生党总支，加强制度化管理。

（五）打造特色优质党建活动，提升党建活动的实效性、影响力和引导作用

1. 选择 2021 年为党建特色活动年。以庆祝建党 100 周年为契机开展一系列丰富而集中的教育活动，如设计制作党史展览等。

2. 开展加强优质党建立项活动。结合业务工作开展“一支部一特色”的党支部特色活动立项或展示、优秀主题党日案例征集以及党建“微视频”比赛等。

3. 创新党支部仪式性强的常规化教育活动，提高党员政治意识，增强党员的归属感和荣誉感，切实提高基层党支部的凝聚力和战斗力。

第二节　体制机制、组织机构、队伍保障

2021 年年底，燕山大学机械工程学院党委根据《教育部办公厅关于开展第三批新时代高校党建示范创建和质量创优工作的通知》和河北省有关工作安排，开始组织申报全国党建工作标杆院系。其中，已建立的机制体制、组织机构和队伍保障是工作基础的重要内容。

第一，强化“政治功能”，提升议事决策质效。制定党委会、党政联席会议事规则，梳理确定党委有关会议制度，明晰党建工作主体责任范畴，认真贯彻落实党政联席会议制度、民主生活会制度、“三重一大”决策制度等，提升议事决策效能。严格执行基层党组织换届选举程序，“双带头人”教师党支部书记通过法定程序担任学院党委委员，参与党委会、党政联席会议事决策，发挥其在工作规划、干部人事、提职晋级、评奖评优等方面的积极作用。凡是涉及办学方向、师资队伍建设、资产房产调配、师生员工切身利益等重大事项，均经党委会研究讨论后，再提交党政联席会研究，发挥好党委会政治把关作用，防止“拍脑袋”，禁止“一言堂”，切实把好教师引进、课程建设、教材选用、学术活动等重要工作政治方向。建立党支部书记工作例会制度，每月召开

专题会议，研究师生党支部工作重要问题，谋划务实举措。同时，对重要事项执行情况严格督查督办，形成有效闭环。

第二，坚持“挂图作战”，擘画党建发展蓝图。学院党委着眼大局，在统筹规划上下功夫；坚持问题导向，在补短板、强弱项上持续用力。根据学院党建工作实际，对标“双一流”建设要求，对标学科评估指标体系，科学制定党建工作发展规划拓扑图、“课程思政”建设框架图、文化建设育人矩阵图等，厘清短板、认清不足、凝练优势、明确任务。

第三，贯彻“熔淬工程”，坚持分级分类指导。在学校党委的指导下，牢固树立精准党建思维，深入实施以“熔铸坚强堡垒，淬炼时代先锋”为主题的基层党组织建设计划（以下简称“熔淬工程”），确立分级分类推进方案。（1）学院党委通过重点工作“任务清单”和主题党日“精准滴灌”，贯彻执行“引航计划”，强化主体责任落实和党支部建设指导力度。（2）教师党支部重点开展以塑造良好师德师风和提升社会服务能力为主要任务的“山梯行动”，强化教师党支部的教育管理、桥梁纽带、服务引领功能，将教师党员淬炼为教书育人、科研服务先锋。（3）学生党支部重点开展以学风养成和志愿服务为主要任务的“华章行动”，充分发挥学生党支部教育、管理功能，将学生党员淬炼成勤学、修德、明辨、笃行先锋。（4）行政机关党支部重点开展以工作效能提升和良好工作氛围营造为主要任务的“砺效行动”，着力提高行政人员工作效率和精细化管理水平，将行政人员淬炼成高效管理、服务师生先锋。“熔淬工程”实施以来，学院党组织运行机制强化优化、管理效能持续提高。

第四，推行“蹲苗培实”，强化党员党性锤炼。从萌芽开始入手，推行守正初心、把正方向、培根固本、滋养成才的党员发展培养工作模式，确保发展和成才质量。一是构建立体化党员培育考核机制。创新性引入发展党员答辩，开展“成长进步公开展示”，选配优秀学生党员担任党支部书记、副书记、支委，为大学生党员搭建培养锻炼平台；实行“三会一课”备案单、党日活动记录单、党员帮扶指导单的“三单制”；支部书记年底公开述职，支部事务公开透明；上级党组织定期督促检查，把关支部运行质量。二是积极搭建“三个课堂”学习教育实践平台。理论学习课堂：开展“先锋讲堂”，精心设计“党课我来讲”“党课请你讲”“党课大家讲”三种交互学习模式，切实提升党员的理论水平。求是交流课堂：定期开展研学主题征文、重温入党誓词、手写党章、时事政治之我见、习近平总书记系列重要讲话精神学习交流会等实践活动，引导党员深入思考。争先创优课堂：设立“党员先锋岗”，设置党员先锋标志，引领党员亮身份、作贡献、创先锋；建立“优学库”，组织学生党员开展学业帮扶和学霸讲堂等为民服务活动。

第五，推动“雁阵齐飞”，强壮党建思政队伍。以学院党委领航，形成“党政班子、党委成员、党支部书记、支部委员、专兼职人员”的“雁阵齐飞”党务队伍格局。

（1）党政班子。学院党政班子成员共10人，包括书记1名、院长1名、副书记1名、副院长2名、科研平台负责人3名、正处级辅导员1名、副处级辅导员1名；“双带头人”教师党支部书记8人。学院针对重要工作成立了相应领导小组，根据工作需要和具体分工，由书记和院长任双组长，或书记与院长分别任组长的形式开展工作。

（2）党委成员。学院党委委员9人，包括书记、院长、副书记、2名副院长、1名科研平台负责人、2名副处级以上辅导员和1名教师党支部书记。除党委书记、副书记外，由1名教师党支部书记担任组织委员，1名副处级辅导员担任宣传委员，1名正处级辅导员担任纪检委员。

（3）教职工党支部。截至2021年年底，有教职工党员224人。教职工党支部对应系部和职能科室设置，有教职工党支部10个，其中包括2个职能科室党支部、2个基础教学部党支部和6个专业教学系、部党支部。教师党支部书记均为副教授职称、博士学位，“双带头人”100%覆盖。各党支部均严格按照规定程序选举党支部书记、副书记和支部委员。

（4）学生党支部。截至2021年年底，有学生党员960人，其中本科生党员179人，占本科生总人数的3.32%；研究生党员781人，占研究生总人数的33.02%。学生党支部24个，其中本科生党支部6个，研究生党支部18个。创新党支部设置形式，研究生党支部全部按学科方向和科研团队设置。9名辅导员任党支部书记，选配3名副书记和51名优秀学生党员担任委员，发挥学生骨干党员的引领和带头作用，为优秀大学生党员提供良好的锻炼培养平台。

（5）专职人员。学院有专职组织员2人，专门负责学院党委各项工作，重点开展党建相关工作；另选派2名优秀辅导员作为党务干事，主要负责学生党员发展和学生党支部的管理和建设工作。

近5年，党务工作队伍中，获全国最美高校辅导员、全国高校辅导员年度人物、全国高校辅导员职业能力大赛冠军3人次，获省级先进德育工作者等荣誉称号10人次，获秦皇岛市优秀党务工作者1人，燕山大学优秀党务工作者8人次。

第六，实行“双轮驱动”，增强党建思政研究。一建机构。成立党建思政研讨组，由学院党委委员、专职组织员、兼职党务干事、教工党支部书记、辅导员、教师党员代表组成，组建“机思广益”党建思政工作室。二建机制。每月至少组织1次党建专题沙龙，围绕党建工作部署、文化建设谋划、党建党务培训、创新模式交流、样板支部建设、学科评估研究等开展“头脑风暴”“结构化研讨”等，形成“理路子→出点子→育果子”工作机制。“双轮驱动”牵引党建思政工作驶入快车道；“双线提升”推动党建与业务工作同向同行。近年来，获批河北省高校党建研究课题24项，其中重点项目5项、优秀成果一等奖2项；获省高校思想政治工作奖4项，其中一等奖2项。

第三节　重要政策、重大安排、重点举措

在全国党建工作标杆院系的申报中，出台的重要政策、重大安排、重点举措也是工作基础部分的重要内容，燕山大学机械工程学院党委对照梳理，总结凝练。

第一，深化主题教育，把牢发展大局。持续巩固深化“不忘初心、牢记使命”主题教育，深入开展党史学习教育。念好“快、浓、活、实”四字口诀，形成“‘快’部署、‘浓’氛围、‘活’形式、‘实’推进”的党史学习教育工作机制。学党史，悟思想：开展体验式培训、爱国主义教育基地学习、“四史”读书班等多种形式学习；拍摄《红色》MV，在学习强国平台发布，播放量3万+；举办百年党史百人讲、红色情景剧大赛、听TA说“红色书信”、“音为有你”红色电影配音、“建党伟业，百年宏图”红色建模大赛、“红音溯党”诵读比赛、“学四史•明初心•担使命”征文比赛等系列活动。办实事，开新局：

以思想政治引领增强把方向、管大局的能力，引领鼎新工作模式，明确发展思路和方向，组建学科建设工作室和16个专项工作推进组，形成10项制度和改革草案；深入推动落实20项为民服务活动、40项民生微（心愿）项目，惠及群众上万人次。

第二，熔铸“三梁四柱”，构建育人模型。政治引领为“上梁”，定位育人方向；课程思政为“动梁”，锤锻育人本领；基层党建为“底梁”，支撑育人根基；“奋斗基因、工匠精神、卓越品质、家国情怀”的德育教育为“四柱”，导向育人目标，为落实立德树人根本任务固本培元。获全国五四红旗团支部、全国高校共青团活力团支部各1个；获中国大学生年度人物、自强之星等先优表彰6人次。

第三，实施“锤塑升维”，塑造师德师风。坚持思想铸魂党建引领机制，力推师德师风入脑入心；构建内外深度融合激励机制，创成师德师风多元考核；构建校院系师生全方位参与的“五位一体”师德师风监督体系，促进师德师风自省自警；新学科课程思政育人机制，实现师德师风教学同行；健全导师责任全面落实机制，加强师德师风科研互融。建成常态化、机制化、规范化师德建设体系，拥有国家级教学团队2个，全国模范教师、优秀教师等5人，省师德标兵、最美党员教师等20余人。

第四，执行“精准滴灌”，指导党日活动。分解离心力，凝聚向心力，统筹谋划，精准分析组织工作要求，精准制订党日活动方案，精准提升党员参与质量。围绕人才培养、课程思政、学科建设、教书育人、创新创业、师德师风等方面开展30余次主题党日活动。打通基层党建“中梗阻”，糅合党建业务“两张皮”，推进党建工作与业务工作、理论精进与教育理念、专业优势与政治生活、师德建设与立德树人“四融四进”，系列主题党日“精准滴灌”工作方法和活动成效被河北共产党员网报道。

第五，探索“云智协同”，创新建设模式。首次提出“开门联合搞党建、融通共促谋发展、优势共享育人才”工作思路，创新发起校际学生党支部“云共建”和校企教职工党支部“智联建”。“智联建”覆盖学院8个党支部、200余名教师，10余家重点企业、科研院所、行业协会和地方科技部门，目前科研技术合作落地项目10项，接洽在谈项目40余项；“云共建”覆盖清华大学、贵州大学、吉林大学等10所高校、14个支部、3000余人次师生，活动成果被新华网、央广网、全国高校思政网等媒体报道。

第六，拓展“红色精神”，志愿服务社会。引导鼓励师生党员“志·智”双升，面向科技前沿、扶贫一线、技术转化，形成“科研实验开放日”“科普实践育少年”“科技扶贫重扶智”等党员志愿服务品牌，惠民科普年均2000余人次，获全国优秀志愿工作者等3人、省级李保国志愿服务先锋队1个。抗疫期间，向雷神山医院捐赠自主研发医用电动转运装备；200余名师生党员志愿者深入乡村、社区参与抗疫工作。

第七，优化“育人引擎”，创新引领发展。创新平台载体，架起党建工作“新引擎”；构建全媒体传播体系，筑牢意识形态安全“防火墙”。因事而化，开办“辅导员加油站”，累计举办200余期，培训人次3300+，推动辅导员队伍政治理论素养、党建工作能力、业务研究能力不断提高。因时而进，发起“微党课”视频创作大赛，采用故事演绎、历史解说、新闻采访等多种风格，涵盖时政分析、家国情怀、校史校情、学科前沿等多项主题，连续开展6届，累计制作300个视频课程。推出《听TA说》网络思政教育栏目，汇聚育人合力，抢占网络阵地，思政工作者、专业教师、企业家、在校学生、优秀校友、学生家长携手发声，与主旋律共鸣、同正能量共振。栏目至今已发布100余期，累计20余万字，浏览量超过10万+。因势而新，构建“学风生态”系统工程，成立学生学习与发展指导中心，组织开学预讲、初心工程、风华机械人、最美笔记评选、学霸讲堂等系列活动，创办“彩虹训练营”帮扶学困生。形成学风建设矩阵式生态系统，从学生身边做起，从学生需求做起，持续为“学风生态”提供环境和滋养。

第四节　工作成效、工作经验、标志成果

在全国党建工作标杆院系的申报过程中，工作基础部分还包括取得的进展成效、工作经验、标志性成果等，燕山大学机械工程学院党委近年来的有关情况如下。

一、引领事业发展成效显著

（一）引领改革创新，提升育人本领

将党建贯穿教学改革、人才培育、管理服务全过程，提高师生党员思想认识、政治站位和精神面貌；通过深入开展“对标争先”建设计划和“双带头人”培育工程，充分发挥全国、全省党建示范创建和质量创优单位、“双带头人”党支部书记工作室的引领示范效应，全面落实立德树人根本任务。发挥师生党员模范带头作用，统筹领导全院师生实施兼具地方院校特色、多元化项目制、国际实质等效的人才培养模式改革，代表我国接受国际观察员现场考核，助力加入《华盛顿协议》，获国家教学成果二等奖 1 项、省教学成果一等奖 3 项，建立了以 4 个国家工程实践教育中心为主的多个校内外实践基地。实施“一批思政金课，一批思政名师，一个思政竞赛，一本思政案例，一个思政体系”的“五个一”工程，获评省课程思政名师 1 人，获批教育部、省课程思政项目各 1 项。开展“一系一新、一系一金、一系一品”教学改革，2 个专业全部入选国家一流专业，获批国家线下一流课程 2 门，获省线上一流课程 8 门。全力推进新工科建设，形成面向智能制造的“超级金课 + 专业特色 + 个性选修”课程体系，设立“机器人工程”新工科专业，获国家新工科项目 6 项，获高等教育学会重点项目 1 项，与波兰西里西亚技术大学合作建设新工科方向。形成“组织建设有保障、制度建设有激励、文化建设有氛围、竞赛建设有引导”的“四有”双创机制，获“互联网 +”大赛等国家竞赛奖 212 项，入选国家级小平科技创新团队，获批省“双创”示范基地和创新方法产学研基地。

（二）协同校企创新，勇担重大工程

以党建思政培育师生家国情怀，强化服务国家重大战略和地方经济社会发展意识和能力，瞄准机械行业发展急需前沿和关键共性技术，以国家重大专项任务为牵引，以党支部共建联建为纽带，结合学科优势基础，实施学研产融合发展战略，激发鼓励师生党员深度对接行业、军工领域 50 ～ 70 家企业及单位，创建技术协同创新中心群，形成基础研究→技术开发→成果转化完整创新链，在科研攻坚中闪耀党性夺目光辉。师生党员在引领重机行业转型升级、突破国防军工关键瓶颈、攻克重大工程核心技术、拓展成果转化纵深维度等方面作出

突出贡献。科研成果应用于中国一重、宝钢、徐工、中航、中铁、中信等龙头企业，新增产值超千亿元；提出应急救援车辆调控和底盘关键技术，填补多项国内空白；攻克千吨级大型桥梁施工装备设计技术，为科威特海湾大桥等600余项国内外重大工程项目提供装备保障；突破超细贝氏体钢关键技术瓶颈，将铁路辙叉使用寿命提高至3.5亿吨通过量，覆盖我国50%高铁线路。参与中国天眼FAST、国产大飞机C919、北斗三号等国家重大工程，承担国家、省部级科研项目335项和企业技术项目千余项，科研到款约6亿元；获国家、省部级科技奖励25项。

二、主要工作经验

党的十八大以来，燕山大学机械工程学院党委砥砺践行“赓续奋斗精神，铸大国重器；传承红色基因，育科创英才”发展理念，对标高校基层党委“五个到位”要求，增强“五大保障”，推进新时代高校党的建设伟大工程。

（一）增强政治保障，把准目标航向

为落实政治把关到位，强化政治建设，把政治建设放在首要位置，确立党组织的领导核心地位和作用。一是增强政治意识，把准政治方向。通过学院党委会、理论中心组学习、党建工作专题研讨会等形式，开展党员干部“党课轮流讲”“读原著、学原文、悟原理”读书体验交流等活动，引导党员干部牢固树立“四个意识”，坚定“四个自信”，做到“两个维护”。二是加强政治领导，明确政治责任。学院党委书记、各党支部书记是学院党委及各党支部党建工作第一责任人。同时明确业务责任，巩固领导地位。党委书记要做业务和学术骨干，配合、辅助院长处理学院重要行政管理事务；党支部书记兼任系主任或副主任，全面参与系部教学科研等管理工作。以此实现党组织的领导履行“一岗双责”，层层传导压力，推动任务落实，坚持党建、教育工作两手抓。三是扎深政治根基，提升政治能力。推进党员干部挂职锻炼和交流培训计划，引导党员干部加强政治历练，积累政治经验，自觉把讲政治贯穿于党性锻炼全过程；开办党员干部党的理论和方法运用研习班，以政治理论和方法为指导提升党员干部的执政能力，进一步强化党的引领之基；制定并实施党建工作务虚研讨会议制度，紧密结合发展思路和目标，加强对国

家重大战略科技需求和学院重大事项的研究，谋划学院事业发展顶层设计，为学院体制机制运行提供基础保障。

（二）增强思想保障，坚定理想信念

为落实思想政治工作到位，强化思想政治教育，坚守初心，坚定理想信念，增强思想引领工作。一是选树典型。编写学院教师典型师德案例 15 个，引导广大师生党员将潜心学习、服务社会、助力创新作为矢志奋斗的目标，把全体党员的智慧和力量凝聚到攻坚克难、勇攀科研高峰、为大国重器贡献创新推动力上来。二是丰富教育形式。改进传统学习方式，开展体验式培训、社会实践、先进典型报告会、读书会、学术研讨等多元化的学习活动，提升学习效果。三是拓展教育阵地。建立 12 个党员活动室作为线下活动阵地，建设完善“融媒体”阵地，整合运用学校“燕铭红韵”党建信息平台、学院官微“党建家园”专栏、“机思广益”党建思政微信公众号，初步建成多维、立体的思想政治教育阵地，开展理想信念教育，传播主流思想，弘扬正能量，筑牢意识形态阵地。

（三）增强组织保障，促进执行有力

为落实组织制度执行到位，强化指导监督，按照“七个有力”要求，加强对党支部建设的指导，充分发挥党支部的战斗堡垒作用。一是创新支部活动形式。构建“虚实结合、内外相辅”的支部活动方案：利用新媒体平台，实现理论学习全方位渗透、多渠道辐射，拓宽理论学习形式，内化于心；强化实践教育，为党员提供充足的实地学习、志愿服务机会，搭建实践平台，引导师生党员理论联系实际，外化于行。二是创新支部管理方法。实施党支部计划、汇报、反馈、考评的年度工作机制；完善优化党支部新媒体平台，建立健全支部线上宣传管控机制；规划建立党支部线下教育活动阵地，重点设计支部特色教育模块。建立“三步”支部管理办法，持续提升党支部的组织力、战斗力、凝聚力、创造力。第一步实施“复盘法”统一思想，即年初学院党委指导各支部制订年度工作计划；第二步实施“136”阶段管控，即每月“两学一做”汇报、每季度“三会一课”反馈、每半年《支部手册》抽查；第三步实施述职考评交流，即年末组织党支部书记公开述职考评，展示支部特色，加强支部交流，促进学习融通。三是探索支部设置模式。坚持科研与

管理相结合，结合学科建设需求，探索实行“科研团队师生联合党支部”；结合“产学研用”推进需求，在学生校外实习实训期间，组建由指导教师和参训学生组成的临时党支部。

（四）增强制度保障，确保运行规范

为落实组织领导和运行机制到位，强化制度建设，健全和完善五大机制，保证学院党组织运行畅通，运转实效。一是完善闭环式运行。严格执行学院党委党政联席会、党委会等议事决策规范，有效发挥民主生活会制度、“三重一大”决策制度等党的组织制度，同时加强对决策事项和工作任务的检查督办，形成有效闭环。二是实行党务业务双重考核。确定党建促进业务工作的责任目标和落实举措，建立党建和业务工作责任清单，定期开展述职评议，切实履行“一岗双责”。三是建立党建督查通报。学院党委对党支部工作进行定期监督检查、通报问责和奖优扶弱，实施年终党员干部述职评议制度，实现从严督查与激励约束的统一。四是建立领导干部联系点。通过主题式调研和项目式跟进的方式，推动学院党委班子成员深入联系系部、党支部、学生班级和师生等，研究解决师生关注的切身利益问题。五是优化集体领导与个人分工相结合。健全沟通协调机制，班子成员按照分工履行职责协调配合，科学谋划、凝心聚力，加快推进学院改革发展，推动一流学科建设。

（五）增强领导保障，抓好队伍建设

为落实引领事业发展到位，强化责任担当，抓好领导干部“关键少数”。一是筑牢干部谋事之“魂”。学院定期组织党委委员、科级干部、系部主任、党支部书记等进行党务培训，开展“爱国主义精神”“塞罕坝精神”“赶考精神”“雄安精神”等教育培训活动。同时，引领广大党员干部勤于学习，善于学习，不断提升学院党员干部的党性修养、本领能力和国际化视野。二是根植干部干事之“基”。学院紧紧围绕学校和学院发展的重大问题、师生关注的紧迫问题、党建工作的突出问题，察实情、办实事、求实效，定期召开工作作风改进交流会，引导各级干部在教学、科研、管理等工作中当先锋，作表率。三是绷紧干部行事之“弦”。每年年底，学院党委组织科级干部和党支部书记分别述职考核，既集中考评工作职责履行情况，也促进互相学习、共同提高。学院党委对干部从工作上严格要求、在生活中关心帮助，为干部营造一个顺心、

舒心、安心的工作环境。

三、学院党建工作标志性成果

（一）党组织荣誉

（1）2017 年，获全省高等学校先进基层党组织。

（2）2019 年，获全国教育系统先进集体。

（3）2019 年，获秦皇岛市先进基层党组织。

（4）2020 年，获河北省学校思想政治教育工作先进集体。

（5）2021 年，获燕山大学先进基层党组织。

（二）标杆党组织情况

（1）2018 年，机械工程学院党委入选河北省首批党建工作标杆院系。

（2）2018 年，机电控制工程系教师党支部入选河北省首批高校党建工作样板党支部。

（3）2019 年，机械工学部党支部书记工作室入选河北省首批高校“双带头人”教师党支部书记工作室。

（4）2019 年，机电控制工程系研究生第一党支部入选全国样板党支部。

（5）2020 年，机械工学部党支部书记工作室入选全国“双带头人”党支部书记工作室。

（6）2021 年，冶金机械系研究生第三党支部入选全国“百个研究生”党支部。

（7）2022 年，燕山大学机械工程学院党委入选全国高校党建工作标杆院系。

（三）先进党团组织

（1）2017 年，获高校共青团活力团支部。

（2）2017 年，获全国大学生“小平科技创新团队”。

（3）2018 年，获全国五四红旗团支部。

（4）2020 年，学院教师党员翟富刚负责的科级扶贫小组获李保国志愿服务省级先锋队。

（5）2020 年，“机思广益”党建思政工作室获批河北省首批“领航工作室”。

（6）2022 年，获河北省五四红旗团委。

（7）2022 年，获河北省高校“活力团支部”TOP10 榜。

（8）2022 年，获河北省高校“活力社团”创新创业类 TOP5 榜。

（四）党建思政工作典型人物

（1）2017 年，王银思获全国辅导员职业能力大赛一等奖。

（2）2017 年，韩冰获全省先进德育工作者荣誉称号。

（3）2017 年，郝海滨获全省学校思想政治教育先进工作者荣誉称号。

（4）2017 年，孙瑜获全省大学生“调研河北”社会调查活动优秀指导教师荣誉称号。

（5）2018 年，王银思被教育部授予“全国高校辅导员年度人物”荣誉称号。

（6）2018 年，崔博凯获全省先进德育工作者荣誉称号。

（7）2018 年，谢银珂获河北省大中专学生志愿者暑期文化科技卫生“三下乡”社会实践活动优秀教师荣誉称号。

（8）2019 年，产佳获全省学校思想政治教育先进工作者荣誉称号。

（9）2019 年，孙瑜获得河北省实践活动优秀指导老师荣誉称号。

（10）2019 年，吴立军获秦皇岛市优秀党务工作者。

（11）2020 年，王银思获得全国“最美辅导员”荣誉称号。

（12）2020 年，王明磊获全省先进德育工作者荣誉称号。

（13）2021 年，赵瑞雪获河北省第六届辅导员素质能力大赛本科组决赛特等奖。

（14）2021 年，周志国获全省先进德育工作者荣誉称号。

（15）2022 年，赵瑞雪获全国高校辅导员素质能力提升骨干训练营特别表现奖。

（五）党建思政研究项目

河北省高校党建思政重点研究课题 5 项：

（1）2020 年，基层党建与一流学科协同共建研究——燕山大学机械工程一流党建探索与实践。

（2）2021 年，“云智协同”的高校基层党组织建设创新研究与实践。

（3）2021 年，“大思政”视域下课程思政实践路径创新研究——以燕山大学机械工程学院为例。

（4）2021 年，新时代背景下冶金机械专业“课程思政”创新设计与实践。

（5）2022 年，新时代高校基层党建工作创新体系研究与实践。

河北省高校党建思政立项研究课题 15 项：

（1）2019 年，新时代高校学生党员自我教育平台创新研究——以“微党课”视频大赛为例。

（2）2019 年，基于组织力提升的高校基层党建工作研究。

（3）2019 年，党务与业务有机融合的高校教师党支部党建工作模式实践。

（4）2020 年，“大思政”视域下高校新工科“课程思政”实践路径探索。

（5）2020 年，基于党工共建的高校二级学院分工会建设研究。

（6）2020 年，融入专业课程体系改革的基层党支部“课程思政群”建设的实践研究。

（7）2020 年，高校研究生党员提高学习教育实效性的途径研究——以“微党课”平台为例。

（8）2021 年，高校教师党支部特色阵地建设研究。

（9）2021 年，CDIO 模式下的“思政工程”助力高校思想政治教育高质量发展研究。

（10）2021 年，高校师生党支部联合共建的工作模式研究与实践。

（11）2021 年，东重—燕大思政元素和“四史”内容的梳理融合探究。

（12）2021 年，基层党建与教学科研融合的创新机制研究。

（13）2022 年，基于国防军工特色的高校教师党支部建设。

（14）2022 年，构建青年学生“四史”学习教育多维协同长效机制。

（15）2022 年，新工科背景下高校学生党支部高质量发展研究。

河北省人力资源和社会保障研究课题 6 项：

（1）2017 年，“双创”背景下政府在大学生创业中的角色定位研究。

（2）2017 年，新工科视域下就业困难学生帮扶策略研究——以燕山大学机械工程学院为例。

（3）2018 年，创新创业背景下河北省大学生就业质量评价与实施研究。

（4）2019 年，职业教育产教融合保障机制研究。

（5）2020 年，河北高等教育结构与本省经济社会发展协同机制研究——高校毕业生就业视角。

（6）2020 年，基于一流学科建设的研究生科研创新能力提升研究。

（六）党建思政获奖项目、作品

（1）2018 年，基于目标导向的学风建设生态系统研究与实践项目，河北省高校辅导员工作精品项目二等奖。

（2）2019 年，新时代高校学生党员自我教育平台创新研究——以“微党课”视频大赛为例，河北省高校党建研究优秀成果奖三等奖。

（3）2019 年，基于组织力提升的高校基层党建工作研究河北省高校党建研究优秀成果奖三等奖。

（4）2019 年，基于问题导向的辅导员职业魅力提升工程——“辅导员加油站”，河北省高校辅导员工作精品项目一等奖。

（5）2019 年，榜样力量驱动下的思想政治教育示范工程建设，河北省高校思想政治工作创新案例二等奖。

（6）2019 年，党务与业务有机融合的高校教师党支部党建工作模式实践，河北省高校党建研究优秀成果奖一等奖。

（7）2020 年，基层党建与一流学科协同共建研究——燕山大学机械工程一流党建探索与实践，河北省高校党建研究优秀成果奖一等奖。

（8）2020 年，“大思政”视域下高校新工科“课程思政”实践路径探索，河北省高校党建研究优秀成果奖二等奖。

（9）2020 年，基于党工共建的高校二级学院分工会建设研究，河北省高校党建研究优秀成果奖三等奖。

（10）2020 年，融入专业课程体系改革的基层党支部“课程思政群”建设的实践研究，河北省高校党建研究优秀成果奖三等奖。

（11）2021 年，“青年党员云携手，使命担当肩并肩”校际党支部“云共建”项目，河北省高校思想政治创新案例一等奖。

（12）2021 年，“靶向施策固根本，动态进阶促升维——学风建设生态系统实施探索”案例，河北省高校辅导员工作精品项目二等奖。

（七）媒体报道

（1）2019 年，中国教育电视台《我是辅导员》栏目，王银思老师专访。

（2）2019 年，《中国教育报》、新华网等媒体相继报道燕大机械工程学院“实验室开放日”主题党日活动。

（3）2020 年，全国高校思想政治工作网报道机械工程学院思政工作。

（4）2020 年，全国高校思想政治工作网，《燕山大学与五所高校开展“云端”组织生活会》。

（5）2020 年，全国高校思想政治工作网，《“云共建”支部介绍——燕山大学机械工程学院冶金机械系研究生》。

（6）2020 年，河北共产党员网，《党建引领疫情防控和学院事业内涵式高质量发展》。

（7）2021 年，《CETV 我是辅导员》公众号转发机械工程学院《听 TA 说》栏目。

（8）2021 年，学习强国平台转发机械工程学院品读红色书信栏目内容。

（9）2021 年，新华网，《绽放奋斗光芒，激荡青春力量——记 2020 年最美大学生辅导员》。

（10）2021 年，河北省高校网络思想政治工作中心官方网站，《燕山大学王银思老师荣获“2020 年最美高校辅导员”称号》。

（11）2021 年，中国大学生在线，《人物风采　燕山大学王银思：最美高校辅导员》。

（12）2021 年，河北新闻网，《燕山大学辅导员王银思：我是你的辅导员》。

（13）2021 年，河北共产党员网，《燕山大学机械工程学院开办“彩虹训练营”以生为本办实事》。

（14）2021 年，全国高校思想政治工作网，《燕山大学机械工程学院开办“彩虹训练营”以生为本办实事》。

（15）2021 年，全国高校思想政治工作网，《百年党史人人讲 今朝追梦再起航》。

（16）2022 年，学习强国，《燕山大学机械工程学院：我为群众办实事 师生为本 服务先行》。

（17）2022 年，学习强国，《燕山大学杨志南教授：以吾辈之青春 筑科技强国梦》。

（18）2022 年，中国大学生在线，《记第 23 届“河北青年五四奖章”获得者杨志南教授》。

（19）2022 年，中国青年报客户端，《燕山大学大学实践团开展暑期社会实践》。

（20）2022 年，全国高校思想政治工作网，《机械工程学院召开全国大学生暑期社会实践活动动员会》。

（21）2022 年，河北省广播电视台冀时客户端，《红色传承，科技助农，燕山大学赴井冈山开展暑期社会实践》。

（22）2022 年，《河北日报》、河北新闻网，《燕山大学机械工程学院院长彭艳：科研心不竭 育才意不倦》。

（23）2022 年，《河北日报》、河北新闻网，《燕山大学机械工程学院副院长姚静：点燃年轻人心头火种》。

第五节　全国高校党建工作标杆院系建设体系与方案

燕山大学机械工程学院认真谋划全国党建工作标杆院系建设计划，主要包括建设周期的总体思路、建设目标、建设方案，各年度工作目标、工作计划、工作举措、经费预算等。

一、建设思路与目标

总体思路：秉承“赓续奋斗精神，铸大国重器；传承红色基因，育科创英才”发展理念，以“推动全面从严治党向纵深发展，促进党建与中心工作有机融合、同频共振”为工作思路，不断增强党组织政治功能，方法鼎新创新，实践落小落细；以“去除‘中梗阻’，揭掉‘两张皮’，打通基层党建‘最后一公里'"为行动指南，持续提升党建工作核心力和示范力。

建设目标：把“全面加强党建工作，推进内涵式高质量发展，为冲击一流学科保驾引航”作为近期目标，传承“匠心为国铸重器”初心，勇担“赓续奋斗育英才”使命，奋力发挥在学校办学治校的中坚力量和标杆作用，把学院党组织建设成“铸大国重器”和“育科创英才”的坚强战斗堡垒，实现学院党建工作与事业发展深度融合，以高质量党建推动学院高质量发展。(1）牢记服务国家战略布局需求诞生之初心。强化精品思维，突出行业特色，牢牢把握建设制造强国、京津冀协同发展等国家重大战略机遇期，瞄准机械行业发展急需的前沿和关键共性技术，主动融入国家战略需求，加深应用基础研究，加强自主创新能力，加快科技成果转化，为创新型国家和创新型河北建设精准发力、奋勇担当。(2）担负实现中华民族伟大复兴育人之使命。落实立德树人根本任务，以培养高端重载装备、智能机械与制造领域拔尖创新、行业领军型人才为目标，不断增强党建工作的时代感、精准度和实效性，为建设一流学科和抚育时代新人深耕厚培、保驾护航。对标高校基层党委“五个到位”建设要求，根据全国高校党的建设工作最新会议精神，坚持问题导向，补短板，强弱项，着力构建“四位一体”的新时代高校基层党建工作体系，实施“四维一线”党建与事业发展深度融合解决方案。

二、构建新时代高校基层党建“四位一体”工作体系

构建并完善新时代高校基层党组织工作的创新机制、方法、模式，制定实施具体工作路径和举措，打造推广具有鲜明专业特色的党建工作创新品牌，探索实践具有实效性和高质量的高校基层党建工作创新体系。建立完善：(1)“双轮驱动”组织工作新机制；(2)“精准滴灌”党建工作新方法；(3)“云智协同”组织建设新模式；(4)“红色科技”党建工作新品牌。其中，机构机制“双轮驱动”的组织工作新机制是组织保障，主题党日和党员发展“精准滴灌”的党建工作新方法是工作基础，由教职工党支部校企“智联建”和学生党支部校际“云共建”组成的“云智协同”组织建设新模式是行动方略，打造具有鲜明专业特色的“红色科技”党建工作新品牌是重点举措。如图 4-1 所示。

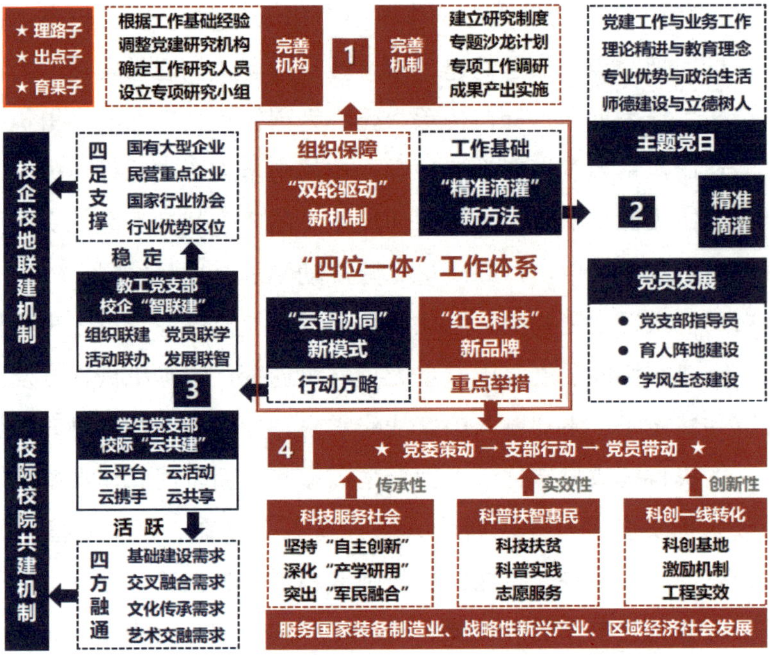

图 4-1 “四位一体”的新时代高校基层党建工作体系

（一）完善“双轮驱动”组织工作新机制

1. 完善机构。根据工作基础和经验，调整党建工作研究机构，以“机思广益”工作室为依托，确定工作室研究人员，在现有成员基础上，重点吸纳思政专业教师、校外行业专家、校友企业家等加入，分别设立专项研究小组。

2. 完善机制。建立“机思广益”工作室研究工作制度，明确党建思政工作专题沙龙计划、专项工作调研计划以及研究方案和成果产出的实施方法，完善“理路子→出点子→育果子”工作机制，谋划共建联建工作布局，凝练成果，牵引党建与业务有机融合。

（二）运用“精准滴灌”党建工作新方法

1. 提升主题党日“精准滴灌”方法。坚持分类指导和问题导向原则，结合师生党支部学科优势和专业特色，开展更有针对性的指导，精准设计主题党日指导意见，有效贯彻运用“四融四进”工作理念，将党建工作与业务工作、理论精进与教育理念、专业优势与政治生活、师德建设与立德树人的理念有效融入主题党日指导方案中。

2. 实施“蹲苗培实”党员发展培养“精准滴灌”。聘任专业优秀教师党员、退休老党员，以及校友企业家和校友学者党员，作为党支部和学生党员发展的指导员（思想政治辅导员），强化组织建设；充分利用育人阵地开展理想信念教育，提升入党积极性，强化思想入党；与学风生态建设的策划组织和实施等工作紧密结合、深度融合，提高党员发展质量，强化党员先锋模范作用。

（三）实施“云智协同”组织建设新模式

丰富拓延“开门联合搞党建、融通共促谋发展、优势共享育人才”建设理念，深入拓展以“组织联建、党员联学、活动联办、发展联智”为指导方案的教师党支部校企“智联建”，广泛延伸以“云平台”“云活动”“云携手”“云共享”为指导方案的学生党支部校际“云共建”，丰富智慧党建“云智协同”内涵，扩大校际共建育人辐射效应，促进校企联建成果落地生花。“智联建”实现各专业教师党支部呈现国有大型企业、民营重点企业、国家行业协会和行业优势区位——“四足支撑”稳定的校企校地联建机制和态势；“云共建”实现各专业学生党支部面向学科基础建设需求、交叉融合需求、文化传承需求、艺术交融需求——“四方融通”活跃的校际校院共建机制和态势。

（四）打造“红色科技”党建工作新品牌

注重总结凝练和质量升级，不断完善具体做法和举措，力争树立一些具有吸引力、传承性、创新性和实效性的特色品牌活动。

1. 科技服务社会。在坚持“自主创新”发展、深化“产学研用”互动、突出“军民融合”特色三个方面发挥组织优势，突出党员思想引领、模范带头、行为促进作用，以党委策动为中心，以党支部为行动部队，开展有组织的科研活动，为服务国家装备制造业、战略性新兴产业、国防科技工业和区域经济社会发展作出贡献。

2. 科普扶智惠民。广泛深入开展科技扶贫、科普实践、志愿服务三个品牌活动，将专业优势转化为服务效能。

3. 科创一线转化。面向企业实际需求，布局建设多点、多项、多行的师生科创实践基地，建立师生入驻企业激励机制；以问题为导向，以实践为向导，在一线建立临时师生党支部，在一线组织师生开拓创新，在一线谱写创新转化成果，构建具有工程专业实效的师生科技创新机制。

三、实施党建与事业发展深度融合“四维一线”解决方案

以“四位一体”的基层党组织建设创新体系为基础和支撑，贯彻实施党建工作与事业发展深度融合的“四维一线”解决方案。立足政治建设引领提升、思想建设融合共进、组织建设强基创优、文化建设沉积铸魂——四个维度，将党建工作深度贯穿融合到一流学科建设这一学院事业发展主线中，实现党建工作与“三梁四柱”育人改革、青年科教人才培育、校地校企共建共赢、服务国家重大工程等机械工程一流学科建设重要任务深度融合。如图 4-2 所示。

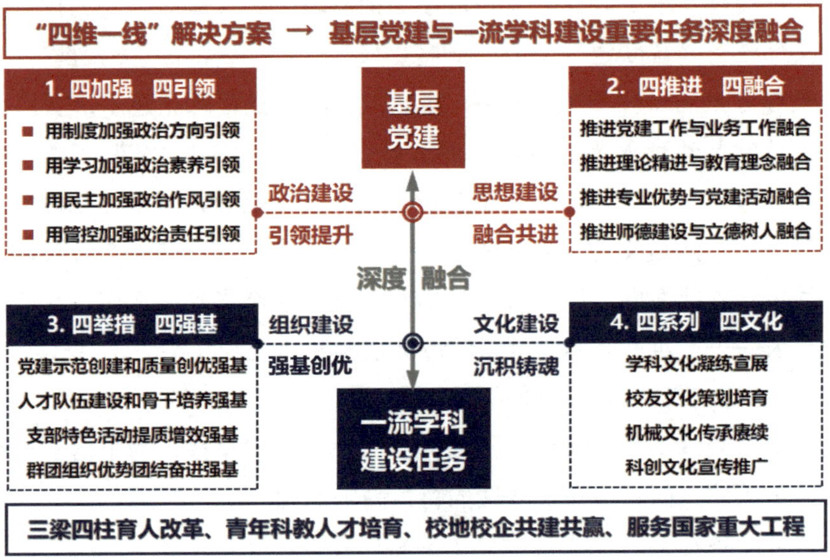

图 4-2 “四维一线”党建与事业发展深度融合方案

（一）政治建设引领提升——四个加强四项引领

1. 用制度加强政治方向引领。全面加强党建引领，强化议事决策制度。完善学院党委会、党政联席会议事决策范畴和程序，加强政治引领和民主决策；推行党建和业务重点工作领导班子务虚研讨会议制度；建立领导班子党建和业务工作责任清单；优化系部议事决策制度，强化支部在系部工作中的责任和作用，破除方向引领“中梗阻”、研判决策“本领恐慌”问题。

2. 用学习加强政治素养引领。围绕一流学科建设需求，开展党员干部理论与实践研习班、“读原著、学原文、悟原理”读书分享、“集体备课＋示范党课”等活动。深化“不忘初心、牢记使命”主题教育和党史学习教育成果，建

立长效机制，教育引导党员干部提高政治站位，自觉用“四个意识”导航，用“四个自信”强基，用“两个维护”铸魂，确保中央决策部署、省委和学校党委工作安排落实到位。

3. 用民主加强政治作风引领。破除形式主义和官僚主义，强化务实作风；强化民主管理和监督机制，落实领导干部联系基层、调查研究工作制度；定期开展院领导接待日，将院领导深入师生党支部制度化，畅通师生反馈渠道，提升党建工作成效和行政管理服务水平。

4. 用管控加强政治责任引领。深入落实意识形态和安全管控工作责任制，坚决防范和清除各种错误思潮、分裂主义、宗教活动等对学校的渗透侵蚀，定期分析研判意识形态领域情况。推进强化师生政治定力“金盾牌”计划，在国际化的大背景下，加强师生出国前、回国后的思想政治教育，打好思想“预防针”，树立精神“金盾牌”，提升“鉴别力”和“免疫力”，增强师生政治定力。

（二）思想建设融合共进——四个推进四项融合

1. 推进党建工作与业务工作融合。对标先优和一流学科建设指标要求，统筹谋划、精心组织党建思政成果凝练、项目申报与实施。开展十大育人体系研究，挖掘育人要素，完善育人机制，优化评价激励，强化实施保障。将课程思政研究与实践、教学研讨、学术交流等活动统筹纳入支部工作范畴。

2. 推进理论精进与教育理念融合。在党委中心组学习和支部“三会一课”中深度融合立德树人育人方针、一流学科建设目标、一流本科教育理念，以及学院学科紧密相关的国家、地方重大战略需求研判等关键内容，强化理论实践，提升业务素养，贯通发展思路。

3. 推进专业优势与政治生活融合。持续开展并拓展具有专业优势和特色的社会服务品牌活动；倡导挖掘专业优势，走出学校，走进地方，走入企业，走到一线，发挥基础研究特点和技术研发特长，探索党委、支部与地方、企业合作共建、共建互促、互促共赢的党员活动新品牌。

4. 推进师德建设与立德树人融合。围绕一流学科建设目标，凝练宣传师德师风典型先优，深入开展师德主题教育和实践活动、教学名师讲座培训、“最美教师”和“师德先锋示范岗”评选等活动，将师德建设的优势活动常态常规化，将师德建设成效与立德树人成果等紧密关联。

（三）组织建设强基创优——四个举措四项强基

1. 提升党建示范创建和质量创优强基。协同一流学科建设，大力推进新时代党建示范创建和质量创优工作，争创一流党建。做好国家“双带头人”教师党支部工作室、样板党支部建设和验收工作，做好新兴样板党支部选树和申报工作，促进学院党建水平整体提升。

2. 做好人才队伍建设和骨干培养强基。加强领导干部教育培训，全面提升“双带头人”党支部书记工作能力，推进党务与业务能力全面提升，增强党务干部与业务干部的工作协同；将培育青年人才和吸收发展优秀青年党员相结合，实施青年英才（党员）培育计划，培养出一批能挑大梁、当主角的青年（党员）人才。

3. 推进支部特色活动提质增效强基。坚持继承与创新双线建设党支部特色活动。接续传承以往优势项目，形成品牌特色提质拓延：持续开展具有专业优势和特色的党建品牌活动。紧跟一流学科建设步伐，积极创新增效：举办首届党支部科技创新宣展、发挥专业和科研优势拓展志愿服务和科普宣传范围。

4. 发挥群团组织优势团结奋进强基。切实发挥工会团结、引导、激励、服务教职员工职能。做好团员青年社会主义核心价值观培育，以主题宣讲、“微团课”等形式讲好中国故事、燕大故事，开展“青春心向党·建功新时代”主题宣传教育活动等。

（四）文化建设沉积铸魂——四个系列四项文化

1. 学科文化凝练宣展。凝练学科优势和特色关键元素并运用、展示、宣传，彰显学科实力，提升学科影响力，全面实施学院文化矩阵建设规划；强化“学科回廊”的育人载体功能，在师生中深入锻造铸就燕大机械之魂。

2. 校友文化策划培育。校友是人才培养的“产品”，是学科文化的重要口碑传播者。接续推进校友班级导师聘任、校友企业家访谈、校友学者学术论坛、校友岁月光影采录、校友企业挂项设榜科技竞赛等各类爱校荣校活动，形成树立典型、引资开源、结对互助、相扶相长的校友文化传承。

3. 机械文化传承赓续。凝练提升学院文化产品、文化服务和文化活动，高标准打造学院文化宣展策划与方案实施、课程思政元素探寻与精神凝练等文化活动，提升师生对学科的认同感、荣誉感和责任感。

4. 科创文化宣传推广。精心策划实施师生科研成果和创新创业对外宣传与推广方案，注重新媒体宣传元素挖掘和时机把控，宣传学科师生科技创新、成果转化的奋斗历程和成果成绩，提高学院、学科国内外声誉和影响力，为学院师生的科创成果转化落地提供更广阔的空间。

四、预期成果

发挥高校基层党委“五个到位”作用，指导党支部做到“七个有力”，形成“六个一”建设成果。

2022 年度：

1. 一系列特色工作品牌和育人载体。发挥专业优势和社会服务功能，在校内科研平台、扶贫乡村、周边学校、企业、协会等机构，统筹策划开展具有一定影响力的红色科技创新活动，打造科技服务、科普扶智和科技新师三个特色品牌，在科技创新活动中传承发扬奋斗基因、工匠精神、卓越品质和家国情怀。

2. 一个具有影响力的教育宣传阵地。充分运用学校“燕铭红韵”党建信息平台，完善机械工程学院官微、“机思广益”微信公众号功能，针对需求更新栏目设置，提高宣传质量和吸引度，系统构建高质量党建思政全媒体育人阵地。

3. 一套成熟完善的制度体系和机制。建立《领导干部联系党支部制度》，修订完善《党员发展细则》等规章制度，总结形成《构建新时代高校基层党建工作“四位一体”创新体系》和《党建与事业发展深度融合“四维一线”解决方案》，为高校基层党组织建设的体系机制提供参考范本。

2023 年度：

1. 一批党建和教研高水平研究成果。党建研究与党建工作同步同行，在实际工作中探索挖掘提炼研究课题，通过课题研究促进党建工作能力提升，力争获批校级以上党建研究课题 8 ～ 10 项，加大重点项目的谋划培育工作。

2. 一套有效的工作方法和典型案例。系统党建工作经验做法，梳理编制典型工作案例，形成一套可推广、可借鉴的高校基层党组织工作方法。根据“四位一体”创新体系和“四维一线”解决方案实施中的具体做法和经验，总结编写“强劲党建引擎工作方法”和“增强党建动能解决方案”特色典型案例。

3. 一本示范性党组织建设成果汇编。编撰党建工作成果资料汇编，分类展示党建活动成果；总结党组织建设经验，开展校内外学习交流。

第六节　全国高校党建工作标杆院系建设情况与典型案例

燕山大学机械工程学院党委砥砺践行“赓续奋斗精神，铸大国重器；传承红色基因，育科创英才”发展理念，奋力发挥在办学治校过程中的中坚力量和标杆作用，努力把学院党组织建设成“铸大国重器”和“育科创英才”的坚强战斗堡垒，促进学院党建工作与事业发展深度融合，以高质量党建推动学院高质量发展。

一、重点任务完成情况

2022 年度，在增强党组织政治功能和组织功能、破除“中梗阻”现象、抓好党建重点任务落实等方面取得重大进展。

（一）高度强化政治引领，着力提升决策质效

1. 把牢政治方向。围绕学院事业发展目标任务，强化政治功能，发挥政治引领作用，召开党委会会议 26 次、党政联席会议 39 次，研究落实及监督把关学院疫情防控、学科建设、人才引进、中长期贷款设备采购、学科交叉融合中心建设、意识形态工作、安全、统战、保密等重大事项。

2. 同心志愿抗疫。发挥党委领导协调作用，团结带领师生同心抗疫。上半年，组织 60 余名教师志愿者为返校隔离的 2000 余名学生连续 7 天提供送餐与生活保障服务。下半年，学校封控期间，学院领导班子带领学生辅导员、导师、班主任、实验室教师等快速反应，开展实验室开放、送餐、取书、走读安排等服务，通宵达旦，真情挚诚，师生同心，共克时艰。居家办公期间，组织教工党员“当先锋、打头阵”积极参与港城先锋“双报到”活动，动员广大教工参与社区志愿服务，投身到本地抗疫一线。

3. 聚智务虚研讨。学院党委务虚研讨，反思总结，提出“严实固本、切实融合、扎实创优”的“三实”工作方针。一是严严实实：严实落实校党委的各

项决策和工作部署，把住党建方向筑牢根本，经得起淬炼。二是切切实实：切实落实基层党支部的引育和帮扶，抓好示范创建质量创优，经得起考验。三是扎扎实实：扎实推进党建与业务工作深度融合，围绕学院学科发展方向与高端人才引进、大型仪器采购与共享、房屋有偿使用与规划等问题组织开展务虚研讨，统一思想，凝聚智慧，经得起挑战。

4. 合力精准调研。为深入贯彻落实党的二十大精神，学院党委发起专项调研活动，学院处级干部带队到省内外重点行业企业、省内外院校等进行专题调研，参与教师 50 余人次，调研单位近百家，在校政企“智联建”产教融合、多方协同的学生培养模式、学科建设与科研成果培育、科研平台支撑作用等方面形成专项调研报告，聚焦学院发展瓶颈问题，学习借鉴并提出建设性举措。

（二）大力创新思想教育，主动占领育人阵地

1. 深入学习宣传贯彻党的二十大精神。制定党的二十大精神学习宣传教育方案，组建宣讲党的二十大精神“先锋队”，率先与马克思主义学院开展联合学习、备课及主题党日活动。党委中心组开展专题学习研讨 3 次，师生党支部集中开展专题学习 80 余场，与青龙满族自治县肖营子镇五指山村党支部联建共学。统一制作课件，处级干部面向 46 个党支部、1000 余名师生党员宣讲。举办专题知识竞赛，开设学习宣传专栏，已推送 49 期。

2. 筑牢文化育人矩阵。精心谋划聚力，精心培育聚气，雕琢机械文化矩阵，构建多维意识形态阵地，打造思政教育新坐标。更新学院党建工作实录专题片；持续开展“机缘印象”毕业生燕园影音驻留活动；精心制作 MV《祖国》，创新发起红色建模大赛；组合微党课、主题团活、云共建等 20 余项文化活动，输出文化作品千余份；推出“百年礼赞 红心向党”“榜样力量”等 11 个专栏，发送推文 451 篇，总浏览量超 20 万次。完善筑牢学院“影音 + 场馆 + 网络 + 研室”文化矩阵，架起党建思政线上媒体“新引擎”，筑牢意识形态安全“防火墙”。

3. 拓建机械特色品牌。指导创设“燕鸣大讲堂”品牌活动，设立“燕鸣论坛”“燕鸣对话”“燕鸣学堂”三个板块，以传递科研力量、讲述精彩人生、传播科研方法三方面为立足点，为师生的科研道路指明方向，点亮明灯。自 2022 年 4 月创立以来，累计开展活动十余期，燕鸣论坛学者宣讲单场直播在

线过千人，燕鸣对话黄真、王益群教授访谈专辑线上浏览超万人，在师生间活跃学术气氛、增强学术交流、开拓学术视野、洞察学科前沿。

（三）创建实施工作体系，充分发挥组织功能

构建实施“双轮驱动”机制、“精准滴灌”举措、“云智协同”模式、“红色科技”品牌“四位一体”党建工作体系，推动党建工作与教育教学、科学研究等工作深度融合，着力破除“中梗阻”，充分发挥党组织的功能与作用。

1. 坚持“双轮驱动”组织工作机制。一是聚智创新，提升水平，坚持组织党建研学团队开展党建思政专题沙龙。围绕示范性党组织建设、课程思政、党建思政协调指导、校地企“智联建”、毕业设计质量提升等举办 12 场，研究谋划基层组织建设与实施计划。二是统筹布局施策，以优带新强基，立足特色培育，注重党建与中心工作关键目标融合互促。做好全国第四批党建工作样板支部、“百个研究生样板党支部”等的培育工作；围绕国家级科研平台建设目标和建设特色，将师生样板支部培育与国家基金创新群体、军民融合创新基地、国家级科研 / 教学成果的孕育相结合，谋求抓住特色建筑高峰，实现基层党支部建设与重点工作突破相融互促。三是以问题为导向，以实绩为目标，深耕固本培元，形成基层组织建设闭环系统管控新路径。针对党建布局有短板，纠偏有延迟；支部执行有弱化，监督有漏项；上热下冷仍存在，落实有偏差等问题，研究制定《机械工程学院“四位一体”党建工作实施方案》《处级领导干部“一岗双责”责任分工》《机械工程学院党委关于进一步强化党支部组织运行有关制度的规定》等系列制度，促进党建工作制度化和组织生活规范化。

2. 运用“精准滴灌”党建工作举措。打通党建与育人工作深度融合路径，坚持问题导向和分类指导，结合师生党支部学科优势和专业特色，精准设计主题党日指导意见和工作分解清单，推进主题党日内涵化。教工支部每月发布“主题党日指导意见”，采取“主题必选 + 特色自选动作”；学生支部实行“每月工作分解清单”，采取“指令性 + 自主性计划实施”。紧密结合学院发展中心工作，统筹开展“挺起脊梁 冲锋在前”“传师生情 感爱国志”“筑牢师德 树好师风”“领会二十大 聚智解难题”“加强产教融合 升级毕业设计”等 10 次主题党日活动。同时，推行处级干部列席制、支部活动观摩式，精准帮扶指导，确

保主题党日思想统一、步调一致，又特色鲜明、独具风格。此外，严格党员发展，坚持党员发展成长进步展示，发展学生党员 178 名、教师党员 2 名。

3. 推广“云智协同”组织建设模式。彰显学科优势，多维空间布局，拓延云智协同，形成“校际、校企、校地、校协”融通共促发展新范式。一是“云共建”纵深推进。启动第四批“云共建”，与哈尔滨工业大学、西南石油大学、重庆大学、广东工业大学开展五校七支部“携手共建”，即全国“百个研究生样板党支部”云交流，互相学习借鉴典型经验和特色做法，延续对标先优共建，拓展榜样力量交流，构建学生支部“云共建”新格局，形成学生党员教育培养新范式。目前，“云共建”已辐射 14 所高校，18 个党支部，3500 余名学生党员，实现学生党员精神培育多元化。二是“智联建”广泛开展。学院党委及各党支部带领广大教师主动对接地方政府和企业需求，发挥高校人才、科研成果汇聚优势，到秦皇岛、石家庄、沧州、邢台等地精准对接，与孟村县、盐山县、任泽区、临西县等地方政府签订合作框架协议，调研走访数十家企业，促成燕山大学管道装备产业孟村研究院、盐山县科技特派服务团等，构建教工支部“智联建”新格局，增进共建互促多角度高阶升维，形成青年教师党员培树新范式。目前，“智联建”已辐射 50 多家企业、3 个地方政府、5 个高校和科研院所、2 个行业协会，形成共建合作计划 40 余项，带领师生在科技服务过程中提升思想政治素养和科技创新能力。

4. 打造“红色科技”党建工作品牌。传承红色基因，凝聚红色力量，抚育红色科创，党建引领熔铸锻造重型机械新时代育人品牌，引导师生针对青少年、特殊群体、乡村振兴等开展科技志愿服务活动；引领广大师生面向科技前沿、面向经济主战场、面向国家重大需求、面向人民生命健康，开展科研攻关和“卡脖子”技术研究，培养“大国工匠”“铸剑英才”“科技帅才”。引导师生党员“志·智”双升，面向科技前沿、扶贫一线、技术转化，形成“科研实验开放日”“科普实践育少年”“科技扶贫重扶智”等党员志愿服务品牌，惠民科普年均 2000 余人次。师生党员在 FAST、C919、北斗三号等研发，攻克重大工程核心技术难题，以及服务地方行业企业技术发展与科技创新等方面作出重要贡献。

二、辐射作用发挥情况

深入凝练成熟有效的党建工作制度体系和机制办法，广泛挖掘优秀基层党建工作方法和典型案例，大力培育高校师生思想政治工作品牌、育人载体，形成可复制、推广的典型经验情况。

（一）党建工作体系与机制办法

以问题为导向，以实绩为目标，深耕固本培元，形成基层组织建设闭环系统管控新路径。针对党建布局有短板，纠偏有延迟；支部执行有弱化，监督有漏项；上热下冷仍存在，落实有偏差等问题，在标杆院系创建过程中总结凝练制定形成《“四位一体”党建工作实施方案》《处级领导干部“一岗双责”责任分工》《关于进一步强化党支部组织运行有关制度的规定》等制度，促进党建工作制度化和组织生活规范化，为高校基层党建工作提供可借鉴参考的制度体系及机制办法。

（二）工作方法与典型案例

以习近平新时代中国特色社会主义思想为指导，充分发挥党组织育人功能，持续提升党组织育人核心力和示范力，创建并实施“双轮驱动”机制、“精准滴灌”举措、“云智协同”模式、“红色科技”品牌等四要素统筹兼顾、全面推进的“四位一体”基层党组织育人体系，大力培育高校师生思想政治工作品牌和育人载体。

1. 组织育人策划方案——机构机制双轮驱动，党建业务双线提升

“双轮驱动”组织育人策划方案是成立学院党建思政研究机构并建立工作机制，统筹推进质量党建、精准思政，提升党建思政工作科学化水平，促进党建工作与教书育人深度融合。党建思政沙龙作为“双轮驱动”组织育人策划方案的重要体现形式，代表案例如下：

【典型案例】

“筑牢师德、树好师风”党建工作专题沙龙

针对青年教师存在教学经验不足、专业训练不够等问题，2022 年 9 月 8 日，学院党委组织开展了以“筑牢师德、树好师风”为主题的党建工作专题沙龙，学院主要领导、分管本科生教育的学院领导、教职工党支部书记、系部主任、专职组织员均参加会议，深刻剖析根源，重点总结分析青年教师在授课过程中

可能存在的问题，交流研讨提升青年教师课堂教学的方法和措施，并指导各教师党支部开展青年教师说课、示范课讲解等活动，有效地提升了青年教师的教学能力和授课水平，激发了青年教师在本职工作岗位上认真贯彻落实立德树人根本任务，对学院青年教师的成长与发展、优化教师队伍、提高课堂质量起到了重要的推动作用。

“教之有法、育之有道”党建工作专题沙龙

针对研究生心理状态不好、心理事件多发等问题，2022年9月16日，学院党委组织开展了以“教之有法、育之有道”为主题的党建工作专题沙龙，邀请学校心理健康教育服务中心臧刚顺老师为教师们做了学生早期心理问题发现的专题讲座，分管学生工作、研究生教育、本科生教育的领导均参加讲座，臧老师向大家普及了学生心理问题的发现途径、处理办法、谈心技巧等，并结合一些典型心理健康案例及自身经历同教师们分享了如何处理好师生关系，强调作为导师要了解学生特别是研究生的压力来源，要把学生当成心头肉，和学生多说心里话。此次专题沙龙活动在各教师党支部中全面推广，以主题党日活动的形式让教师们讲述了“教之有法、育之有道”的故事，激发了教师们开展“固本培元、因材施教”的方式方法研讨，有助于涵养学院“教与学、育与长”的向上育人生态。

2. 组织育人推进措施——组织统领党日活动，层级推进同频共振

为提高基层党组织育人质量和效果，切实发挥党支部引领教育作用，学院党委每月精准设计和指导1～2次主题党日活动，定期邀请学院处级干部到联系的党支部列席活动，对活动实施过程进行监督和指导，确保育人措施落实落地、取得实效。代表案例如下：

【典型案例】

“全面推进，做优做强——课程思政建设”主题党日

针对学院全面推广课程思政过程中出现的工科课程与思政内容关联少、工科教师对思政元素了解不多难以实现课程育人的问题，学院党委于2022年4月设计主题为“全面推进，做优做强——课程思政建设”的主题党日活动，学院相关领导、各教师党支部书记、系主任以及学生代表参加了课程思政专题沙龙，共同研究探讨主题党日的主要内容与开展形式。

随后，各教工支部分别开展相关主题党日活动，由党支部书记向支部所在系部全体教师传达、讲解学院“课程思政建设”推进指南，进行交流讨论，取得了学院课程思政推广新思路：设计课程思政建设节点，推进专业基础课、专业课程的顶层协同设计，推动专业育人与思政育人深度融合；通过集体备课或说课等方式，全面推进全员课程思政落地实施。通过基层党委对课程思政主题党日的设计，不仅让广大教师正确认识课程育人的重要性，还提供了新的工作思路与方法，提高了课程育人的效果与质量。

“传师生情、感爱国志”主题党日

针对部分毕业生爱国荣校意识淡薄问题，院党委决定发动各教工党支部为毕业生上好最后一节思政课，将育人情怀贯穿始终，2022年6月，学院党委统一设计“传师生情、感爱国志”主题党日活动，各教工党支部发挥引领作用，主动联合系部教师，特别是党员教师开展有组织、有规模的“走近毕业生”——毕业生送别活动，主要包括毕业生欢送会、师生文体联谊赛、毕业生宿舍探望、毕业驿站送别等。

学院2018级本科毕业生、2019级硕博毕业生共计623人次参与到各党支部组织的欢送活动中，其中塑成系、机电控制工程系等党支部分别为毕业生准备了欢送会以及毕业纪念品，学院党委书记等主管领导也参与到各支部欢送毕业生的活动中，表达了对毕业生的期望和不舍。丰富多彩的送别活动给毕业生上了印象深刻的“最后一课”，广大毕业生带着母校的祝福与盼望，奔向了人生的下一段旅程。通过“传师生情、感爱国志”主题党日活动的设计与统筹规划，实现了基层党组织在育人质量和成果的升级，有力发挥了党组织在育人体系构建与实践中的战斗堡垒作用。

3. 组织育人实施模式——云智协同携手共建，校际校企融通发展

“云智协同”是由学院党委创新提出并统筹实施的一种组织育人实施模式，由学生党支部“云共建”与教师党支部“智联建”构成，现已在全院各党支部纵深推进、拓延布点，学生党支部覆盖50%，教师党支部覆盖100%。学院党委搭台，师生支部唱戏，上下同心主动谋划发力，形成高校、地方、企业、协会“互助、协同、发展”格局，联手打造党务业务育人通途。代表案例如下：

【典型案例】

学生支部云端共建，互学互促共融共享

为了创新党员教育形式，丰富党员教育内容，提升党员教育成效，疫情防控期间，燕山大学机械工程学院于2020年4月创新发起主题“青年党员云携手，使命担当肩并肩”的校际党支部“云共建”活动，并2022年度加大共建力度。目前，活动得到清华大学、长安大学、河海大学、湘潭大学的积极响应，跨区域、跨专业、跨年级的5个党支部，181名学生党员云端携手、交流思想、碰撞火花，开拓视野，共同成长。

共建支部广泛研讨、共同拟定了“四同四共”校际党支部“云共建”建设方案，依托QQ群、群课堂、腾讯会议等平台，在6个月的共建周期里，5次“共读经典名著”、6次“同过组织生活”、12次“共享家乡红色文化”、120天“共学理论知识”，丰富多彩的共建活动覆盖5所高校的学生党员500余人次，有效促进了高校间优势互补、支部间资源共享，实现了支部发展建设、党员成长蜕变的耦合增量。

来自不同学校的党支部通过“云共建”的纽带，互学互促，共融共享，打造了有意义、重实效、高质量的支部组织生活。“青年党员云携手，使命担当肩并肩”校际党支部“云共建”活动受到了教育部官网、全国高校思政网、《湖南日报》等媒体的专题报道；共建形式与经验也得到了复制与优化，学院陆续与14所高校“云端”共建，与10余家企业“智慧”联建，拓宽“云共建”的辐射面，扩大“云共建”的影响力。

校企联建集智纾困，产教协同育人赋能

2022年7月24日至26日，学院党委书记带领学院教师到沧州市孟村回族自治县考察交流，与当地政府紧密对接，深入企业一线调研，了解企业技术难题和人才需求情况，为县域重点企业把脉开方。学院教师先后同华洋钢管有限公司、亚都管道装备集团、龙锦管道装备有限公司等10余家公司展开深入对接。大家参观了企业的生产一线，详细了解企业的生产现状、科技难题和技术需求等。针对企业生产成本过高、产品科技含量急需升级、无法形成有效竞争力等问题，教师团队提出了诸多解决方案，并在优化生产工艺、技术改造与科技创新、学生实习实践、专业人才输入等方面进一步明确了合作方向。此次

校地企“智联建”行动，促成签署了12项校企合作项目，有效促进了校地企融合发展平台搭建，在推动学院学科和科研优势赋能于地方经济发展和企业转型升级的同时，也拓展了人才培育、人才输出新视野，开辟了校企合作，联手打造党务业务育人通途新模式。

4. 组织育人品牌培树——科技服务传承发扬，志向智慧共同提升

传承发扬“红色科技”的组织育人品牌培树是学院党委一直以来紧密围绕的工作中心，是学院诞生的初心使命和责任担当。学院党委在科研、教学、团学等育人工作中不断熔铸、弘扬科技活动中所包含的底色品格和过硬本领，通过培养和树立“红色科技”品牌活动，奋力践行“志•智”双升的育人目标。代表案例如下：

【典型案例】

打造科技育人品牌，抚育助残科创活动

为深化科技育人品牌活动，以党委策动、支部行动、党员带动引领科技服务社会、扶智惠民，同时激发同学们对未来技术创新的兴趣，提升同学们的创新精神和创业意识，学院党委积极利用我院在康养产业、机器人领域的科研优势倡导师生以社会需求为导向，抚育科创活动。

2022年1月以来，学院党委积极动员师生参加第二届“奇思妙想”创新创意大赛等系列赛事，并于2022年10月23日组织企业、高校、用户联合开展以“残疾人健身康养器材创新设计”为主题的线上宣讲交流活动，与会各方围绕轮椅使用者的使用诉求，重点培育学生的创新思维，分析康复训练器材设计的运动解剖学基础，瞄准市场痛点，立足产品孵化，在腾讯会议室和直播平台设置主题报告和互动交流环节，通过线上交流，在导师、学生、专家、厂家、用户之间交换意见看法，换位思考，找准患者所需所求，打通产、学、研、用的层级障碍，大大提升了科学研究、社会生产和成果转化的效率，以科创活动抚育助残，服务社会，惠及民众，这一过程也同步强化了学生立足专业服务社会、为国为民创造价值的意识和观念，助推了学生专业能力成长。

志愿开展科技扶贫，助力乡村脱贫攻坚

充分发挥机械工程专业学科的优势特长，组建研发团队，用技术和知识服务于河北承德银里村的发展建设。服务队志愿为银里村村民研发电加热蘑菇烘

干机，解决燃煤型烘干蘑菇的污染和品相差问题，先后设计了 3 款不同规格设备（烘干能力分别为 1000kg、500kg、100kg），分别面向工厂、作坊、家庭等不同层次和规模的受众使用，提供设计资料，并指导村民自己动手制造设备，降低了农户投入成本。同时，立足精准扶贫，开拓创新，帮助注册成立村集体所有的银里机械制造有限公司，实现当地工业零的突破。服务队与燕山大学后勤设备处沟通联系，走访相关学院和部门，查看进入待报废名单的机械设备，从中挑选出可用且能用的设备进行修复，最终协调将这些设备从秦皇岛运送到承德银里村，设备总台套数 11 台，并对设备使用进行调试和持续指导。

（三）建设特色与推广价值

1.“双轮驱动”机制，提升组织育人研究能力，打开组织育人“新思路”

机构机制“双轮驱动”的组织育人机制，牵引学院党建思政工作驶入快车道，推动学院党建与业务工作同向同行、双线提升。2022 年，学院获全国高校思政工作精品项目 1 项，校际党支部“云共建”获全国高校思想政治工作优秀案例二等奖，学院获省高校党建研究课题 4 项（重点 1 项）。同时，在学院党委的支持指导下，学院获河北省五四红旗团委，获全国高校辅导员素质能力提升骨干训练营“特别表现奖”、第六届中国青年志愿服务项目大赛铜奖、中国电信奖学金 • 飞 Young 奖各 1 项。

机构机制“双轮驱动”，党建育人“双线提升”，聚智研创新套路，联手打出组合拳。为破解育人工作困境提供了有组织的、有针对性的科研团队保障和研究模式保障，聚焦准确、辨析严谨，解决了育人难点工作无计可施、施策不准的问题，打开了育人“新思路”。

2.“精准滴灌”举措，引领主题党日提质增效，找到组织育人“新途径”

系列主题党日“精准滴灌”组织育人方法和活动取得成效，培育出青年教师说课、育人教学方法等示范案例，促进学院课程思政全面推进，选优培优。2022 年，学院入选全国黄大年式教学团队 1 个，获河北省教育育人楷模、师德标兵、五四青年奖章 3 人，制作并在学院官微“听 TA 说”栏目推送“课程思政”作品 33 期。

“精准滴灌”组织育人举措，解决了党建工作与教书育人糅合“两张皮”的问题，推动党建教研有机融合，结合问题统筹谋划，拿出好剧本；“精准滴灌”指导编排，搭建好舞台，组织生活融入新元素，师生参与度显著提升，有效化解离心力，凝聚向心力，育人工作时效性显著增强，找到了育人“新途径”。

3.“云智协同”模式，校地政企多方携手育人，开拓组织育人“新范式”

校际党支部“互动、互促、互学”，开拓视野、激发创新、促进成长，携手探索学生党员培育新路；校企党支部“互助、协同、发展”，党建交流、科研融通、项目联合，联手打造党务业务组织育人通途。2022年，深入推动“云共建”和“智联建”。“云共建”扩大辐射：与哈尔滨工业大学、西南石油大学、重庆大学、广东工业大学开展五校七支部“携手共建”全国“百个研究生样板党支部”线上经验交流会，互相学习借鉴党支部建设的典型经验和特色做法，有效搭建了校际共享、共建、共融的平台，搭建了广大青年党员跨地域、跨学科、跨层次交流的平台，成为创新党建方式和育人模式的有益探索和实践。“智联建”纵深推进：面向省内区域经济发展，学院党委牵头与秦皇岛、唐山、沧州、邢台等多个地方政府紧密接洽，积极争取政府支持与平台搭建，组织教师团队面向地方的产业集群、重点企业等开展大规模科技服务，与地方政府联合建立产业装备研究院、产业促进中心等，探索实践高校助力地方经济发展和产业转型升级的新途径，从而实现对教师的思想育人和科研育人效果，为教师党员特别是青年教师党员提供育人新范式。

创新“云智协同”组织育人模式，突破了高校育人地域、文化、场景单一的客观现状，解决了师生科研应用、成果转化缺少实地，地方企业技术研发、转型升级缺少实力的现实问题。基层党支部通过有规划地布点、有组织地对接，发挥自身特长和优势，构建了精准互助、协同发展的育人通途，开拓了育人“新范式”。

4.“红色科技”品牌，彰显匠心为国育人特色，开辟组织育人“新模式”

打造“红色科技”品牌，把党建引领融入科技创新过程，引领师生践行学科和专业使命，利用专业知识，服务社会发展。组织举办以“匠心为国”为主题的实验室开放日，面向校内外师生和社会人员进行专业知识、工程装备等的科学普及，体验“智能制造”“工程美学”；积极开展科技服务活动，训练提升学生的“创新创业”能力、创新意识、创新思维，引导师生针对青少年、特殊群体、脱贫攻坚等开展科技志愿服务活动；积极引导广大师生面向科技前沿、面向经济主战场、面向国家重大需求、面向人民生命健康，开展科研攻关和“卡脖子”技术研究，践行学院“匠心为国铸重器”的“红色基因”。

2022 年，学院组织骨干教师积极主动对接行业龙头企业 50 余家；获批国家重点研发计划项目 1 项、课题 3 项。获批国家基金 31 项，实现历史性突破；横向到款 5641 万元，纵向到款 4105 万元，总计 9746 万元。授权国外发明专利 17 项、国内发明专利 272 项，转化专利 98 项，牵头申报河北省科技奖 11 项。

“红色科技”组织育人系列品牌活动促进广大师生“志 • 智”双升，彰显学院匠心为国的育人特色，丰盈了高校育人实感阵地和实践载体，铸就了“匠心为国铸重器”人才培养目标的鲜亮底色，为锻造新时代重型机械领域“尖刀上的刀尖”提供最坚韧的材料。红色科创服务育人品牌活动，构建了传承熔铸科技活动中红色基因的“志 • 智”双升育人品牌，开辟了育人“新模式”。

三、保障措施

（一）在资源投入、硬件设施、经费支持、条件保障等方面有关措施的落实情况

有效落实申报中提出的在资源投入、硬件设施、经费支持、条件保障等方面的有关措施。

1. 资源投入

加强软件建设，挖掘学科文化素材，建造全媒体机械文化“育人矩阵”。其中，场馆文化阵地，以学科和专业发展历程为主线设计建设学院楼宇场馆的历史沿革文化主题宣展，传递“国之红色血脉”。研室文化阵地，以“国之重器”重型机械装备研发历程为轴线，规划国家工程中心等科研平台实验室、专业课题室机械科技文化主题宣展，传递“大国工匠”精神。影音文化阵地，成立学院融媒体库专项组，拍摄“匠心为国”学院官方宣传片，创建“机缘印象”影像库，传递“大先生”专研敬业精神。网络文化阵地，创办“听 TA 说”官微专栏，开设“机思广益”官微，汇聚育人合力，及时发布党建思政信息，抢占网络阵地，至今已发布数百期，累计数十万字，浏览量超过 15 万次。

2. 硬件设施

修缮建设12个党员活动室，优化了党建工作环境，能够为集中性党员活动提供专门场所；学校建成组织生活馆、廉政文化长廊、校史馆，学院建成学科回廊、国防教育基地、学科特色成果展厅等，为党员学习教育提供了较为全面、优良的阵地。

3. 经费支持

学校划拨标杆院系建设专项经费支持7万元；学院在学科建设经费中，分配党建思政工作经费20万元，支持标杆院系建设和党建思政工作研究。

4. 条件保障

学校党委深入推进“对标争先”建设计划和党建“双创”培育工程，成立党的建设工作领导小组，校党委书记任组长、党委班子成员任副组长、基层党委书记和党群部门负责人任成员，强化对全校党建工作的统筹协调，层层压实党建工作责任。学校党委就加强基层党组织建设从体制机制、建设要求、工作载体、保障措施等方面进行明确，进一步激发基层党组织积极性主动性创造性，为基层党组织开展工作搭建平台、提供支持。

学院每年鼓励开展党建特色阵地建设、特色党建、文化建设等研究和实践活动；党委委员和学院党委处级领导干部精诚团结，齐抓党建工作，充分落实领导干部“一岗双责”工作责任制，做好分管工作领域的管党治党工作。同时，领导干部发挥示范带头作用，带领学院党支部和党员在各项工作中取得突出成绩。

（二）在党建工作体制机制、组织机构、专职队伍建设等方面有关政策的落实情况

实施“四位一体”党建工作体系，党建工作规范有效运行。落实主题党日工作机制，每月发布指导并组织开展1次主题党日活动；落实党建思政主题沙龙机制，全年组织开展党建思政专题沙龙12场；实行领导干部党支部联系制度，实现联系全覆盖，学院党委处级领导干部全年分别到联系党支部指导建设工作5次。学院党委出台并实施《关于进一步强化党支部组织运行有关制度的规定》，对“三会一课”、主题党日、组织生活会、民主评议党员、谈心谈话等党支部组织运行的基本规范与制度进行了系统梳理和明确要求。

学院有党委书记 1 人、专职副书记 1 人，配备专职组织员 2 人、兼职党务干事 3 人，教职工党支部书记 10 人、学生党支部书记 19 人、副书记 6 人，超过 7 人的党支部均另配备组织委员、宣传委员各 1 人；此外，学院 17 名辅导员均担任学生党支部书记，1 名副处级辅导员协管学院党建工作。

（三）在申报时提出的有关创新性思路、建设措施的落实情况

深入落实“四位一体”党建工作体系中提出的具体举措，探索实践具有实效性和高质量的高校基层党建工作创新体系。

1. 完善“双轮驱动”组织工作新机制

吸纳思政专业教师、校外行业专家、校友企业家等加入党建思政研究组，制定并实施党建思政工作专题沙龙计划、专项工作调研计划，完善“理路子→出点子→育果子”工作机制，谋划共建联建工作布局，凝练成果，牵引党建与业务有机融合。

2. 运用“精准滴灌”党建工作新方法

一方面，坚持分类指导和问题导向原则，结合师生党支部学科优势和专业特色，开展更有针对性的指导，精准设计主题党日指导意见，提升主题党日“精准滴灌”方法，提高组织生活质效。另一方面，聘任党建协同指导教师，作为党支部和学生党员发展的指导员（思想政治辅导员），提高了党支部和党员发展工作质量。

3. 实施“云智协同”组织建设新模式

启动第四批“云共建”，与哈尔滨工业大学、西南石油大学、重庆大学、广东工业大学开展五校七支部“携手共建”。学院党委发力校企教师党支部“智联建”，主动对接与 3 个地方政府，走访联系 30 家企业，签订合作项目 10 余项。师生在校际交流与科技服务过程中提升了思想政治素养和科技创新能力。

4. 打造“红色科技”党建工作新品牌

结合专业优势和特色，开展有组织的科技服务社会、科普扶智惠民、科创一线转化等活动。其中，“李保国志愿服务队”科技扶贫小组持续赴承德银里村开展调研和技术指导；举办实验室开放日活动，接待校内外参观近 1000 人；以“残疾人健身康养器材创新设计”为主题，举办“奇思妙想”创新创意大

赛，以科创活动抚育助残，服务社会，惠及民众。

四、改进完善计划与举措

在认真总结前期建设经验教训的基础上，进一步明确今后的工作计划与举措，巩固丰富标杆院系建设成果，提高建设实效。

（一）接续实施并完善“四位一体”党建工作体系

对“双轮驱动”机制、“精准滴灌”举措、“云智协同”模式、“红色科技”品牌的“四位一体”党建工作体系进行完善重构，形成“双轮驱动”机制、“精准滴灌”举措、“云智协同”模式、“红色基因”品牌的“四位一体”党建工作体系，并深入推进实施，探索实践具有实效性和高质量的高校基层党建工作创新体系“四位一体”党建工作体系，着力突出党组织的育人功能与实效，促进高校更好完成立德树人根本任务。如图 4-3 所示。

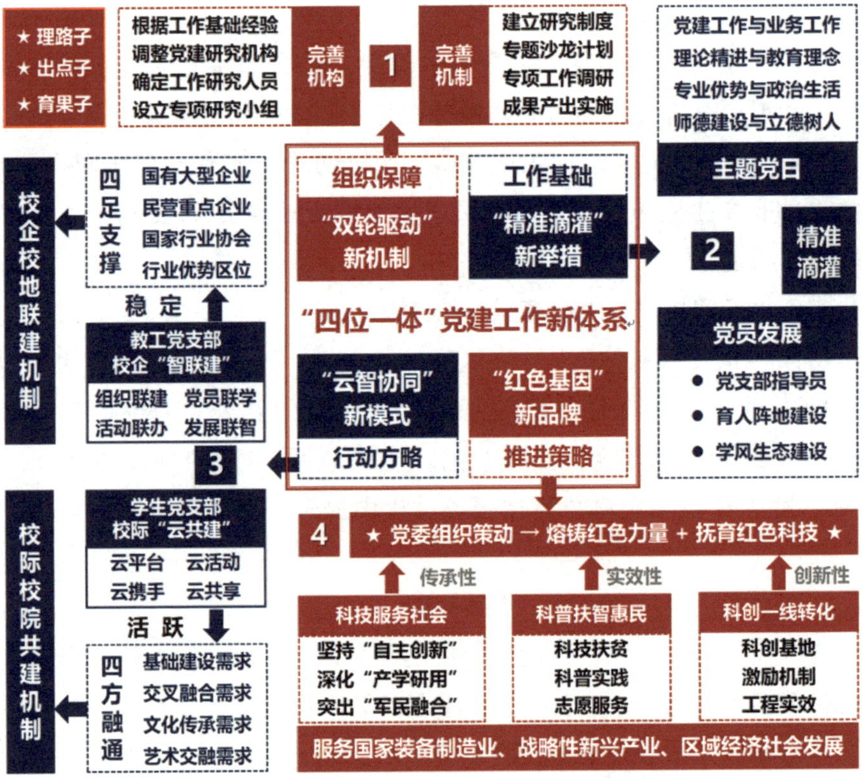

图 4-3 “四位一体”新时代高校基层党建工作体系（升级版）

1. 完善“双轮驱动”党建工作新机制

认真研究党的二十大对教育、科技、人才统筹推进的内在逻辑和战略部署，落实高等教育立德树人根本任务，分析明确高校党建工作内容，接续实施机构、机制“双轮驱动”党建工作新机制。

2. 拓展“精准滴灌”党建工作新举措

在主题党日、青年党员发展与培养工作中运用“精准滴灌”党建工作举措的，实现组织生活与育人工作高度契合、深度融合，培养成有理想、敢担当、能吃苦、肯奋斗的新时代好青年。

3. 推广“云智协同”党建工作新模式

深入拓展教师党支部校企“智联建”，广泛延伸学生党支部校际“云共建”，丰富拓展“云智协同”党建工作模式的内涵，扩大校际共建育人辐射效应，促进校企联建成果落地生花。

4. 打造“红色基因”党建工作新品牌

（1）熔铸红色力量。持续深入推进“彩虹训练营”计划，广泛开展具有专业背景的红色精神学习与教育活动，充分利用学院“国防军工”科技宣传教育阵地，广泛开展爱国主义、国防安全、军工科技等的学习教育和体验活动，弘扬学科专业“奋斗基因、工匠精神、卓越品质、家国情怀”的优良传统，培育有理想、敢担当、能吃苦、肯奋斗的新时代好青年。

（2）抚育红色科技。引领师生党员和党组织面向世界科技前沿、面向经济主战场、面向国家重大需求、面向人民生命健康，磨炼过硬本领，培养“大国工匠”，抚育“铸剑英才”，锻造“科技帅才”。一是引领师生党员勇担科技服务社会的重任，在重大科研活动和攻关项目中展现党员夺目光辉，突出党员思想引领、模范带头、行为促进作用。二是发挥组织领导优势，以党委推动为中心，以党支部为行动部队，开展有组织的科研活动，为服务国家装备制造业、战略性新兴产业、国防科技工业和区域经济社会发展作出贡献。三是持续开展科技扶贫、科普实践等科技志愿服务活动，深入开展面向一线的科技创新活动，在一线建立临时师生党支部，在一线组织师生开拓创新，在一线谱写创新转化成果。

（二）“四维一线”推进方案与工作举措

以全新的“四位一体”基层党建工作创新体系为基础和支撑，贯彻实施党建工作与事业发展深度融合的“四维一线”解决方案。立足政治建设引领提升、思想建设融合共进、组织建设强基创优、文化建设沉积铸魂——四个维度，将党建工作深度贯穿融合到一流学科建设这一学院事业发展主线中，实现党建工作与三梁四柱育人改革、青年科教人才培育、校地校企共建共赢、服务国家重大工程等一流学科建设中的立德树人工作重要任务深度融合。如图 4-4 所示。

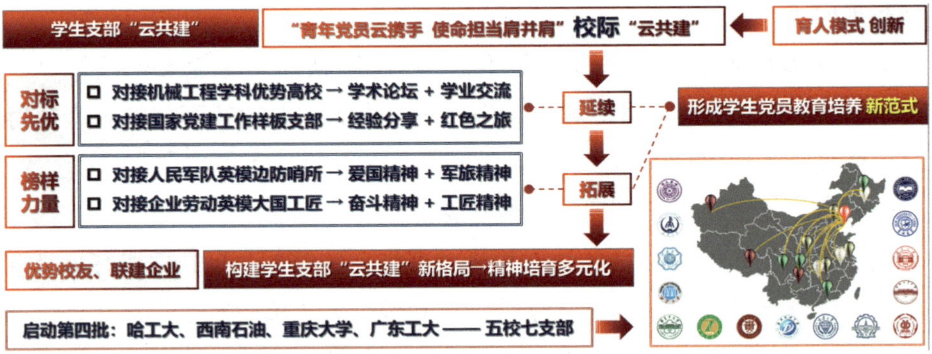

图 4-4　“四维一线”党建与事业发展深度融合解决方案

1. 政治建设引领提升——四个加强四项引领

（1）用制度加强政治方向引领

全面加强党建引领，强化议事决策制度。完善学院党委会、党政联席会议事决策范畴和程序，加强政治引领和民主决策；推行党建和业务重点工作领导班子务虚研讨会议制度；建立领导班子党建和业务工作责任清单；优化系部议事决策制度，强化支部在系部工作中的责任和作用，破除方向引领“中梗阻”、研判决策“本领恐慌”问题。

（2）用学习加强政治素养引领

围绕一流学科建设需求，开展党员干部理论与实践研习班、“读原著、学原文、悟原理”读书分享、“集体备课＋示范党课”等活动。深化“不忘初心、牢记使命”主题教育和党史学习教育成果，建立长效机制，教育引导党员干部提高政治站位，自觉用“四个意识”导航，用“四个自信”强基，用“两个维护”铸魂，确保中央、省委和学校党委决策部署落实到位。

（3）用民主加强政治作风引领

破除形式主义和官僚主义，强化务实作风；强化民主管理和监督机制，落实领导干部联系基层、调查研究工作制度；定期开展院领导接待日，将院领导深入师生党支部制度化，通畅师生反馈渠道，提升党建工作成效和行政管理服务水平。

（4）用管控加强政治责任引领

深入落实意识形态和安全管控工作责任制，坚决防范和清除各种错误思潮、分裂主义、宗教活动等对学校的渗透侵蚀，定期分析研判意识形态领域情况。推进强化师生政治定力“金盾牌”计划，在国际化的大背景下，加强师生出国前、回国后的思想政治教育、打好思想“预防针”，树立精神“金盾牌”，提升“鉴别力”和“免疫力”，增强师生政治定力。

2. 思想建设融合共进——四个推进四项融合

（1）推进党建工作与业务工作融合

对标先优和一流学科建设指标要求，统筹谋划、精心组织党建思政成果凝练、项目申报与实施。开展十大育人体系研究，挖掘育人要素，完善育人机制，优化评价激励，强化实施保障。将课程思政研究与实践、教学研讨、学术交流等活动统筹纳入支部工作范畴。

（2）推进理论精进与教育理念融合

在党委中心组学习和支部“三会一课”中深度融合立德树人育人方针、一流学科建设目标、一流本科教育理念，以及学院学科紧密相关的国家、地方重大战略需求研判等关键内容，强化理论实践，提升业务素养，贯通发展思路。

（3）推进专业优势与政治生活融合

持续开展并拓展具有专业优势和特色的社会服务品牌活动；倡导挖掘专业优势，走出学校，走进地方，走入企业，走到一线，发挥基础研究特点和技术研发特长，探索党委、支部与地方、企业合作共建、共建互促、互促共赢的党员活动新品牌。

（4）推进师德建设与立德树人融合

围绕一流学科建设目标，凝练宣传师德师风典型先优，深入开展师德主题教育和实践活动、教学名师讲座培训、“最美教师”和“师德先锋示范岗”评选等活动，将师德建设的优势活动常态常规化，将师德建设成效与立德树人成果等紧密关联。

3. 组织建设强基创优——四个举措四项强基

（1）提升党建示范创建和质量创优强基

协同一流学科建设，大力推进新时代党建示范创建和质量创优工作，争创一流党建。做好全国党建工作标杆院系、“双带头人”教师党支部工作室、样板党支部等的建设和验收工作，做好新兴样板党支部选树和申报工作，促进学院党建水平整体提升。

（2）做好人才队伍建设和骨干培养强基

加强领导干部教育培训，全面提升“双带头人”党支部书记工作能力，推进党务与业务能力全面提升，增强党务干部与业务干部的工作协同；将培育青年人才和吸收发展优秀青年党员相结合，实施青年英才（党员）培育计划，培养出一批能挑大梁、当主角的青年（党员）人才。

（3）推进支部特色活动提质增效强基

坚持继承与创新双线建设党支部特色活动。接续传承以往优势项目，形成品牌特色提质拓延：持续开展具有专业优势和特色的党建品牌活动。紧跟一流学科建设步伐，积极创新增效：举办党支部科技创新宣展、发挥专业和科研优势拓展志愿服务和科普宣传范围。

（4）发挥群团组织优势团结奋进强基

切实发挥工会团结、引导、激励、服务教职员工职能。做好团员青年社会主义核心价值观培育，以主题宣讲、“微团课”等形式讲好中国故事、学校故事，开展“青春心向党•建功新时代”等主题宣传教育活动等。

4. 文化建设沉积铸魂——四个系列四项文化

（1）学科文化凝练宣展

凝练学科优势和特色关键元素并运用、展示、宣传，彰显学科实力，提升学科影响力，全面实施学院文化矩阵建设规划；强化“学科回廊”的育人载体功能，在师生中深入锻造铸就燕大机械之魂。

（2）校友文化策划培育

校友是人才培养的“产品”，是学科文化的重要口碑传播者。接续推进校友班级导师聘任、校友企业家访谈、校友学者学术论坛、校友岁月光影采录、校友企业挂项设榜科技竞赛等各类爱校荣校活动，形成树立典型、引资开源、结对互助、相扶相长的校友文化传承。

（3）机械文化传承赓续

凝练提升学院文化产品、文化服务和文化活动，高标准打造学院文化宣展策划与方案实施、课程思政元素探寻与精神凝练等文化活动，提升师生对学科的认同感、荣誉感和责任感。

（4）科创文化宣传推广

精心策划实施师生科研成果和创新创业对外宣传与推广方案，注重新媒体宣传元素挖掘和时机把控，宣传学科师生科技创新、成果转化的奋斗历程和成果成绩，提高学院、学科国内外声誉和影响力，为学院师生的科创成果转化落地提供更广阔的空间。

第五章　高校基层党建工作体系的构建与实施

第二十七次全国高校党建工作会议提出，要着力健全高校党建工作体系，压实高校党建工作政治责任，增强基层党组织政治功能，推动高校党建与高校事业发展深度融合。立德树人是高校的根本任务，各级党组织必须把党的领导落实到办学治校、教书育人全过程各方面，抓好高校党的建设，确保党的教育方针和党中央决策部署得到贯彻落实。加强党对高校的政治领导，强化系统思维、坚持一体推进，以提升组织力为重点，健全完善高校党建工作组织体系。燕山大学机械工程学院在全国高校党建工作标杆院系创建和建设过程中，注重党建工作系统谋划和顶层设计，构建并实施由“双轮驱动”机制、“精准滴灌”举措、“云智协同”模式、“红色基因”品牌构成的“四位一体”党建工作体系。本章将详细介绍燕山大学机械工程学院“四位一体”党建工作体系的框架内容与具体举措。

第一节　坚持“双轮驱动”组织工作机制

加强党建引领，创新举措，与中心工作有机融合、同频共振。一建机构。成立党建思政研讨组，由学院党委委员、专职组织员、教工党支部书记、辅导员、教师党员代表组成，组建“机思广益”党建思政工作室。二建机制。每月至少组织 1 次党建专题沙龙，主要包括党建工作部署、文化建设谋划、中心工作研讨、专项工作推进、党建党务培训、创新模式交流、标杆支部申报、学科评估参与等，形成“理路子、出点子、育果子”工作机制。2020—2022 年党建思政专题沙龙汇总表如表 5-1 ～表 5-3 所示。“双轮驱动”，牵引党建思政工作驶入快车道；“双线提升”，推动党建与业务工作同向同行。近几年，学院一方面聚智创新，提升水平，坚持组织党建研学团队开展党建思政专题沙龙。围绕示范性党组织建设、课程思政、党建思政协调指导、校地企“智联建”、毕业设计质量提升等举办30余场，研究谋划基层组织建设与实施计划。另一方面，统筹布局施策，以优带新强基，立足特色培育，注重党建与中心工作关键目标融合互促。做好全国第四批党建工作样板支部、“百个研究生样板党支部”等的培育工作；围绕国家级科研平台建设目标和建设特色，将师生样板支部培育与国家基金创新群体、军民融合创新基地、国家级科研/教学成果的孕育相结合，谋求抓住特色建筑高峰，实现基层党支部建设与重点工作突破相融互促。此外，以问题为导向，以实绩为目标，深耕固本培元，形成基层组织建设闭环系统管控新路径。针对党建布局有短板，纠偏有延迟；支部执行有弱化，监督有漏项；上热下冷仍存在，落实有偏差等问题，研究制定《机械工程学院“四位一体”党建工作实施方案》《处级领导干部“一岗双责”责任分工》《机械工程学院党委关于进一步强化党支部组织运行有关制度的规定》等系列制度，促进党建工作制度化和组织生活规范化。

表5-1　2020年党建思政专题沙龙汇总表

序号	时间	主题	主要学习研讨内容	参加人
1	3月26日	文化项目谋划	学院文化建设项目申报系统谋划	学院党委书记、副书记、文化项目负责人
2	4月7日	重点工作部署	学校党建工作会议要点，党建思政文化项目申报总结与推动落实，主题党日阶段性总结交流，学院党建工作规划	学院党委书记、党支部书记
3	5月15日	重要文件研讨	学校党委书记全面从严治党工作讲话，教育部等八部门关于加快构建高校思想政治工作体系的意见，教育部思想政治工作司2020年工作要点	学院党委书记、副书记、科级干部、党支部书记
4	5月29日	文化项目推进	工作进度及成果，工作推动思路及落实举措	学院党委书记、副书记，文化项目负责人
5	6月9日	党务工作培训	学校党委书记在年轻科级干部代表座谈会上的讲话，党务工作培训	学院党委书记、副书记、科级干部、党支部书记
6	6月24日	党建工作创新	党支部云共建 国家标杆支部建设 教工党支部联建	学院党委书记、副书记、相关党支部负责人
7	7月9日	校友校庆工作	学科回廊建设，“听TA说”校友专栏、校友导师，校庆期间活动策划方案	学院党委委员、辅导员、有关行政人员
8	9月22日	换届工作谋划	党委及党支部委员组成	学院党委委员、党支部书记代表

（续表）

序号	时间	主题	主要学习研讨内容	参加人
9	10 月 23 日	标杆组织申报	全国高校“双带头人”教师党支部书记工作室申报	学院党委委员、教师党支部书记代表、学校组织部负责人
10	11 月 12 日	干部能力提升	机关行政人员及辅导员工作能力提升	学院处级领导干部、行政人员、辅导员
11	12 月 1 日	学科评估研讨	学科评估材料中党建思政部分内容，党建思政创新案例凝练	学院党委委员、处级领导干部

表 5-2　2021 年党建思政专题沙龙汇总表

序号	时间	主题	主要学习研讨内容	参加人
1	2 月 28 日	国家“双带头人”党支部工作室建设研讨	软硬建设方案 国防特色阵地建设	学院党委书记、国防重点学科实验室负责人、教师党支部书记、专职组织员
2	3 月 30 日	文化建设项目研讨论证与申报	2021 年度文化申报主题谋划	学院党委书记、副书记，文化项目负责人
3	3 月 31 日	党建思政课题论证研讨与申报	2021 年党建思政课题申报主题谋划	学院党委书记、副书记，党建课题负责人
4	3 月 24 日	党史学习教育方案研讨论证	制订活动方案，推动组织实施	学院党委书记、副书记、党支部书记
5	4 月 2 日	课程思政全覆盖推进工作研讨	支部书记 + 教务科 + 主管领导，共同研讨	学院党委书记、教学副院长、党支部书记，教务科负责人
6	5 月 19 日	党建视频拍摄研讨会	学院党建视频、机械工学工作室、国防特色阵地、学科宣传片等统一制作研讨	学院党委有关负责人、相关党支部负责人、拍摄方
7	6 月 10 日	省级思政奖项申报与论证研讨	2021 年辅导员精品项目申报谋划	学院党委书记、副书记，辅导员
8	9 月 16 日	教之有法　育之有道——学生心理健康教育	习近平总书记在中央党校（国家行政学院）中青年干部培训班开班式上重要讲话，心理健康教育辅导、案例交流分享	学院党委书记、副书记、教师党支部书记、辅导员、学校心理健康教师
9	10 月 14 日	教师党支部“智联建”推进研讨	“智联建”落实举措指导、研究	学院党委书记、教师党支部书记
10	10 月 19 日	党建与文化建设	新媒体、云共建、学科回廊信息化、样板支部建设总结、问题分析与计划研究	学院党委书记、副书记、相关项目负责人、学校组织部副处级组织员
11	11 月 25 日	意识形态工作专题研究	意识形态问题与解决措施研究	学院党委委员、党支部书记
12	11 月 25 日	党支部规范化建设	党支部规范化建设培训与整改部署	学院党委书记、副书记，党支部书记
13	12 月 15 日	基层党组织工作总结与工作计划	2021 年度工作总结、问题分析、2022 年度重点工作研讨交流	学院党委书记、副书记，党支部书记

表 5-3　2022 年党建思政专题沙龙汇总表

序号	时间	主题	主要学习研讨内容	参加人
1	3 月 21 日	全国高校党建工作标杆院系建设	建设目标与推进实施的主要举措	学院处级领导干部、党支部书记、专职组织员
2	4 月 22 日	党支部工作方法和质量提升	党支部的组织生活召开情况 党支部工作中的问题与解决措施	副处级以上领导干部、专兼职组织员、党支部书记
3	4 月 23 日	“寓”见风华公寓思政沙龙	2021 年获校级文化项目 6 项，学院自主资助 7 项	副处级辅导员、保研学生
4	5 月 5 日	标杆党组织建设专题研讨	样板党支部、“双带头人”教师党支部书记工作室、“百个研究生样板党支部”阶段性总结与推进	学院党委书记、副书记，样板党支部负责人
5	6 月 16 日	课程思政	课程思政与思政课程“双向融合”联合备课	学院处级领导干部、学院教师、马克思主义学院骨干教师
6	6 月 30 日	党建思政协同指导	党建思政协同指导教师的工作职责与落实机制	学院处级领导干部、辅导员、党建思政协同指导教师
7	7 月 10 日	校地企“智联建”推进	党建引领下的“校政企”深度融合，暑期走访调研	学院党委委员、教师党支部书记、组织员
8	9 月 8 日	师德师风与课堂教学	青年教师教育教学问题与解决措施	学院处级领导干部、党支部书记、系部主任代表、专职组织员
9	9 月 8 日	校地企“智联建”	校地企“智联建”总结与规划研讨	学院党委书记、教师党支部书记、系主任、专职组织员
10	10 月 28 日	党的二十大精神	与马克思主义学院开展党的二十大精神学习暨党组织联合共建交流	马克思主义学院骨干教师，学院党委处级干部、教职工党支部书记、党务工作人员、机关党支部党员

【典型案例】

毕业设计质量提升专题沙龙

本次沙龙采取线上会议方式进行，学院党委书记，教学副院长，各系部主任、副主任，党支部书记等参加会议。

会议提出三点意见建议：一是更新理念，鼓励创新。在人才培养的进程中，要因时而变、随事而制，根据学生个体的实际情况，面向社会总体需求导向，因材施教，开展具有个性化特性、统一化基础的培养，不断调整知识体系、能力图谱和思维方式。二是发扬优势，关注实践。要基于我们的优势和特色进行毕业设计指导，题目应来源于我们已经完成的科研项目、横向课题、企业委托项目，深入研究难度、强度、新度，体现培养和训练的多样性、规范性、综合性。三是闭环管控，持续改进。对青年教师指导毕业设计工作，系部要根据自身情况进行环节管控设计，确保青年教师的迅速成长及学生的培养要求得以满足。

会上，教学副院长作了《本科毕业设计问题分析与质量控制》的专题报告，从本科毕业设计面临的问题、毕业设计常见问题剖析、持续改进质量提升策略三个方面进行了详细讲解。与会人员针对系部在毕业设计组织实施过程中存在的问题进行了深入交流。

青年教师代表进行了说课演示，与会人员共同学习了解说课的意义、设计过程和讲授方法等。会议强调，高校教研室功能的回归与重建对提高教师授课能力至关重要，我们要传承接续这一优良传统，以生为本，以师为先，更好地教书育人。会议要求，各党支部（系部）贯彻落实学院党委关于青年教师培养的相关精神，推动落实青年教师教学方法交流与研讨，形成各党支部（系部）独特的教研活动形式和常态化教研制度。

在学院党委的统一谋划下，学院各教师党支部将开展“加强产教融合升级毕业设计”的主题党日活动，组织广大教师党员在深入学习贯彻党的二十大精神的基础上，开展毕业设计研讨，推动教学方法研究，实现党建工作与人才培养工作深度融合。学院全体处级领导干部也将深入联系的党支部列席参加，进一步指导提升主题党日活动效果。

党支部工作方法与质量提升专题沙龙

学院党委书记主持会议，有关副处级以上领导干部、专兼职组织员、党支部书记等参加会议。会议主要围绕领导干部列席2021年度党支部的组织生活和近期工作中的有关问题开展。与会处级领导干部分别交流了列席联系党支部组织生活的感受，重点分析了在近期党支部工作中发现的一些问题。随后，大家围绕如何改进问题，进一步提升党支部工作方法和质量进行了深入探讨。会议指出：一是要改进工作机制，特别是对学生党支部的管理。充分调动辅导员参加支部工作的积极性，有效传导压力，努力营造环境，激发党员对党组织的敬畏；要促进学生党员保持激情和冲劲儿，使广大学生党员成为有理想、有抱负、有目标的时代青年。二是要目的明确、目标清晰。党支部书记，特别是教师党支部书记要做好身份角色的把控和转换，要为广大党员发挥作用搭建平台，让广大党员成为主角，注重发挥老党员的带头和示范作用。三是要对支部活动有信心。党支部书记要以严谨的工作态度和高度的工作热情投入工作，组织开展好每一次支部活动，使组织生活起到更好的活动效果。

“教之有法 育之有道”专题沙龙

会议由学院党委书记主持，教学及科研副院长、学院教师党支部书记、专职组织员、党务干事以及教师代表等参加会议。

会议邀请燕山大学心理健康教育服务中心教师为大家作了学生早期心理问题发现的专题讲座，向大家普及了学生心理问题的发现途径、处理办法、如何谈心等心理健康教育知识。教学、科研副院长分别向大家介绍了一些典型的心理健康案例，并结合自身经历同大家分享了如何处理好师生关系，强调作为导师要了解学生特别是研究生的压力来源，要把学生当成心头肉，和学生多说心里话。

会议指出，教育要有目标、有规矩、有底线，同时更要注重探索途径和优化方法。党支部要引导广大教师意识到学生心理健康教育的重要性，通过主题党日活动让大家讲述“教之有法、育之有道”的故事，激发教师开展固本培元、因材施教的育人之道方式方法研讨，使学院“教与学、育与长”的育人生态建设更加健康、向上。

会议部署了“教之有法 育之有道”主题党日活动，介绍了活动的背景，深入分析了活动的内涵和意义，指明了工作开展的方法。

第二节　运用“精准滴灌”党建工作举措

燕山大学机械工程学院以主题党日活动为抓手，提高基层党组织生活质量和效果，每月精准设计和编制 1 ～ 2 次主题党日活动指导意见，2020 年以来累计组织开展主题党日活动近 30 次。学院党委统一搜集整理活动资料，并在活动实施前召开党建思政专题沙龙，研究部署党支部如何落实，必要时邀请学院处级干部到联系的党支部列席会议或活动，对活动实施过程进行监督和指导，确保活动取得实效。燕山大学机械工程学院主题党日指导意见表和燕山大学机械工程学院主题党日活动汇总表如表 5-4、5-5 所示。

表 5-4　燕山大学机械工程学院主题党日指导意见（样表）

<table>
<tr><td>时间</td><td>4 月 9 日</td><td>形式</td><td>视频会议</td></tr>
<tr><td>参加人</td><td>全体党员</td><td>列席</td><td>非党员</td></tr>
<tr><td>主题</td><td colspan="3">战“疫”仍在进行中 科研指导不掉线</td></tr>
<tr><td colspan="4">内容</td></tr>
<tr><td colspan="4">第一部分：理论学习
1. 师德师风规范及案例
2. 学术研究知识及案例
（学院提供部分参考资料，各支部可对内容进行梳理，选择重点组织学习。）
第二部分：研究生指导及职业能力提升交流研讨
1. 教师党支部围绕研究生指导及职业能力提升开展，参考如下：
（1）疫情防控期间如何让学生在家科研工作不掉线？
（2）疫情防控期间如何确保研究生学位论文不掉线？
（3）疫情防控期间如何指导和开展学生学习、交流？
2. 基础实验中心党支部计划研讨线上实验教学方案设计。
3. 行政机关党支部计划针对职业能力提升开展学习交流。</td></tr>
<tr><td colspan="4">要求及注意事项</td></tr>
<tr><td colspan="4">1. 请党支部书记做好会前准备，有关资料可提前发给参会人员学习，会上领学相关重要内容；交流研讨环节要保证实效性，必要时要提前邀请支部有关人员进行讲解。
2. 请各支部做好主题党日活动相关记录，形成会议纪要，重要意见建议请进行梳理汇总，纪要和意见电子版于 4 月 13 日前报备学院党委。
3. 学生支部的主题党日指导意见由学生科统筹安排，并提前向学院党委报备。</td></tr>
</table>

表 5-5　燕山大学机械工程学院主题党日活动汇总表

序号	时间	主题	达成目标
1	2020 年 3 月	战“疫”不掉线 教学传温情	“防疫管控”和“事业发展”不掉线、两不误；教学传递的不仅是“教”的认知、“学”的求知，更是师生之间的责任和信任、爱护和理解
2	2020 年 3 月	传承品格 全面育人	结合新工科探讨课程思政建设，了解重要的思政元素，学习课程思政设计技巧，深入推进课程思政建设
3	2020 年 4 月	战“疫”仍在进行中　科研指导不掉线	探索线上教学和学生指导的新思路、新途径，做好疫情防控期间的研究生指导和培养工作
4	2020 年 4 月	共谋团队建设 推动学科发展	共同解读，开放交流，优化方案，推动落实
5	2020 年 5 月	传承专业历史 展望科研未来	为青年教师熔淬“奋斗基因、工匠精神、卓越品质、家国情怀”的“燕大品格”，旨在传承专业历史，共谋学科发展方向，用优良传统铸就品格情怀，用创新思维指导创新实践，携手共进，冲向未来

（续表）

序号	时间	主题	达成目标
6	2020 年 6 月	点燃师生激情　创就共同梦想——“双创”工作专家解读	增进教师对文件的了解，分享指导双创竞赛经验，激励教师增强对学生双创的指导，实现人才培养和自身价值双赢
7	2020 年 6 月	战“疫”志愿服务 精心迎接复学	党支部充分发挥战斗堡垒作用，引领教职工党员充分发挥先锋模范作用，以积极热诚心态、良好教学环境迎接学生复学
8	2020 年 7 月	点燃师生激情　创就共同梦想——“双创”工作朋辈交流	分享双创竞赛指导经验，掌握指导技巧，提升指导水平
9	2020 年 8 月	献礼百年 荣庆甲子	发挥党员先锋模范作用，为校庆期间各项活动作出贡献，以良好的精神面貌迎接百年校庆
10	2020 年 9 月	师德师风经验分享 支部共建谋划研讨	交流研讨党支部“走出校园”活动方案，拓展支部活动范围，推进支部共建互促。网络互联、汇聚智慧，凝聚共识、发挥特长，走出校园，走入企业，走入科研院所，探索与相关学科单位开展支部共建的工作模式
11	2020 年 10 月	做好支部换届 推进支部共建	进一步加强和改进学院基层党支部建设，严格按学校和学院 2020 年基层党组织换届选举工作方案做好党支部委员会换届工作，为党支部工作顺利开展提供坚强领导集体
12	2020 年 11 月	开展支部共建 促进合作交流	实行“开门抓党建”，以加强党建为引领，打造校企联动、资源共享、优势互补、共谋发展的党建工作新格局。通过共建，搭建起研究所、高校交流的新平台，促进双方在“卡脖子”技术交流、思政教育、新工科人才培养、联合双创基地等方面有更好合作
13	2020 年 12 月	领会全会精神 了解学科建设	认真学习领会党的十九届五中全会精神，准确把握其核心要义，切实把学习贯彻党的十九届五中全会精神作为统一思想、凝聚共识的重要政治任务抓实抓细抓好；全面了解学科评估指标体系，引导教师在实际工作中，主动对标对表学科评估指标体系，增强学科评估参与度、贡献度，进一步提高教学科研工作价值
14	2021 年 2 月	落实本职责任 保障工作开展	深入学习贯彻校院本学期工作会议精神，明确本学期重点任务，布置落实近期重要工作，提升落实本职工作的能力和本领，保障各项工作顺利开展
15	2021 年 3 月	勇担当抓落实 学党史迎百年	深入学习贯彻习近平新时代中国特色社会主义思想和党的十九届五中全会精神，增强“四个意识”、坚定“四个自信”、做到“两个维护”
16	2021 年 4 月	全面推进　做优做强——课程思政建设	全面推进，选优培优，使课程思政由“做不做”向“优不优”转变，为学院深入推进课程思政建设，在所有课程中全面覆盖，提供思想、组织保障。

（续表）

序号	时间	主题	达成目标
17	2021 年 5 月	学党史　悟思想——党史学习教育	坚持用习近平新时代中国特色社会主义思想特别是习近平关于高等教育的重要论述铸魂育人，把开展党史学习教育作为重大政治任务，强化政治责任，扭住重点发力，追寻历史根脉、感悟初心使命，学史明理、学史增信、学史崇德、学史力行，掀起党史学习教育热潮
18	2021 年 6—7 月	学党史 知党恩 跟党走	总结分析党史学习教育以来在学习上的新体会、新收获，深化党史学习教育，引导广大党员学史明理、学史增信、学史崇德、学史力行
19	2021 年 9 月	教之有法 育之有道	学习贯彻习近平新时代中国特色社会主义思想及其科学思想方法和工作方法，关注学生身心健康，舒缓学习生活压力，帮助指导学生以积极向上的心态拥抱明天
20	2021 年 10 月	校企携手 智慧协同	推动教职工党支部校企“智联建”，党支部与系部共同谋划组织教职工、学术团队联系专业相关企业或协会开展走访交流，深度对接企业和行业科技需求，助推学院教师、学术团队与企业联手攻关工程技术难题，实现科技成果转化落地，增强学科的社会服务功能和能力
21	2021 年 11 月	毕业设计 质量提升	深入学习贯彻党的十九届六中全会精神，统一思想，提高认识。同时，落实中共中央、国务院《深化新时代教育评价改革总体方案》、教育部《本科毕业论文（设计）抽检办法（试行）》文件精神，结合学院教学实际工作，为加强学院本科生毕业设计（论文）质量管理提供组织保障
22	2021 年 12 月	年终总结 务虚研讨	深入学习交流党的十九届六中全会精神，在统一思想、提高认识的基础上，总结本年度重点工作，充分了解本单位教职工诉求，并对下一年度重点工作进行务虚交流研讨，明确重点工作任务，形成符合本单位工作实际和具有专业特色的推进举措
23	2022 年 4 月	挺起脊梁 冲锋在前	认真贯彻习近平新时代中国特色社会主义思想，深入学习习近平对中青年和中青年干部的要求与嘱托，充分了解青年教师工作、生活及思想状况，为青年教师发展营造良好氛围、提供交流平台，切实解决青年教师发展过程中的问题，激励青年教师在教学、科研以及公共事务等各项工作中冲锋在前，创造更有价值的人生
24	2022 年 5 月	关爱青年 抚育成才	认真学习贯彻习近平关于教育的重要论述，根据党和国家对青年的要求和希望，结合当下疫情防控的特殊形势，主动关心关爱青年，探寻更好培养学生的方法和手段，为做好当前学生的教育教学工作提供更多参考

（续表）

序号	时间	主题	达成目标
25	2022年6月	传师生情 感爱国志	认真学习贯彻习近平有关青年教师的重要讲话精神，继续开展党史学习教育，在毕业生离校之际组织开展形式多样的送别活动，在喜迎“七一”和党的二十大召开之际到有关教育基地开展红色学习教育或实践活动
26	2022年9月	筑牢师德 树好师风	认真学习贯彻习近平有关重要讲话精神，强化教师职业道德，增强师德师风素养，为开展教育教学和科研工作提供基础和保障；总结、借鉴单位内外“智联建”开展情况，探索继续推进策略和举措，巩固扩大活动成效
27	2022年10月	学习二十大 建功新时代	认真学习习近平总书记在中国共产党第二十次全国代表大会上的报告，深刻领会党的二十大精神，结合自身工作实际，找准工作目标，交流思想收获，找准奋进方向，以实际行动践行党的二十大精神
28	2022年11月	领会二十大 聚智解难题	积极落实《中共中央关于认真学习宣传贯彻党的二十大精神的决定》，把思想统一到党的二十大精神上来，深刻理解党的二十大确定的各项任务。同时，以党的二十大精神为指导，结合学院实际工作，聚焦重要问题解决和重要工作落实，分析交流破解学院发展瓶颈的办法和举措
29	2022年12月	加强产教融合 升级毕业设计	深入学习领会党的二十大精神的实质和精髓要义，把党章作为加强党性修养的根本标准，学习党章、遵守党章、贯彻党章、维护党章。同时，结合学院当前实际工作，积极推进产教融合，加强青年教师培养，提升毕业设计质量，提高青年教师教学科研能力

主题1：战“疫”不掉线　教学传温情

时间：2020年3月

目的：“防疫管控”和“事业发展”不掉线、两不误；教学传递的不仅是“教”的认知、“学”的求知，更是师生之间的责任和信任、爱护和理解。

主要内容：

1. 传达学校的《关于开展“尺笔丹心、‘疫’线先锋”系列主题党日的通知》。

2. 传达习近平总书记关于坚决打赢疫情防控阻击战的重要讲话和指示精神。

3. 领学学校党委书记、校长在中层干部暨安全稳定工作视频会议上的讲话相关内容。

4. 交流研讨。

（1）教工党支部交流研讨网络教学的感受和经验，并对学院当前教学、科研工作开展方式提出意见；

（2）学生支部交流当前网络课程、毕业设计、研究生课题等教学活动的开展情况，以及给学院当前本、研教学和学生工作提出建议；

（3）行政机关或非教学党支部交流网络办公的感受、经验，研讨行政工作推行网络化、信息化等提质增效的服务措施。

要求：

1. 党支部书记做好会前准备，有关资料可提前发给党员学习，会上领学相关重要内容；交流研讨环节要保证实效性，可提前邀请支部有关人员进行讲解。

2. 各支部做好主题党日活动相关记录，形成会议纪要，并梳理汇总教师、学生反馈意见，纪要和意见电子版于活动结束后及时报备至学院党委。

主题 2：传承品格　全面育人

时间：2020 年 3 月

目的：结合新工科探讨课程思政建设，了解重要的思政元素，学习课程思政设计技巧，深入推进课程思政建设。

内容：

（一）理论学习

1. 学习课程思政相关文件、理论知识。

2.《新时代爱国主义教育实施纲要》。

3. 燕大人精神品格学习体悟。

（二）网络教学与课程思政融合交流研讨

1. 教师党支部结合课程思政教学环节分享思政案例和实践技巧。

2. 行政机关或非教学党支部探讨行政工作中的课程思政组织和引领要素。

要求：

1. 党支部书记做好会前准备，有关资料可提前发给党员学习，会上领学相关重要内容；交流研讨环节要保证实效性，可提前邀请支部有关人员进行讲解。

2. 各支部做好主题党日活动相关记录，形成会议纪要，重要意见建议请进行梳理汇总，纪要和意见电子版活动结束后及时报备至学院党委。

主题 3：战“疫”仍在进行中　科研指导不掉线

时间：2020 年 4 月

目的：探索线上教学和学生指导的新思路、新途径，做好疫情防控期间的研究生指导和培养工作。

内容：

（一）理论学习

1. 师德师风规范及案例。

2. 学术研究知识及案例。

（学院提供部分参考资料，各支部可对内容进行梳理，选择重点，组织学习。）

（二）研究生指导及职业能力提升交流研讨

1. 教师党支部围绕研究生指导及职业能力提升开展，参考如下：

（1）疫情防控期间如何让学生在家科研工作不掉线？

（2）疫情防控期间如何确保研究生学位论文不掉线？

（3）疫情防控期间如何指导和开展学生学习、交流？

2. 基础实验中心党支部计划研讨线上实验教学方案设计。

3. 行政机关党支部计划针对职业能力提升开展学习交流。

要求：

1. 党支部书记做好会前准备，有关资料可提前发给参会人员学习，会上领学相关重要内容；交流研讨环节要保证实效性，必要时要提前邀请支部有关人员进行讲解。

2. 请各支部做好主题党日活动相关记录，形成会议纪要，重要意见建议请进行梳理汇总，纪要和意见电子版活动结束后及时报备至学院党委。

主题 4：共谋团队建设　推动学科发展

时间：2020 年 4 月

目的：共同解读，开放交流，优化方案，推动落实。

内容：

（一）学院团队建设管理办法解读

邀请参加学院团队建设管理办法讨论稿解读会议的系主任、团队秘书对办法讨论稿进行解读，与教师们共同把握办法核心要义。

（二）团队建设与学科发展交流研讨

1. 围绕如何组建团队、加强团队建设、提高团队业绩产出等方面进行交流研讨。

2. 围绕如何推进办法落实提出意见建议。

另外，根据学院党委发送的第 5 次主题党日活动指导意见，即学术研讨主题党日活动，提出意见，讨论活动方案。

行政机关党支部计划围绕团队协作能力提升进行素质拓展。

要求：

1. 党支部书记做好会前准备，保证活动实效性。

2. 建议本次主题党日活动邀请系部非党员教师参会。

3. 各支部做好主题党日活动相关记录，形成会议纪要，重要观点或意见建议请进行梳理汇总，纪要和意见电子版活动结束后及时报备至学院党委。

主题 5：传承专业历史　展望科研未来

时间：2020 年 5 月

目的：为青年教师熔淬“奋斗基因、工匠精神、卓越品质、家国情怀”的“燕大品格”，旨在传承专业历史，共谋学科发展方向，用优良传统铸就品格情怀，用创新思维指导创新实践，携手共进，冲向未来。

内容：

1. 教师党支部以学术交流研讨为主线，活动形式参考如下：

每个支部可邀请 3 位青年教师进行关于学科技术理论研究发展与展望的专题 PPT 报告，以每人 20 分钟为宜；每位报告结束后，请各位教师指导点评。同时，鼓励邀请离退休老专家参会，讲述学术研究或专业发展历程。鼓励邀请本专业研究生参会、研讨。报告内容需充分沟通规划，注重与专业背景和科研前景的融合。

2. 基础实验中心党支部计划继续研讨筹备线上实验教学。

3. 机关党支部计划针对职业能力提升开展专题研讨。

要求：

1. 本次活动主题要突出明确，方式自由灵活。党支部书记充分做好会前准备，保证活动实效性。

2. 各支部做好主题党日活动相关记录，形成会议纪要，重要经验或意见建议请进行梳理汇总，纪要和意见电子版活动结束后及时报备至学院党委。

主题 6：点燃师生激情　创就共同梦想——“双创”工作专家解读

时间：2020 年 6 月

目的：近期学校出台了《燕山大学“挑战杯”“创青春”“互联网 ”竞赛振兴工程实施细则》，与教师职称评定、研究生招生、获奖奖励等密切相关。活动旨在增进教师对文件的了解，分享指导双创竞赛经验，激励教师增强对学生双创的指导，实现人才培养和自身价值双赢。

内容：

1.“机创未来”创新创业教育工作室成立仪式。

2. 校团委书记讲解文件并与教师交流（直播）。

3. 学院教学副院长分享“双创”竞赛指导经验并与教师交流（直播）。

要求：

1.《燕山大学“挑战杯”“创青春”“互联网”竞赛振兴工程实施细则》文件提前发给大家，请组织党员学习讨论并形成问题。

2. 学院现场会议在 J301 会议室并同步直播，直播链接将及时在学院党风红韵群发布。各支部组织教师集中观看（线下或线上），交流环节各支部可将代表性问题及时发在党风红韵群，由现场工作人员提问。

主题 7：战“疫”志愿服务　精心迎接复学

时间：2020 年 6 月

目的：党支部充分发挥战斗堡垒作用，引领教职工党员充分发挥先锋模范作用，以积极热诚心态、良好教学环境迎接学生复学。

内容：

1. 所有教工党支部组织本单位全体教工党员对所在的办公室、实验室以及楼宇内外部公共区域进行整理布置、清洁消毒。

2. 党支部书记会同系部负责人、实验室负责人和联系领导，对责任区域安全、卫生及疫情需求事项等工作进行检查排查。确保教学、研究等工作环境清新整洁，相关设备设施安全运行。

要求：

1. 党支部书记与部门负责人积极沟通，充分做好谋划和动员工作，以及劳动工具和物资的准备工作。

2. 各支部做好主题党日活动相关记录，形成会议纪要，重要问题请进行梳理汇总、及时沟通解决，纪要电子版于活动结束后及时报备至学院党委。

主题 8：点燃师生激情　创就共同梦想——“双创”工作朋辈交流

时间：2020 年 7 月

目的：分享双创竞赛指导经验，掌握指导技巧，提升指导水平。

内容：

1. 教师分享双创竞赛指导经验；约 40 分钟。

2. 重要赛事讲解；约 20 分钟。

3. 参会教师现场交流座谈：学院党委制定分组安排，按系部 / 党支部分成三组，每组 1 位教师分享经验、1 位教师讲解重要赛事，每组安排 1 位工作人员并有 1 位处级领导干部列席。

机关党支部计划组织召开信息化与作风建设交流座谈会。

要求：

1. 各支部提前动员，组织感兴趣的教师，充分挖掘动员有指导潜力的教师参会。

2. 工作人员提前做好会场布置、会议服务、拍照、记录等工作，各支部做好主题党日活动相关记录，形成会议纪要，纪要电子版于活动结束后及时报备至学院党委。

主题 9：献礼百年　荣庆甲子

时间：2020 年 8 月

目的：发挥党员先锋模范作用，为校庆期间各项活动作出贡献，以良好的精神面貌迎接百年校庆。

内容：

1. 校庆活动服务。介绍校庆活动安排，以校庆实验室开放日、系部校友学术交流等系部或机关需要组织的活动为载体，对广大党员教师提出要求，确保活动顺利圆满完成。

2. 环境卫生清扫。对系部、支部分管的内外环境进行全面、持续清洁打扫，在校庆前后保持干净整洁的教学、科研和工作环境。

3. 精神面貌提升。引导广大教职工尤其是党员教职工提升工作状态，杜绝各类有损教师、学院和学校形象的事件出现，展现良好的精神面貌。

要求：

1. 本次活动主题突出明确，方式自由灵活，可与系部会议结合开展。请党支部书记做好会前准备，保证活动实效。

2. 请各支部做好主题党日活动相关记录，形成会议纪要，重要经验或意见建议请进行梳理汇总，纪要和意见电子版于活动结束后及时报备至学院党委。

主题 10：师德师风经验分享　支部共建谋划研讨

时间：2020 年 9 月

目的：交流研讨党支部“走出校园”活动方案，拓展支部活动范围，推进支部共建互促。网络互联、汇聚智慧，凝聚共识、发挥特长，走出校园，走入企业，走入科研院所，探索与相关学科单位开展支部共建的工作模式。

内容：本次会议以政治理论学习和师德师风经验分享为基础，以支部共建活动研讨为重点，建议安排如下。

（一）政治理论集体学习（学习资料附后）

1.《中国共产党基层组织选举工作条例》。

2.《中华人民共和国民法典》。

3. 厉行节约反对食品浪费。

（二）师德师风经验分享

邀请系部内老教师结合教学工作分享师德师风相关经验，对青年教师提出建议和要求，引导青年教师树立良好的职业道德。

（三）支部共建方案研讨

1. 对接 1 个校外党支部开展 1 次主题党日活动，可以学科专业建设、行业技术交流等为主要内容开展共建活动。

2. 各党支部书记提前谋划方案，同广大党员深入交流研讨，形成具体执行方案，为 10 月份组织开展具体活动做好准备。

要求：

1. 本次活动主题突出明确，时间和方式可结合实际情况灵活安排。党支部书记做好支部共建活动方案的谋划，保证活动实效。

2. 各支部做好主题党日活动相关记录，形成会议纪要，重要经验、意见建议或执行方案等请进行梳理汇总，纪要和共建方案（初稿）电子版及时报备至学院党委。

主题 11：做好支部换届　推进支部共建

时间：2020 年 10 月

目的：进一步加强和改进学院基层党支部建设，严格按学校和学院 2020 年基层党组织换届选举工作方案做好党支部委员会换届工作，为党支部工作顺利开展提供坚强领导集体。

内容：

（一）党支部委员会换届大会

党支部召开党员大会，会议由党支部书记主持，会议内容主要包括：讨论并审议通过委员会工作报告、候选人名单和监票人名单；采用无记名投票的方式和差额选举的办法选举产生党支部委员会。

（二）支部共建执行方案深入研讨

确定深化支部共建执行方案，会后启动共建方案准备工作。

（三）党支部委员会

召开党支部委员会第一次全体会议，等额选举产生党支部委员会书记、副书记，并明确其他委员分工。

要求：

1. 党支部将支部委员会换届选举结果报学院党委。

2. 各支部做好主题党日活动相关记录，形成会议纪要，纪要和共建方案（初稿）电子版及时报备至学院党委。

主题 12：开展支部共建　促进合作交流

时间：2020 年 11 月

目的：实行“开门抓党建”，以加强党建为引领，打造校企联动、资源共享、优势互补、共谋发展的党建工作新格局。通过共建，搭建起研究所、高校交流的新平台，促进双方在“卡脖子”技术交流、思政教育、新工科人才培养、联合双创基地等方面有更好合作。

参考内容：

1. 组织联建。各支部交流介绍支部基本情况，分享支部建设经验做法。

2. 党员联学。召开“讲党课，办讲坛”，双方同上党课，分享学习心得等。

3. 活动联办。发挥双方优势，开展互惠互补的参观交流或主题展演等。

4. 发展共谋。召开“教学—科研—工程融合，共谋合作发展”座谈会，双方在“卡脖子”技术交流、思政教育、新工科人才培养、联合双创基地等业务方面寻求合作契机。

要求：各支部做好主题党日活动相关记录，形成会议纪要，纪要电子版于活动结束后及时报送至学院党委。

主题 13：领会全会精神　了解学科建设

时间：2020 年 12 月

目的：认真学习领会党的十九届五中全会精神，准确把握其核心要义，切实把学习贯彻党的十九届五中全会精神作为统一思想、凝聚共识的重要政治任务抓实抓细抓好；全面了解学科评估指标体系，引导教师在实际工作中，主动对标对表学科评估指标体系，增强学科评估参与度、贡献度，进一步提高教学科研工作价值。

参考内容：

1. 党的十九届五中全会精神学习，文件领学。

（自选《党的十九届五中全会〈建议〉学习辅导百问》中的部分内容，重点内容参考：全会公报，百问的 8、17、20）

2. 爱国主义教育，传达文件精神，观看《为了和平》纪录片。

3. 学科评估指标介绍，PPT 介绍。

（党支部书记或本单位中参与学科评估材料整理工作人员介绍学科评估指标，重点是让广大教师关注评估，了解评估指标、分析短板，明确工作方向。）

4. 学科建设贡献度交流研讨

围绕教师、系部如何提升对学科的贡献度进行交流研讨，以学科评估为指导，进一步明确今后工作方向。

要求：各支部做好主题党日活动相关记录，形成会议纪要，纪要电子版于活动结束后及时报送至学院党委。

主题 14：落实本职责任　保障工作开展

时间：2021 年 2 月

目的：深入学习贯彻校院本学期工作会议精神，明确本学期重点任务，布置落实近期重要工作，提升落实本职工作的能力和本领，保障各项工作顺利开展。

主要内容：

（一）传达学院开学初工作会议精神

党支部书记、系主任分别传达学院本学期初重要工作指示和部署。主要包括：教学、科研、研究生、学生管理、安全、意识形态、统战、基层组织建设等。

（二）系部、支部重要工作部署

1. 系部和党支部重要工作部署，强调党员教师模范带头作用。会前由党支部书记和系主任充分沟通研究后确定。

2. 组织生活会和民主评议党员工作通知，提醒党员做好准备。

（三）集中学习

习近平在省部级主要领导干部学习贯彻党的十九届五中全会精神专题研讨班开班式上发表重要讲话，由党支部书记或支部宣传委员领学主要内容。（http：//www.12371.cn/2021/01/11/ARTI1610365919984277.shtml）特别强调，提高政治判断力、政治领悟力、政治执行力的重要性。

主题 15：勇担当抓落实，学党史迎百年

时间：2021 年 3 月

目的：深入学习贯彻习近平新时代中国特色社会主义思想和党的十九届五中全会精神，增强“四个意识”、坚定“四个自信”、做到“两个维护”。

主要内容：

（一）组织生活会、民主评议党员

以党员大会形式召开。基本环节：

1. 谈心谈话、查摆问题

党支部委员会重点从 6 个方面查摆存在问题和不足：

（1）是否充分发挥政治引领作用；

（2）是否全面贯彻落实上级党组织工作部署；

（3）是否定期开展党的组织生活；

（4）是否严格党员日常教育管理监督；

（5）是否密切联系服务群众；

（6）是否持续改进工作作风。

党员要对照合格党员标准、对照入党誓词、对照身边先进典型，联系工作实际进行党性分析，重点检视 3 个方面差距和不足：

（1）是否认真学习贯彻习近平新时代中国特色社会主义思想；

（2）是否树牢“四个意识”、坚定“四个自信”、做到“两个维护”；

（3）是否做到履职践诺、担当作为、真抓实干、遵规守纪。

2. 召开党员大会

（1）组织生活会：党支部书记代表支部进行检视查摆存在的问题；党员进行检视发言，同时对支部班子和其他党员提出批评意见建议。

（2）民主评议：会上发放测评表；组织评定，党支部委员会综合分析党员日常表现，结合民主测评结果，对每位党员给出评定意见并向本人反馈。评定为“优秀”的比例一般不超过党员总数的三分之一。

（二）党史学习教育

1. 学习习近平深刻阐述开展党史学习教育的重大意义（http：//www.12371.cn/2021/02/20/ARTI1613831669546679.shtml）。

强调开展党史学习教育，是党当前组织生活的一项重要内容。

2. 观看党史微视频：国民党密档中的重庆谈判（http：//www.12371.cn/2019/10/15/VIDE1571143200952512.shtml）。

要求：

各支部在2020年度《党支部工作手册》中做好相关记录，《基层党组织组织生活会及民主评议党员情况备案报告》和《基层党组织组织生活会及民主评议党员纪要》工作结束后及时报备至学院党委。

主题16：全面推进　做优做强——课程思政建设

时间：2021年4月

目的：全面推进，选优培优，使课程思政由“做不做”向“优不优”转变，为学院深入推进课程思政建设，在所有课程中全面覆盖，提供思想、组织保障。

主要内容：

（一）课程思政推进研讨

1. 党支部书记或系部主任向本单位全体教师传达、讲解学院“课程思政建设”推进指南。

2. 交流讨论，设计课程思政建设节点，推进专业基础课、专业课程的顶层协同设计，推动专业育人与思政育人深度融合。

3. 通过集体备课或说课等方式，全面推进全员课程思政落地实施。

（二）党史学习教育

视频资料参考：

1. 一百堂党史课1：革命理想高于天（http：//www.12371.cn/2021/02/26/

VIDE1614315600792169.shtml）。

2. 中国共产党为什么能夺取全国政权（http：//dangshi.people.com.cn/n1/2021/0115/c85037-32000754.html）。

要求：

1. 党支部书记提前做好谋划和准备，确保主题活动效果。

2. 在《党支部工作手册》上做好相关记录，会议纪要电子版活动结束后及时发送至学院党委。

主题 17：学党史　悟思想——党史学习教育

时间：2021 年 5 月

目的：坚持用习近平新时代中国特色社会主义思想特别是习近平关于高等教育的重要论述铸魂育人，把开展党史学习教育作为重大政治任务，强化政治责任，扭住重点发力，追寻历史根脉、感悟初心使命，学史明理、学史增信、学史崇德、学史力行，掀起党史学习教育热潮。

主要内容：

（一）党史学习教育

可通过以下任意一种、几种或创新其他方式组织开展：

1. 专题讲座：邀请专家讲座，在认真聆听中启迪思想。

2. 参观体验：教育基地参观，在别样课堂中重温历史。

3. 仪式教育：重温入党誓词，在庄严宣誓中触碰信仰。

4. 朋辈交流：党员同讲党史，在互动分享中加深认识。

5. 经典赏析：观看阅读经典，在品读回忆中激励未来。

6. 激情唱颂：学唱红色歌曲，在红歌视唱中感受情怀。

各支部要灵活运用学习方式，开展丰富多彩、吸引力强、参与度高的活动。同时，鼓励与共建支部联合开展党史学习教育。机关党支部同时开展“我为群众办实事”专题实践活动。

（二）学习《中国共产党普通高等学校基层组织工作条例》

资料下载：http：//notice.ysu.edu.cn/contant.jsp？ urltype=news.NewsContentUrl&wbtreeid=2008&wbnewsid=8258

要求：

1. 请党支部提前做好谋划和准备，确保教育效果。

2. 校外参观学习需至少提前一周向学院党委请示、报备。在组织过程中，要有体现学习党史参观体验的图片，留痕表达清晰，最好融入重温入党誓词、分享党史故事之类的活动。

3. 在《党支部工作手册》上做好相关记录，会议纪要电子版活动结束后及时发送至学院党委。

主题 18：学党史　知党恩　跟党走

时间：2021 年 6—7 月

目的：总结分析党史学习教育以来在学习上的新体会、新收获，深化党史学习教育，引导广大党员学史明理、学史增信、学史崇德、学史力行。

（一）讲好专题党课

各党支部书记要面向支部党员讲党课，有关形式可参考如下：

1. 结合“三会一课”、主题党日等活动讲专题党课。

2. 带领支部党员到学校党员组织生活馆讲专题党课。

3. 带领支部党员到学院学科回廊一楼参观党史展、讲党的故事。

党课要以现场授课为主要形式，要把专题党课与其他工作统筹安排，坚持实事求是，防止和避免形式主义。

（二）召开专题组织生活会

具体程序如下：

1. 认真组织学习。召开专题组织生活会前，党支部要组织党员集中学习、研讨交流。

2. 深入查摆问题。党支部委员会和党员对照党章、《中国共产党支部工作条例（试行）》和有关规定明确的职责任务，结合开展“我为群众办实事”实践活动，查摆存在的问题和不足。

3. 专题组织生活会。一般以党支部召开党员大会的形式进行，组织党员开展批评和自我批评。

要求：

1. 党支部提前做好谋划和准备，确保活动和教育效果。

2. 本单位的专题组织生活会和专题党课可分开进行，也可合并开展，明确讲党课的时间、内容以及组织生活会召开的安排并及时向学院党委备案。

3. 在《党支部工作手册》上做好相关记录，会议纪要电子版活动结束后及时发送至学院党委。

主题 19：教之有法　育之有道

时间：2021 年 9 月

目的：学习贯彻习近平新时代中国特色社会主义思想及其科学思想方法和工作方法，关注学生身心健康，舒缓学习生活压力，帮助指导学生以积极向上的心态拥抱明天。

主要内容：

（一）理论学习

1. 学习习近平总书记在中央党校（国家行政学院）中青年干部培训班开班式上重要讲话，了解党中央和国家对年轻干部的希望和嘱托。

资料下载：https：//notice.ysu.edu.cn/info/2008/8975.htm

2. 总书记“公开课”，引导教师教育学生做新时代有为青年。

资料下载：https：//mp.weixin.qq.com/s/pzGTfVNLVbCmgKF_wCPhhw

（二）方法实践

根据习近平总书记的指示和思想，指导开展实际工作。在心理问题高发期，面向学生身心健康，开展有关工作。

1. 教师党支部

（1）党支部书记与教师分享案例和工作方法，动员指导本单位学生班级的班主任、研究生导师与学生贴心交流、贴心对话。

针对本科生班级：可以与辅导员联合，组织开展专题班会。

针对研究生：号召导师逐个排查，了解学生真实心理状况，消除学生杂念、怨念、畏惧、恐慌等，帮助学生解除心结，释放压力，放下包袱，以健康的身心投入学习和生活。

（2）以党支部或课题组等为单位适当开展一些有益于学生身心健康的文娱活动。

2. 基础实验中心和机关党支部

（1）基础实验中心党支部自查在面向学生教育教学过程中存在的问题和不足，提出有针对性的改进措施。

（2）机关党支部针对如何当好中青年干部进行交流研讨；了解学生对学院机关工作的诉求，研究确定本学期面向学生的服务活动或实事。

3. 学生党支部

学生党支部围绕如何做新时代青年开展主题党日活动，具体指导意见由学生工作办公室统筹安排，并提前向学院党委报备。

要求：

（1）党支部认真贯彻学院指导精神和专题会议确定的工作方法，确保活动和教育效果。

（2）及时跟踪了解开展情况，发现问题及时与学生工作办公室沟通、报备。

（3）在《党支部工作手册》上做好相关记录，会议纪要电子版于活动结束后及时发送至学院党委。

主题 20：校企携手　智慧协同

时间：2021 年 10 月

目的：推动教职工党支部校企“智联建”，党支部与系部共同谋划组织教职工、学术团队联系专业相关企业或协会开展走访交流，深度对接企业和行业科技需求，助推学院教师、学术团队与企业联手攻关工程技术难题，实现科技成果转化落地，增强学科的社会服务功能和能力。

工作方案：

1. 已开展联建的党支部，可组织支部教职工开展实地交流活动。

2. 尚未开展联建的党支部，应结合系部学科和专业特色、结合教职工科研需求积极谋划、开拓联建单位，积极推进线上线下交流活动。

3. 规模较小的党支部可以与其他支部联合开展本次活动。

有关要求：

1. 开展实地交流的党支部，需提前形成活动策划方案，方案应包括：时间、单位、参观人员、主要内容、预期效果和经费预算，并报学院党委审批备案。

2. 实地交流前，党支部应认真做好筹备和预演工作，要向联建单位准确全面地展示专业的研究基础和业绩成果，提倡集体行动，提倡以老带新，提倡面向企业问题，提倡走入工程实际。

3. 交流后要认真总结，切实落实交流提出的需求，持续跟踪推进合作意向。

主题 21：毕业设计 质量提升

时间：2021 年 11 月

目的：深入学习贯彻党的十九届六中全会精神，统一思想，提高认识。同时，落实中共中央、国务院《深化新时代教育评价改革总体方案》、教育部《本科毕业论文（设计）抽检办法（试行）》文件精神，结合学院教学实际工作，为加强学院本科生毕业设计（论文）质量管理提供组织保障。

内容：

（一）政治理论学习

学习党的十九届六中全会精神，采取如下形式：

1. 原汁原味阅读习近平总书记重要讲话。

2. 以观看视频、集体研讨、主流媒体评论学习等方式深入理解全会精神。

参考资料如下：

1. 中国共产党第十九届中央委员会第六次全体会议公报

https：//www.sizhengwang.cn/a/szzx_tbtj/211115/966536.shtml

2.“在重要历史关头召开的一次具有重大历史意义的会议”

https：//www.12371.cn/2021/11/13/ARTI1636787355538670.shtml

3.《焦点访谈》百年奋斗启新程 非凡领航 非凡成就

https：//www.12371.cn/2021/11/15/VIDE1636931522067752.shtml

（二）安全教育

加强宣传教育培训，防范消防安全风险。参考资料：

2021 年消防安全月宣传片 https：//b23.tv/V1dTcr

（三）毕业设计质量提升工作推动

针对毕业设计质量提升问题，党支部书记和系部负责人共同商议后，结合本单位实际情况，提出解决办法并与广大教师交流。经学院研究，提出如下建议，供有关系部参考。各系部认真研究，并通过主题党日活动传达本系部提升毕业设计质量的思想、思路、方法。

1. 根据专业特点，成立专委会，提出具体要求和实施细则，规范管理。

2. 鼓励各系组建毕设教学团队，协同指导，加强青年教师培训和指导。

3. 鼓励学生提前进入科研团队，专业分流后，提前布置毕设方向题目。

4. 加强题目审核，不陈旧重复，加强与科研、科创、实习、课设融合。

5. 发挥经验丰富教师携领作用，对新教师毕业设计底线和质量把关。

6. 加强各系部各专业融合指导，聘请优秀教师、工程师协同指导答辩。

（四）其他业务工作推动

1. 未涉及指导毕业设计的教师党支部，请认真研究本党支部当前最需要解决的实际工作开展交流及工作部署。

2. 机关党支部围绕“我为群众办实事”召开专题会议，研究确定活动计划和方案。

要求：

1. 党支部和系部负责人认真谋划，确保取得实效。

2. 及时跟踪了解开展情况，发现问题及时与学院有关领导和部门沟通、报备。

3. 在《党支部工作手册》上做好相关记录，参观交流活动情况电子版于活动结束后及时发送至学院党委。

主题 22：年终总结　务虚研讨

时间：2021 年 12 月

目的：深入学习交流党的十九届六中全会精神，在统一思想、提高认识的基础上，总结本年度重点工作，充分了解本单位教职工诉求，并对下一年度重点工作进行务虚交流研讨，明确重点工作任务，形成符合本单位工作实际和具有专业特色的推进举措。

内容：

（一）政治理论学习

1. 选取《党的十九届六中全会〈决议〉学习辅导百问》中的部分内容进行集中学习。

2. 结合实际工作，交流学习感受。

（二）年度工作总结交流

总结汇报本年度重点工作，针对工作中遇到的问题，同单位教职工进行交流，充分了解教职工工作诉求，广泛征集意见建议。同时，主动思考系部和党支部在专业建设、团队建设、课程思政、党建工作等方面的重点工作任务，并与本单位教师深入沟通交流推进措施。

1. 系部主任总结汇报本系部 2021 年度重点工作，分析问题与不足。

2. 党支部书记总结汇报 2021 年度党建重点工作，分析问题与不足。

3. 2022 年度重点工作务虚研讨：

（1）与会教师表达在工作过程中遇到的问题和诉求；

（2）共同分析交流问题与不足产生的原因；

（3）提出 2022 年度本单位重点工作任务，并交流研讨推进举措。

要求：

1. 党支部和系部负责人会前充分沟通，达成一致意见。

2. 会后认真总结研究，梳理教职工意见建议，需要学院协调解决的请及时向学院党委报送。

3. 在《党支部工作手册》上做好相关记录并形成纪要，纪要电子版活动结束后及时发送至学院党委。

主题 23：挺起脊梁　冲锋在前

时间：2022 年 4 月

目的：认真贯彻习近平新时代中国特色社会主义思想，深入学习习近平对中青年和中青年干部的要求与嘱托，充分了解青年教师工作、生活及思想状况，为青年教师发展营造良好氛围、提供交流平台，切实解决青年教师发展过程中的问题，激励青年教师在教学、科研以及公共事务等各项工作中冲锋在前，创造更有价值的人生。

内容：

（一）政治理论学习

1. 习近平在中央党校（国家行政学院）中青年干部培训班开班式上发表的重要讲话

参考资料：这堂党课 总书记对年轻干部提出这些要求（https：//www.12371.cn/2022/03/01/ARTI1646136914256254.shtml）。

2. 国家安全主题教育

参考资料：全民国家安全教育日是如何设立的（https：//www.12371.cn/2020/04/15/VIDE1586943482536186.shtml）。

（二）青年教师交流

1. 青年教师思想交流

（1）了解青年教师工作、生活感受。

（2）组织其他教师对本单位青年教师教学、科研等工作的表现评价和意见建议。

（3）会后，系部班子成员认真研究有关问题，制定并实施切实可行的解决办法。

2. 青年教师学术交流

（1）组织青年教师介绍研究方向。

（2）组织系部其他教师对青年教师如何更好地开展学术研究和科研活动提出意见建议。

要求与注意事项：

1. 以上为参考主题，如各党支部有更适合的主题可提前报备，自行开展。

2. 各党支部要结合本年度工作任务，将本党支部特色工作、“智联建”等工作的开展融入党日活动或其他活动中。

3. 各党支部书记认真做好准备工作，有关青年教师交流部分可与系部主任认真研究沟通确定具体的实施过程，确保会议取得实效。

4. 各党支部在 2022 年度《党支部工作手册》中做好相关记录，并于活动结束后及时将会议纪要报送学院党委。

主题 24：关爱青年　抚育成才

时间：2022 年 5 月

目的：认真学习贯彻习近平关于教育的重要论述，根据党和国家对青年的要求和希望，结合当下疫情防控的特殊形势，主动关心关爱青年，探寻更好培养学生的方法和手段，为做好当前学生的教育教学工作提供更多参考。

内容：

（一）政治理论学习

1.《习近平书信选集》

（1）习近平给全国高校黄大年式教师团队代表的回信

http：//www.news.cn/politics/2021-09/09/c_1127843783.htm

（2）习近平给北京科技大学的老教授回信

http：//www.news.cn/politics/leaders/2022-04/22/c_1128584312.htm

2. 新时代，总书记这样寄望青年

https：//www.sizhengwang.cn/a/szzx_tbtj/220504/1073659.shtml

3. 胸怀国之大者 建设教育强国 推动教育事业发生格局性变化

https：//www.sizhengwang.cn/a/szzx_tbtj/220506/1075043.shtml

（二）教育教学、指导学生的交流

1. 系部负责人介绍有关情况

（1）介绍当前疫情防控形势下，学校有关教学和管理等方面的情况；

（2）总结本单位近期本科教学和研究生培养过程中存在的突出问题；

（3）本单位下一阶段确保本科和研究生教育教学质量的工作思考。

2. 指导学生的经验分享

组织各团队介绍当前学生思想、学习等方面的指导情况，重点分享解决问题的案例。或者，提前征集一些共性问题组织各团队分享指导经验和感受。通过共同交流研讨，达到优化方法、创新思路、提振士气的目的。

要求与注意事项：

1. 以上为参考主题，如各教师党支部有更适合的主题可经报备审批后开展；机关和实验中心党支部请结合学习和工作思考主题并及时报备审批。

2. 各党支部要结合本年度工作任务，将本支部特色工作、“智联建”等工作的开展融入党日活动或其他活动中。

3. 各党支部书记认真做好准备工作，有关青年教师交流部分可与系部主任认真研究沟通确定具体的实施过程，确保会议取得实效。

4. 各党支部在2022年度《党支部工作手册》中做好相关记录，并于活动结束后及时将会议纪要报送学院党委。

主题25：传师生情　感爱国志

时间：2022年6月

目的：认真学习贯彻习近平有关青年教师的重要讲话精神，继续开展党史学习教育，在毕业生离校之际组织开展形式多样的送别活动，在喜迎“七一”和党的二十大召开之际到有关教育基地开展红色学习教育或实践活动。

内容：

（一）政治理论学习

1.《习近平总书记给南京大学留学归国青年学者回信》

参考：https：//www.12371.cn/2022/05/19/ARTI1652937141314710.shtml

2022年5月18日，习近平总书记给南京大学留学归国青年学者回信，勉励他们在坚持立德树人、推动科技自立自强上再创佳绩，在坚定文化自信、讲好中国故事上争作表率，充分体现了党中央对高等教育事业的高度重视和对高校青年教师的亲切关怀。按上级党委要求，学院各党支部要学深悟透，学以致用。

2.《百年初心成大道——党史学习教育案例选编》

把该书作为推动党史学习教育常态化、长效化和政治理论学习的重要辅导读物，在结合自身实际中借鉴有益经验、深化实践探索，不断增强工作的针对性、实效性。

（二）欢送毕业生

各党支部发挥活动引领作用，主动联合系部组织教师特别是党员教师开展有组织、有规模的“走近毕业生”——毕业生送别活动，主要包括：毕业生欢送会、师生文体联谊赛、毕业生宿舍探望、毕业驿站送别等。

（三）校内外学习实践

根据学校的《庆祝建党 101 周年，喜迎党的二十大系列活动方案》，在遵守疫情防控的前提下，各党支部可以依托学校党员组织生活馆、昌黎五峰山、青龙满族自治县花厂峪、卢龙县冀东抗战纪念馆等红色教育基地，组织党员就近就便观摩学习、重温入党誓词等活动，激励广大党员不忘初心、牢记使命。同时，适时组织开展“讲好一堂专题党课”“开展一次志愿服务”“集中过一次政治生日”等活动。

要求与注意事项：

1. 以上为参考主题，如各教师党支部有更适合的主题可经报备审批后开展。

2. 各党支部要结合本年度工作任务，将本支部特色工作、“智联建”等工作的开展融入党日活动或其他活动中。

3. 各党支部书记认真做好准备工作，并与系部负责人认真研究沟通确定具体的实施过程，确保活动取得实效。

4. 各党支部在 2022 年度《党支部工作手册》中做好相关记录，并于活动结束后及时将活动纪实或纪要报送学院党委。

主题 26：筑牢师德　树好师风

时间：2022 年 9 月

目的：认真学习贯彻习近平有关重要讲话精神，强化教师职业道德，增强师德师风素养，为开展教育教学和科研工作提供基础和保障；总结、借鉴单位内外“智联建”开展情况，探索继续推进策略和举措，巩固扩大活动成效。

内容：

（一）政治理论学习

习近平总书记在省部级主要领导干部“学习习近平总书记重要讲话精神，迎接党的二十大”专题研讨班上的讲话

https：//www.sizhengwang.cn/a/szzx_tbtj/220728/1117606.shtml

（二）师德师风主题学习与活动

1. 有关文件、案例学习

（1）高等学校教师职业道德规范

https：//baike.so.com/doc/6198706-6411968.html

（2）新时代高校教师职业行为十项准则

http：//www.xinhuanet.com/politics/2018-11/16/c_1123722540.htm

（3）教育部《研究生导师指导行为准则》

https：//www.sizhengwang.cn/a/jdwx_zcwj/201112/637214.shtml

2. 教育教学方法研讨

（1）系部负责人总结本单位教师课堂教学情况，重点总结分析青年教师授课过程中可能存在的问题，组织研讨提升青年教师课堂教学的方法和措施。

（2）建议每次主题党日或系部会议中将青年教师说课作为一个必要环节，请认真组织落实。

（3）适时组织开展离退休教师座谈会、名师交流分享会等。

（三）“智联建”主题学习与活动

1. 有关文件、案例学习

（1）教育部《关于加强高校有组织科研 推动高水平自立自强的若干意见》

https：//mp.weixin.qq.com/s/mHsx5pgSuMwGTYRPcUx39A

（2）科技部办公厅关于开展科技人员服务企业专项行动的通知

https：//mp.weixin.qq.com/s/zqt7fv2g_vNpiGbl6uy2pw

2.“智联建”推进交流研讨

（1）邀请本单位或其他系部有关负责人总结汇报本年度“智联建”开展情况。

（2）交流探讨“智联建”下一步工作计划和方案。

要求与注意事项：

1. 上述学习和主题活动可以分 1 ～ 2 次开展，具体由各单位根据实际情况酌情把握，切实高质高效开展。

2. 如开展其他主题活动，须提前向学院党委报备审批。

3. 各党支部书记认真做好准备工作，并与系部负责人认真研究沟通确定具体实施过程，确保活动取得实效。

4. 各党支部在 2022 年度《党支部工作手册》中做好相关记录，并于活动结束后及时将活动纪实或纪要报送学院党委。

主题 27：学习二十大　建功新时代

时间：2022 年 10 月

目的：认真学习习近平总书记在中国共产党第二十次全国代表大会上的报告，深刻领会党的二十大精神，结合自身工作实际，找准工作目标，交流思想收获，找准奋进方向，以实际行动践行党的二十大精神。

内容：

（一）收听收看党的二十大盛况

1. 学院党委集中组织校内教职工、学生代表线上观看。

2. 各党支部组织本单位教职工线上观看。

（二）“学思践悟二十大、砥砺奋进新征程”主题党日活动

会后及时开展，以集中学习、报告会、研讨会、党员志愿服务、重温入党誓词等多种形式进行，组织学院广大党员深入学习贯彻党的二十大精神、凝聚一起向未来的磅礴伟力。

1.“全国百个研究生样板党支部”、全国党建工作样板党支部、全国“双带头人”教师党支部书记工作室等示范性党支部，观看党的二十大盛况后即刻开展学习感受交流。

2. 学生党支部与共建支部青龙满族自治县肖营子镇五指山村党支部，开展党的二十大精神学习研讨活动。

3. 各党支部请结合实际情况适时组织多种形式的主题活动。

一是通过主题党日、党员大会、培训班、读书班等形式，面向全校师生党员开展多形式、分层次、全覆盖的全员教育培训，组织广大党员认真学习党的二十大报告和党章，学习习近平总书记在党的二十届一中全会上的重要讲话精神，坚持读原著、学原文、悟原理。二是开展座谈会、报告会、知识竞赛、展演展览等活动，充分利用学生社区、各级各类党员教育阵地、各级各类媒体平台，让党的二十大精神处处可见、深入人心。三是集中开展宣讲活动，通过专题讲座、思政课堂、新媒体发布、网上交流等多种方式进行宣讲，党员领导干部要带头宣讲，着力增强宣讲的思想性、针对性、生动性，做到主题鲜明、联系实际、深入浅出，让全校广大党员听得懂、能领会、可落实。

主题 28：领会二十大　聚智解难题

时间：2022 年 10—11 月

目的：积极落实《中共中央关于认真学习宣传贯彻党的二十大精神的决定》，把思想统一到党的二十大精神上来，深刻理解党的二十大确定的各项任务。同时，以党的二十大精神为指导，结合学院实际工作，聚焦重要问题解决和重要工作落实，分析交流破解学院发展瓶颈的办法和举措。

内容：

（一）领导干部宣讲党的二十大精神

党的二十大召开以来，学院处级领导干部坚持学习交流，深刻学习领会党的二十大精神。近期，学院处级领导干部发挥模范带头作用，到各自联系的党支部进行党的二十大精神宣讲，以实际行动带动学院广大师生学习领会党的二十大精神。请各党支部做好联系领导宣讲党的二十大精神的邀请工作，并认真组织本单位广大师生积极参加学习。

（二）破解学院发展瓶颈交流研讨

学院各处级领导干部在宣讲党的二十大精神的基础上，将以党的二十大精神为指导，聚焦分管工作领域的发展瓶颈问题，分析汇报发展思路和推进举措，并同广大教师进行交流研讨，进一步调研民情，开拓思路，凝聚智慧。请各党支部认真听取有关领导的汇报，并组织本单位广大教师参与交流，为学院发展建言献策。

要求与注意事项：

1. 各党支部可围绕主题，结合自身实际情况，积极融入其他活动内容，达到更好的活动效果。

2. 各党支部书记认真做好准备工作，特别是做好联系领导的邀请和活动过程的组织，充分调动本单位人员参与活动的积极性，提高本次活动的质量和效果。

3. 各党支部在 2022 年度《党支部工作手册》中做好相关记录，并及时将活动纪实或纪要发送至学院党委。

主题 29：加强产教融合　升级毕业设计

时间：2022 年 12 月

目的：深入学习领会党的二十大精神的实质和精髓要义，把党章作为加强党性修养的根本标准，学习党章、遵守党章、贯彻党章、维护党章。同时，结合学院当前实际工作，积极推进产教融合，加强青年教师培养，提升毕业设计质量，提高青年教师教学科研能力。

内容：

（一）政治理论学习

深入学习宣传贯彻党的二十大精神，坚持全面深入理解内涵，原原本本、原汁原味、逐字逐句学习。党支部书记领学党的二十大报告第五部分：实施科教兴国战略，强化现代化建设人才支撑。同时，对比学习新党章的变化。

参考资料：

习近平：高举中国特色社会主义伟大旗帜 为全面建设社会主义现代化国家而团结奋斗——在中国共产党第二十次全国代表大会上的报告

https：//www.12371.cn/2022/10/25/ARTI1666705047474465.shtml

《中国共产党章程》（2022 年新旧对照版）

https：//www.12371.cn/2022/10/27/ARTI1666845926836204.shtml

（二）加强产教融合，升级毕业设计，推进常态化教研

1. 开展毕业设计研讨：总结上一年度实施问题，形成闭环反馈，推进持续改进；将“智联建”成果向毕业设计延伸，校企协同，强化选题，拓展与企业交流合作，把最新科研工作和成果融入本科实践教学。

2. 推动教学方法研究：贯彻落实学院党委关于青年教师培养相关精神，推动落实青年教师教学方法交流与研讨，形成各支部（系部）独特的教研活动形式和常态化教研制度。

要求与注意事项：

1. 本次主题党日活动要求党支部的联系处级领导干部列席参加，请各党支部做好联系领导的邀请工作。

2. 请各党支部书记认真做好准备工作，加强与系部主任的沟通协调，形成工作合力，确保工作实效。

3. 请各党支部在2022年度《党支部工作手册》中做好相关记录，并于活动结束后将活动纪实或纪要发送至学院党委。

【典型案例】

“领会二十大 聚智解难题”主题党日活动

为积极落实《中共中央关于认真学习宣传贯彻党的二十大精神的决定》和上级党委有关工作部署，切实把思想统一到党的二十大精神上来，深刻理解党的二十大确定的各项任务。同时，以党的二十大精神为指导，结合学院实际工作，聚焦重要问题解决和重要工作落实，分析交流破解学院发展瓶颈的办法和举措。近日，机械工程学院党委统筹谋划、统一指导各党支部开展了“领会二十大 聚智解难题”主题党日活动。

在此次活动中，学院党委处级领导干部积极发挥模范带头作用，分别到各自联系的师生党支部进行党的二十大精神宣讲，以实际行动带动学院广大师生学习领会党的二十大精神。学院党委处级领导干部全部参加宣讲，覆盖学院46个党支部，1000余名师生党员。

同时，学院各处级领导干部以党的二十大精神为指导，聚焦分管工作领域的发展瓶颈问题，分析汇报发展思路和推进举措，同广大教师进行交流研讨，进一步调研民情，开拓思路，凝聚智慧，汇聚推动学院发展的强大力量。

党的二十大召开以来，机械工程学院党委高度重视党的二十大精神的学习宣传和贯彻落实工作，及时成立学习宣讲先锋队，为开展好此次主题党日活动做了充分准备。学院领导干部以实际行动带领广大师生深入学习，营造了学习宣传贯彻党的二十大精神的良好氛围。学院广大师生表示，将在全面学习、全面把握、全面落实上下功夫，进一步深化对党的二十大精神的理解，切实将学习党的二十大精神与实际工作相结合，做到学以致用，促进各项工作顺利开展，奋力推动学院各项工作再上新台阶。

“增强凝聚力 提高执行力”专题学习研讨交流会暨主题党日活动

机械工程学院机关党支部开展了以“增强凝聚力 提高执行力”为主题的党日活动。会议由党支部书记主持，党支部全体党员参加会议，学院科研平台处级领导干部、辅导员、机关非党教职工等列席会议。

会上，学院党委书记带领与会人员进行政治理论学习，大家共同学习了习近平在省部级主要领导干部专题研讨班上的重要讲话精神、燕山大学党委书记在学校2022年秋季学期中层干部大会上的讲话精神等。

为进一步增强机关教职工职业素养，增进集体凝聚力，提高为师生办事能力和质量，会议开展“增强凝聚力 提高执行力”专题研讨。机关各科室负责人及分管领导总结交流上半年工作成效，查找差距短板，明确未来工作改进方向。

学院院长做了专题交流，他指出要充分发挥学院领导班子顶层设计、谋篇布局的作用，并对学院发展目标任务、关键指标、内涵建设等进行了详细阐释。他强调，学院机关工作人员要洞悉、认同、执行学院发展理念，培养文化自信，不断增强工作的责任感和使命感，做到“心中有光，眼里有活儿”，成为专业化职员。他还就人才培养、科学研究、绩效分配、公用房改革等重点方面交流了主要工作思路，部署了重点工作任务。

学院党委书记对迎接党的二十大胜利召开有关工作进行了强调，并对学院机关人员工作提出三个方面要求和希望。一是要旗帜鲜明讲政治，牢牢把握意识形态阵地。高校教职员工是精神财富和文化价值的创造者，要遵守职业操守、坚守师德初心，争做道德先锋和职业楷模，做意识形态阵地的守护者；作为机关人员，更要讲政治，注重政治理论学习，凡事三思而后行，谨言慎行，所及之处均有正能量。二是要以主人翁姿态为师生做好服务，排忧解难。机关人员处在服务师生的第一线，是学院各项政策的执行者和解读人，是学院领导班子解决问题的桥头堡，最需要树立主人翁意识，保持良好的工作作风，将温馨传递给广大师生。三是处理好创新与开拓、沉淀与累积的关系。近年来，学院行政工作有一定的开拓，但仍需要对工作经验和方法进行归纳总结，让工作在沉淀中不断升华、升级。

此次机关党支部主题党日活动是对全体人员的一次思想淬炼，起到了凝心聚力、鼓劲提气的作用。与会人员表示，要将这份力量注入日常工作实践中，深思学悟、实干笃行，以实际行动迎接党的二十大胜利召开！

“挺起脊梁 冲锋在前”主题党日活动

2022年4月，机械工程学院党委指导党支部开展了以“挺起脊梁 冲锋在前”为主题的党日活动。

学院党支部组织本单位广大党员深入学习了习近平在中央党校（国家行政学院）中青年干部培训班开班式上发表的重要讲话，进一步明确了党员干部特别是中青年党员要在工作中深抓实干，加强政治理论学习，筑牢理想信念根基，守住拒腐防变防线，树立和践行正确政绩观，练就过硬本领，发扬担当和斗争精神，贯彻党的群众路线，锤炼对党忠诚的政治品格，树立不负人民的家国情怀，追求高尚纯粹的思想境界，为党和人民事业拼搏奉献，在新时代新征程上留下无悔的奋斗足迹。

在此基础上，各党支部组织青年教职工进行了思想和学术交流。通过与青年教职工座谈，充分了解青年教职工的工作、生活感受，本单位其他教师对青年教师教学、科研等工作给予表现评价，提出发展意见和建议。同时，各党支部举办了青年教师学术交流活动，青年教师介绍自身的研究方向，系部其他教师对青年教师如何更好地开展学术研究和科研活动提出宝贵意见和建议。会后，党支部和系部班子成员认真研究有关问题，及时制定实施切实可行的解决办法。

此次主题党日活动，以习近平新时代中国特色社会主义思想为指导，深入学习习近平对中青年和中青年干部的要求与嘱托，充分了解青年教师工作、生活及思想状况，为青年教师发展营造良好氛围、提供交流平台，切实解决青年教师发展过程中的问题，激励青年教师在教学、科研以及公共事务等各项工作中冲锋在前，创造更有价值的人生。

第三节　推广“云智协同”组织建设模式

确立并坚持“开门联合搞党建、融通共促谋发展、优势共享育人才”的指导思想，根据高校基层党组织中教师党支部和学生党支部两种不同类型党支部的组织特征和功能特点，探索建立并实施“云智协同”的高校基层党组织建设新模式，即着力推进学生党支部校际“云共建”和教师党支部校企“智联建”。通过校际、校企、校地等共建联建，形成协同互促的智慧党建工作格局，大力提升高校基层党组织建设质效。

一、体系构建与组织实施

（一）广泛开展高校学生党支部校际“云共建”

高校学生党支部的主要职责是党员发展和教育管理，发挥学生党员的先锋模范作用，影响、带动广大学生明确学习目的，完成学习任务。校际的学生党支部具有同质性，在后疫情时代，以“云共建”为主要形式的支部共建是更高效的一种学生党支部建设方式，能够加强校际的学生党支部共建，有助于双方拓宽视野，提升党员教育质量，高校学生党支部校际“云共建”主要包括以下四个方面建设。

（1）搭建“云共建”平台。高校基层党委可分批次谋划与不同区域、不同类型等的院校之间搭建学生党支部“云平台”，建立共建关系。通过云共享平台，发挥各共建高校的多元学科背景、不同地理位置特有的平台与优势，促进各支部资源共享、互通有无，加强支部、学院、学校间的交流与合作。

（2）开展“云组织”活动。探索跨地区、跨高校、跨院系间支部共建的新形式，充分利用线上平台开展丰富多彩的共建支部组织生活，发挥各支部优势，打造有意义、重实效、高质量的支部组织生活，为后续支部共建工作积累经验，提供借鉴。

（3）党员“云携手”发展。构建“互动、互促、互学”的“三互”长效机制，形成各支部和谐共进的关系与氛围，实现党员携手提高的目标。各支部党员既可以有不同专业背景也可以是相近的学科专业，能够通过交流碰撞出思想和知识的火花，开拓学生党员的知识视野，激发学生党员的创新思维，促进学生党员的成长发展。

（4）实施“云共享”策略。支部共建是一项长期开展的工作，共建党支部之间可持续开展同过组织生活、由共建党支部分别发起共上云端党课、同看红色电影、共读经典名著、同办知识竞赛、共学理论知识、同上集体自习、共做经验分享的“四同四共”系列线上活动，并结合实际情况，共同开展科技创新、社会实践等线下活动，使共建活动载体更丰富、形式更多样。

（二）纵深推动高校教师党支部校地企“智联建”

高校教师党支部的主要职责是宣传、执行党的路线方针政策，团结师生员工，发挥党员先锋模范作用保证教学、科研等各项任务的完成。人才培养和科学研究是高校教师党支部的两大中心工作，为了大力促进教师党支部的党建工作与中心工作同向同行，充分挖掘外部资源，有效资源共享，促进服务社会和科技创新能力提升，高校基层党组织应积极推动指导所在的教师党支部与行业重点领域及行业协会的党支部开展联建，突出发挥双方的智力因素和优势资源，以党建搭建平台并引领深度合作，学院提出的高校教师党支部校企“智联建”主要包括以下四个方面建设。

（1）组织联建。高校教师党支部要根据自己的学科专业方向和特色，主动寻求行业领域或地方经济发展的重点企业和协会，与代表性党支部建立能够互惠互利、资源共享、优势互补的联建关系，共同商定联建方案、签订联建协议。

（2）党员联学。双方以政治建设和党员教育为基础，在联建期定期举办“党员讲坛”“科研沙龙”等活动，并可邀请优秀党务工作者分享党建心得、业务达人分享业务成果、优秀师生代表分享科研方向等，实行以学促建。

（3）活动联办。企业具备为高校师生提供开展科创竞赛或教学科研等实践活动的场所、设备、材料等资源，高校可为企业提供智力资源。因此，联建双方可以根据自身需求和特色以及对方优势等，联合开展科创竞赛或教学科研实践等活动。

（4）发展共谋。进入新发展阶段后，科技创新和自立自强是我国的重大战略支撑。企业和高校作为两大科技创新的主体，在科技创新方面联系应更紧密。高校党支部可主动出击，发挥党组织的独特优势，推进以科技创新和科研合作为辐射的多点合作交流。联建双方可以定期召开“教学—科研—工程融合”发展讨论会，在“卡脖子”技术交流、新工科人才培养、创新创业等方面寻求合作契机。

同时，联建双方要明确分管领导，牵头协调党建联建工作开展，并设立联络员，保持联系，秉承共同发展的理念，加强双方之间的沟通与交流，每半年至少召开一次联合会议，共商联建工作目标和任务，交流联建中的经验，解决联建中发现的问题和困难，及时传递工作信息，反馈工作情况，进一步增进了解、明确方向，促进联建活动有效开展。

（三）“云智协同”高校基层党组织建设模式的实施过程

该模式采取分批立体推进的方式，聚焦“智慧党建”，提炼高校基层党建工作新思路、搭建党员教育新平台、开辟组织建设新路径。

1. 首批共建，探索尝试与经验积累。燕山大学机械工程学院党委发起共建，首批参与高校有清华大学、长安大学、河海大学、湘潭大学，五个共建党支部横跨祖国东西，纵贯大江南北。支部党员覆盖各年级、各学历层次，涉及机械、商务、港航、马克思主义哲学等多元学科背景。实施“四同四共”校际党支部“云共建”建设方案，依托QQ群、群课堂、腾讯会议等平台，开展“同过组织生活”“共上云端党课”“同学理论知识”“共做经验分享”“红色文化云共享”“经典名著云同读”等系列共建活动。

2. 再次出发，深入探索与不断优化。第二批校际党支部“云共建”，参与高校有贵州大学、塔里木大学、西藏农牧学院。聚焦祖国西部地区，党支部分布在四个省区，横跨祖国东西两端，支部党员同样覆盖不同年级和学历层次，涉及文学、工商、动物医学、机械等多元学科背景。本批“云共建”突出研究生特色，拓展了“共探学术前沿”等活动，通过学术交流，展现不同团队之间的研究思维，拓宽科研视野，引导青年党员深刻意识到“祖国复兴之路，你我共同参与”；通过汇报交流各自支部承担的具有代表性的科研项目，深化国家发展建设中青年党员的贡献担当。

3. 持续共建，精进完善与立体拓展。燕山大学携手吉林大学、湖南大学、合肥工业大学共同启动了“‘机械四小龙’云端同携手，不坠青云志使命勇担当”的校际党支部“云共建”。本次共建增加了“追根溯源，共学党史校史”等活动，同时通过专业发展史学习，引导支部党员感悟家国情怀，勇担强国使命。此外，开始探索“线上”“线下”结合，共同策划开展红色建模、建党百年海报制作大赛等课外科技创新比赛、社会实践调研活动等。与哈尔滨工业大学、西南石油大学、重庆大学、广东工业大学召开五校七支部“携手共建”全国“百个研究生样板党支部”线上经验交流会，互相学习借鉴党支部建设的典型经验和特色做法，有效搭建了校际共享、共建、共融的平台，搭建了广大青年党员跨地域、跨学科、跨层次交流的平台，成为创新党建方式和育人模式的有益探索和实践。

4. 广泛辐射，师生共进与方案升维。大力推进教工党支部与相关企事业单位开展智慧联建，从“线上共建”延伸到“线下合作”。学院党委及各党支部带领广大教师主动对接地方政府和企业技术需求，发挥高校学术、人才、科研等资源优势，到秦皇岛周边、石家庄、沧州、邢台等地调研交流，开展校、地、企三方面全方位、深层次合作，积累了一些典型的建设经验。一是赴沧州开展校地企融合对接。学院党委与沧州市孟村县政府建立长期合作关系，并到沧州市等重点企业进行调研交流。促进校地双方成立了燕山大学管道装备产业孟村研究院和科技人员工作站，促成首批校企合作项目 10 余项。二是赴邢台开展政校企合作调研。学院党委带领教师团队分别到邢台市临西县和任泽区考察当地轴承产业集群、机械制造产业集群等发展情况，参加科技赋能特色产业集群“领跑者”企业培育研讨会，与企业代表交流座谈技术需求和科技成果转化等工作，大力宣传推广学院相关科研实力与能力。三是开展校企党支部“智联建”活动。学院指导引领教师党支部与企业开展党支部联建，发挥党建引领作用，为提升专业人才培养能力引进资源，为教师发挥科研能力搭建平台，不断拓宽校企合作空间。学院教师党支部结合自身专业特色和科研优势，主动与多家行业重点企业建立全面合作关系，教师党支部“智联建”实现全覆盖。燕山大学机械工程学院党委通过“智联建”的推动，已经促成近百个工程项目的合作启动、意向达成。

二、项目实施的意义

疫情形势下，很多高校基层党组织都充分利用信息化技术和网络平台开展线上活动，实施“云共建”的组织共建模式不断兴起，但持续深入、创新性和指导性的建设方法和举措还有待加强。2020 年 4 月，燕山大学机械工程学院党委创新发起“青年党员云携手 使命担当肩并肩”校际学生党支部“云共建”，得到清华大学、贵州大学、湖南大学、吉林大学、哈尔滨工业大学等 10 余所高校党支部的积极回应。学院党委鼓励、指导教师党支部“走出去”，积极探索“校联融合集智慧 产教互促破难关”的校企“智联建”教师党支部建设新模式，主动与校政、校企、校协、校际等建立合作关系，开展有组织的科技活动，促进教师党支部科研能力提升与发挥，积极服务企业和地方经济发展。截至 2022 年 12 月，学院联合 15 所高校，组织 20 个党支部、3000 余名师生在云端开展组织生活；与中国电子科技集团、中国第一重型机械集团、河北钢铁集团、中国锻压协会等多家单位开展联合建设，促进教育与产业资源优势互补，推动校企之间联合开展理论学习、业务交流等。同时，面向河北省内区域经济发展，学院党委牵头与秦皇岛、唐山、沧州、邢台等地方政府紧密接洽，积极争取政府支持与平台搭建，组织教师团队面向地方的产业集群、重点企业等开展大规模科技服务，与地方政府联合建立产业装备研究院、产业促进中心等，探索实践高校助力地方经济发展和产业转型升级的新途径。燕山大学机械工程学院党委建立并实施校际党支部“云共建”和校企党支部“智联建”的“云智协同”基层党组织建设新模式取得了较大实效，被新华网、央广网、教育部门户网站、全国高校思政网、中国大学生在线、中国教育新闻网等多家媒体报道。如图 5-1 所示。

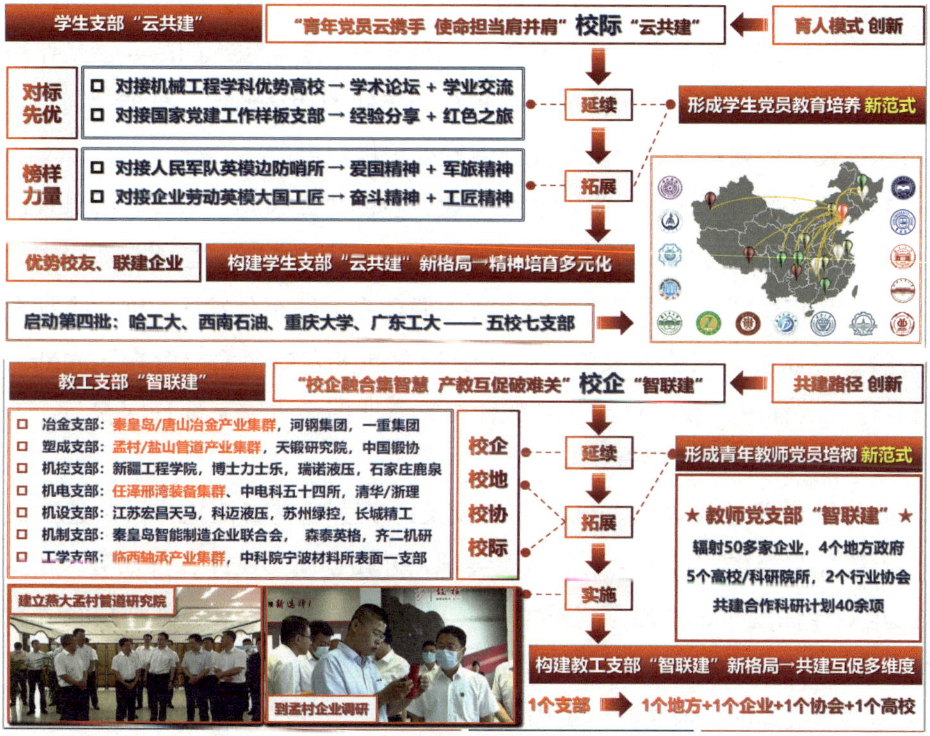

图 5-1　燕山大学机械工程学院“云智协同”组织建设模式的体系构建和开展情况

三、工作启示

“云智协同”高校基层党组织建设新模式的实施，是深入学习贯彻习近平新时代中国特色社会主义思想，贯彻落实新时代党的组织路线、加强和改进新时期高校基层党建工作的有益尝试和积极探索。

1. 建立可复制性体系，借鉴推广实施。“云智协同”的组织建设新模式促进了高校和校企间优势互补、支部间资源共享，实现了高校基层党组织发展建设、党员成长蜕变的耦合增量。高校基层党组织可聚焦多重领域，广泛启动校际党支部“云共建”和校企党支部“智联建”，深入探索不同专业学科的交叉融合，以理论学习为基础，在多个领域深化合作交流，不断提升党组织建设和党员教育质量、实效。

2. 突破地域空间限制，突出政治功能。搭建云端沟通平台，实现高校间、校企间思想理论共享与融通互促，能够推动学科交叉融合，打通线上线下育人阵地，以创新活动形式为载体，增强党员队伍的生机活力，提升基层组织的号召力。在实施过程中，突出政治功能，充分发挥基层党组织的战斗堡垒作用和党员的先锋模范作用，以坚定的育人理念和丰富的活动形式，在推动高校基层党组织建设工作创新发展和质量提升中发挥积极作用。

3. 既要分类又要融合，推动联合共建。校际“云共建”实施精心谋划，跨区域、跨学历、跨专业、跨年级的选择与安排，让支部党员能够交流思想，碰撞火花，开拓视野，共同成长。校企“智联建”能够充分发挥教师党支部专业优势特色，以组织联建为突破口，加强校企间多方面交流与合作。此外，在“智联建”过程中，教师党支部可联合相关专业的学生党支部共同参与，为师生党支部联合共建提供平台。

4. 持续完善教育模式，巩固扩大成果。学生党支部依托“云共建”的平台，不断加强合作，积极探索，勇于尝试，开拓创新，发挥各自优势，坚持一致性和多样性统一，画出最大同心圆。教工党支部不断落实落细校企“智联建”，进一步完善校际校企“云智协同”共建联建体系，推动建设形式的丰富拓展与共建成果的辐射延伸，巩固并持续扩大高校基层党建工作范围和效果。

四、党建引领下的校政企“智联建”产教融合调研与思考

机械工程学院党委确立并坚持“开门联合搞党建、融通共促谋发展、优势共享育人才”的建设思路，积极探索“校联融合集智慧 产教互促破难关”的校政企“智联建”模式，主动与地方政府、行业企业、相关协会、兄弟院校等建立合作关系，开展有组织的科技活动，促进学院科研能力的提升与发挥，积极服务企业和地方经济发展。

（一）调研背景

1. 宏观战略背景

（1）高校科技人员服务企业。2020 年 4 月，科技部印发《关于开展科技人员服务企业专项行动的通知》，提出引导科研院所、高校组织科技人员服务企业，采取多种方式，支持科技人员通过兼职创新、长期派驻、短期合作等服务企业。通过与企业共建新型研发机构、设立联合实验室、合作开发项目等方式，加强产学研合作培养人才。

（2）高校有组织科研。2022 年 8 月，教育部印发《关于加强高校有组织科研 推动高水平自立自强的若干意见》，就推动高校充分发挥新型举国体制优势，加强有组织科研，全面加强创新体系建设，着力提升自主创新能力，更高质量、更大贡献服务国家战略需求作出部署。《意见》指出，高校是国家战略科技力量的重要组成部分。高校有组织科研是高校科技创新实现建制化、成体系服务国家和区域战略需求的重要形式。高校科技创新仍存在有组织体系化布局不足、对国家重大战略需求支撑不够等突出问题。立足新发展阶段、贯彻新发展理念、服务构建新发展格局，高校要把服务国家战略需求作为最高追求，坚持战略引领、组织创新、深度融合、系统推进的指导原则，要在继续充分发挥好自由探索基础研究主力军和主阵地作用，持续开展高水平自由探索研究的基础上，加快变革高校科研范式和组织模式，强化有组织科研，更好服务国家安全和经济社会发展面临的现实问题和紧迫需求，为实现高水平科技自立自强、加快建设世界重要人才中心和创新高地提供有力支撑。

（3）科技创新与县域经济发展。县域经济是加快建设经济强省、美丽河北的有力支撑，县域强则全省强，县域兴则全省兴。2022 年，河北省真抓实

干推动县域特色产业集群高质量发展，实施“领跑者”企业培育行动，强化科技创新引领。燕山大学积极开展“科技创新+县域经济”的校政企融合对接活动，深化校政企合作，携手打造高水平的县域特色产业集群，助力县域经济提挡加速。同时，燕山大学印发的《“奋进新时代、献礼二十大”主题学习教育实践活动方案》中提出要开展服务国家战略、服务地方经济社会发展等专项活动，引导广大基层党委和教师党员着力提升科技创新能力、促进科技成果转移转化，用专业特长为地方经济发展服务，以实际行动为党的二十大献礼。

2. 学科发展背景

（1）学科社会责任需要。服务地方经济发展是争取学科地位重要的“软环境”，是燕山大学机械工程学科价值感、存在感和美誉度的迫切需求，也是谋求和获取省内相关部门支持的重要“砝码”。因此，做好学科贡献、讲好学科故事、树立学科形象至关重要，比如河北农业大学有李保国团队“把论文写在太行山上”，燕山大学机械工程学科也应该把学术论文、科研工作谱写在河北机械产业和装备转型升级、赋智赋能上。目前，学院服务、支撑河北省产业发展和经济建设的显示度不够、立足点不明，没有宏观布局和有组织的构架策略，没有一套清晰的行动路线，虽多点局部开花，但无法形成合力，难以有效、精准地与地方政府和企业对接、合作，难以形成对重点产业链的全域性、革新性影响。

（2）科研工作需要。科研成果是学科发展的硬指标，也是争取省内科研资助的“硬道理”。一方面，对于纵向课题的谋划，面向省内的产业集群、重点产业链条的瓶颈问题和科研需求，建立并形成稳固的长期合作，是申报和获批省教育厅、省科技厅、省发展改革委等部门重点项目支持、资助的重要前提和基础。另一方面，对于横向课题的谋划，在国家对高校分类布局定位的大环境下，学院大部分科研团队在国家重点大型企业中能够拿到重大课题的机会有限，当然这是我们应竭尽全力争取的点。但是，更需要我们实施多点开花、广泛布局，建立多层次合作态势，形成更多层级的科研成果转化落地的场景布局。同时，面向省域的纵向和横向科学研究的布局之间也是彼此关联、有机统一的。

（3）人才培养需要。“面向工程”是机械工程学院的“建院之基”“立院之本”，培养学生的工程实践创新能力是机械工程学科人才培养的重要目标。然而，目前学院师生的工程实践能力堪忧。一方面，从师资队伍培养看，很多青年教师缺少工程实践和锻炼，存在“重大项目上不去、轻小项目看不上”的问题，需要学院、系部和团队为他们提供更多的实践机会，深入工程项目实际，在实践中锤打锻造，并逐步形成个人或团队长期合作的企业群体，从而传承学科优良的工程理念和工匠精神，为学院教书育人的主力军注入鲜活的“富氧”血液。另一方面，从学生培养角度讲，目前，专业课程理论和工艺与实际生产脱节、本科毕业设计环节与现实技术需求脱节问题凸显，研究生课题研究仍然存在自编自导自演的虚拟课题等问题。此外，部分纵向课题研究面向工程实际问题不清晰，导致研究成果难落地，诸多学术论文束之高阁，发明专利低质量转化，等等。这些问题是学科发展迫切需要解决的，绝不仅仅事关学生工程能力的培养，更重要的是对学生学术逻辑、学术道德和科研作风培育的重要体现。

（二）调研方法

1. 文献研究

收集、整理、归纳和分析相关文件、文献，形成党建引领下的校政企“智联建”产教融合的工作理念和方法。同时，结合学院学科特色和科研优势，对河北省各地区相关的产业进行了解，确立重点调研区域和行业、企业。

2. 实地考察

学院党委书记、教师党支部书记带队，组建专家团队，到河北沧州、邢台等地实地考察。深入当地产业集群和重点企业的生产一线进行实地考察，了解产业发展现状，征集需要研究解决的技术问题。

3. 座谈交流

面向不同层次，组织召开多场座谈交流会。一是与当地政府相关部门和人员交流，争取政府的大力支持，探讨建立合作关系。二是与企业负责人座谈交流，重点了解企业的技术需求和问题。三是组织学院教师党支部书记、调研组相关负责人，围绕校政企“智联建”开展专题研讨，汇报分享学院及各教师党支部在校政企联建、合作方面的举措、成效，交流研讨下一步工作计划、意见建议等。

（三）调研过程与成效

1. 赴沧州开展校政企融合对接

（1）重点调研区域

孟村县、盐山县两地重点打造管道装备产业集群，年耗2000万吨钢材，国内占有率达80%。其中，孟村县被誉为“中国管件之都”，有1800余家企业；盐山县号称“中国管道装备之乡”，有1700余家企业。

（2）调研情况

学院党委书记、先进制造成形技术及装备国家地方联合工程研究中心主任等19人分两个批次，分别于2022年7月24—26日、8月9—11日到该地区进行调研交流。调研组与当地政府相关部门和人员进行深入座谈交流，并到20余家企业现场考察。调研企业主要包括：位于孟村县的华洋钢管有限公司、亚都管道装备集团、龙锦管道装备有限公司、海浩集团、神舟钢管制造公司、圣雄管件有限公司、县铸造协会，位于盐山县的宏润核装备科技股份有限公司、汇中管道装备有限公司、沧海核装备管道部件产业技术研究院等。

调研组参观了企业的生产一线，详细了解企业的生产现状、科技难题和技术需求等，并与公司负责人进行交流研讨。针对企业生产成本过高、产品科技含量急需升级、无法形成有效竞争力等问题，专家团队提出了诸多解决方案，在专业人才输入、优化生产工艺、技术改造与科技创新等方面明确了合作方向和内容。

（3）调研结论

目前，企业正处于转型升级的关键时期，特别是孟村县政府对企业转型升级的支持力度较大。

当地产业特色明显，主要表现在：①产品种类全，涵盖30大类，1000多种产品。②龙头实力强，如华洋钢管、亚都管件等利税过亿。③创新水平高，有30家高新技术企业。④品牌优势大，市场认可度高。

企业发展普遍存在一些问题，主要包括：①工艺方面，依赖经验、研发不足、产品中低端。②设备方面，耗能大，自动化、数字化水平低。③管理方面，产业缺乏科学统筹、企业管理粗放。

（4）主要调研成效

经过前期多次沟通交流，结合本次调研情况，在校政企“智联建”产教融合方面取得实质性进展。

①校地双方签署了“孟村县人民政府—燕山大学共建燕山大学管道装备产业孟村研究院协议”，正式成立燕山大学管道装备产业孟村研究院和燕山大学管道装备产业孟村研究院科技人员工作站，探索出一条校政企合作的新模式。

②与盐山县人民政府签署了“建智能制造、智慧管网产业促进中心战略合作协议”，重点面向盐山企业开展合作。

③与企业签署首批 6 项校企合作意向项目，部分项目已经顺利启动。

2. 赴邢台开展校政企合作调研

（1）重点调研区域

邢台市临西县、邢台市任泽区。其中，临西县的轴承制造工业基础坚实，是临西经济的特色产业，县域经济的支柱产业，具有产业规模大、产品种类全等特点，不仅是河北省特色产业，在全国也处于领先地位。任泽区的邢家湾镇是全国知名的民用机械生产基地，历史积淀深厚，产业基础雄厚，滚丝机、滚齿机、缩径机、数控旋切机、塔式起重机、立式车床等各种机械产品，技术含量较高，产品畅销全国。

（2）调研情况

学院党委书记、国防重点学科实验室主任等一行 12 人到该地区开展调研交流。

在临西县，与临西县委召开了产学研合作座谈会，了解临西县产业发展情况，宣传介绍学院的学科特色和科研优势；到中伟卓特液压、宏达隆业轴承、中达轴承、诚为轴承制造等 10 余家企业进行实地考察，了解企业生产经营情况，并参加了企业家座谈会，就企业技术需求和问题进行深入交流研讨。

在任泽区，参加了任泽区组织召开的科技赋能特色产业集群“领跑者”企业培育研讨会，了解任泽区机械制造产业集群发展情况，介绍学院相关团队科研方向和研究成果，现场与企业代表围绕技术需求进行深入交流研讨。同时，到任泽区邢湾镇的华电数控设备、冀工机械、大华宇机械、天做鼎成机械、华岳机械、龙泉剑钉业、双星机械、华密新材等 10 余家企业实地考察，调研机械制造产业集群，现场对接技术需求。

此外，还到邢台市清河县的中航上大参观考察，并与企业负责人进行了座谈交流，了解企业生产情况、需要解决的技术问题等，进一步扩大了合作范围。

（3）调研结论

①该地区产业集群规模较大，在国内外具有一定影响力，特色产业与燕山大学机械工程学院的学科优势十分契合，双方合作空间巨大、前景广阔，非常适合学院在此建立本科和研究生联合培养基地。

②当地政府重视企业的转型升级和创新发展，希望通过与高校合作为企业和地方经济发展提供人才与智力支持，对开展校企合作有较好的助推作用。

（4）调研成效

①分别与临西县和任泽区确立了合作意向，落实了具体负责人，起草完成战略合作协议，正在商讨有关签订事宜。

②征集了一些可以进一步合作的科研课题，正在持续跟进。

③积极推动学院学生培养基地和实践环节实施。

3. 教师党支部积极开展“智联建”调研交流活动

学院指导引领教师党支部主动与行业内的重点企业建立联建关系、开展联建活动，发挥党建引领作用，为提升专业人才培养能力引进资源，为教师发挥科研能力搭建平台，不断拓宽校企合作空间。

（1）机电控制工程系党支部书记赴石家庄鹿泉区与中国人民解放军某厂开展校企“智联建”融合对接系列活动，揭牌成立研究生联合培养基地，并交流探讨深层次合作的领域。

（2）机械制造及其自动化系党支部与秦皇岛齐二数控机床有限公司举办“党支部联建”活动。双方决定发挥各自的优势，计划开展联合党课活动，在创新创业教育、本科生及研究生培养、科研平台建设、科研项目申报等方面开展实质性合作，推进校企合作规划尽快落地。

（3）冶金机械系党支部与国家工程中心到秦皇岛昌黎县、卢龙县开展校企“智联建”融合对接活动，走访了位于卢龙的佰工钢铁、位于昌黎的河北安丰钢铁和宏兴钢铁，开展校企合作调研交流，征集了企业的技术需求，为后续深入合作奠定了基础。

（四）调研启示

1. 与地方政府建立联系是高校开展有组织科技服务活动的有力支撑

在河北省委最新指示精神和要求中，投入并高度关注“科技转化资金”使用情况，推动各地政府积极引入高校资源优势，促进和推动高校在企业和地方经济发展中发挥科技创新作用。但政府的经验不多，企业的信心不足，需要高校拿出看得见、见效快的合作模式和执行路线。因此，高校应充分把握这一有利契机，主动了解与学科相关的地方产业集群，与当地政府主动建立密切联系，积极争取地方政府的支持，通过政府搭建平台开展有组织的科技服务活动。

2. 县域企业急需人才引进

企业对人才引进需求迫切，除了技术层面的服务，多数企业对高校的人才资源非常感兴趣，但受所在区域的影响，普遍存在引不进、留不住的困难，希望可以按学生生源地精准推送人才信息，为企业招聘和毕业生就业提供便利。同时，希望通过柔性引进，聘请高校专家为企业提供咨询服务，需要高校与企业建立长期稳定的合作关系，需要有了解行情和企情的实干专家。

3. 大力提升主动服务河北地方经济发展的能力和水平

通过调研发现，河北很多地区有着与学科密切相关的产业集群，很多企业的发展超乎我们的想象，校政企融合发展存在很大空间，河北很多企业与东北大学、北京科技大学、上海大学以及河北省内其他高校建立了合作关系。

【典型案例】

青年党员云携手，使命担当肩并肩

——学生党支部首批“云共建”活动策划

一、活动背景

高校学生党支部作为高校最基层的党组织，是党联系广大青年学生的重要桥梁，承担着发展学生党员、开展大学生思想政治教育工作的重要职责，与大学生联系最为密切，影响最为直接。如何加强学生党支部建设，充分发挥其对大学生思想、学习、工作和生活的“引领”作用，是高校学生党建工作的重中之重。党的十九大报告中指出要加强党的基层组织建设，必须推进党的基层组织设置和活动方式创新。支部共建是支部活动方式的新方法、新途径。

此外，由于疫情的影响，各高校均未能按期开学，纷纷组织利用互联网开展线上教学；各党支部的理论学习、主题党日、志愿服务等组织生活也结合现实情况采取了新的形式，在更广阔的物理空间内开展。特殊时期下的组织生活形式为学生党支部的“云共建”活动提供了新思路，也为后续工作的实施积累了新经验。

二、活动目的

1. 支部“云共建”搭建新平台

通过党支部的“云共建”，搭建各高校资源共享新平台。发挥各共建高校的多元学科背景、不同地理位置特有的平台与优势，促进各支部资源共享、互通有无，加强支部、学院、学校间的交流与合作。

2. 活动“云组织”开创新形式

以首批共建支部为试点，探索跨地区、跨高校、跨院系间支部共建的新形式。充分利用线上平台开展丰富多彩的共建支部组织生活，发挥各支部优势，打造有意义、重实效、高质量的支部组织生活。为后续支部共建工作积累经验，提供借鉴。

3. 党员“云携手”个人新发展

通过构建“互动、互促、互学”的“三互”长效机制，形成各支部和谐共进的关系与氛围，实现携手提高的目标。各支部党员有不同专业背景，更能通过交流碰撞出思想和知识的火花，开拓学生党员的知识视野，激发学生党员的创新思维，促进学生党员的成长发展。

三、共建主体

首批“云共建”党支部所在高校包括1所“985工程”大学、2所“221工程”大学、2所省部共建大学，各高校均有鲜明的红色基因和较强的学术科研水平。5个共建支部来自北京、河北、陕西、江苏、湖南，横跨西北、华东，纵贯华北、华中；支部党员覆盖本科、研究生各年级、各学历层次；涵盖机械、商务、港航、马克思主义哲学等多元学科背景，还包括一个在鄂临时党支部。具体情况如下：

发起单位：

燕山大学机械工程学院党委

“机思广益”党建思政工作室

共建支部（拼音排序）：

长安大学马克思主义学院研究生第二党支部 26 人

河海大学港口海岸与近海工程学院本科生党支部 66 人

清华大学鄂北学生临时党支部 29 人

湘潭大学商学院电子商务与市场营销本科生党支部 42 人

燕山大学机械工程学院本科生第二党支部 18 人

四、共建内容

支部共建是一项长期开展的工作，鉴于现在疫情的特殊情况，近期先利用 QQ 群、腾讯会议等平台开展“四同四共”系列线上活动，后续可根据实际情况，共同开展科技创新、社会实践等线下活动，使共建活动载体更丰富、形式更多样。

（一）同过组织生活

主题：青年党员云携手，使命担当肩并肩

时间：2020 年 4 月 25 日

地点：腾讯会议

参与人员：支部全体党员

活动内容：

1. 各支部书记介绍学校、学院及支部基本情况。

2. 指定党员领学《习近平给北京大学援鄂医疗队全体“90 后”党员的回信》。

3. 分享疫情防控期间自己或身边的典型事迹，感受党员力量。

（二）共上云端党课

主题：疫情当前同面对 大国青年当有为

时间：2020 年 5 月

地点：腾讯会议

参与人员：支部全体党员

活动内容：

1. 邀请 ××× 老师为大家讲授一堂生动的党课。

2. 党员代表分享党课感悟。

3. 支部党员撰写学习心得，择优进行推送宣传。

（三）同看红色电影

主题：（待定）

时间：2020 年 5 月

地点：腾讯会议

参与人员：支部全体党员

活动内容：

1. 组织党员同志共同观看红色主题电影《×××》。

2. 电影观看结束后，针对电影内容进行交流研讨。

（四）共读经典名著

主题：良师益友 开卷有益

时间：2020 年 4—8 月

地点：QQ 群

参与人员：支部全体党员

活动内容：

1. 每个月由一个支部推荐一本好书，大家共同阅读。

2. 每月阅读结束后，在当次组织生活会上进行分享交流。

（五）同办知识竞赛

主题：比学赶超 共同进步

时间：2020 年 7 月

地点：QQ 群课堂

参与人员：支部全体党员

活动内容：

1. 组织党史党情等党的基本理论相关的知识竞赛，通过比赛形式促进“比学赶超”的良好氛围形成。

2. 由支部书记对竞赛中的题目进行讲解，组织党员交流讨论，激发学习热情。

（六）共学理论知识

主题：绳锯木断 水滴石穿

时间：2020年4—8月

地点：QQ群

参与人员：支部全体党员

活动内容：

1. 每天由1名党员在QQ中分享一段理论知识，以接龙形式长期进行。

2. 由指定党员将学习的理论知识整理留存，供大家进一步学习研讨。

（七）同上集体自习

主题：（待定）

时间：2020年4—8月

地点：QQ群

参与人员：支部全体党员

活动内容：

1. 每周确定时间组织全体党员进行“云自习”，在QQ群进行打卡学习。

2. 每周确定时间在群内进行答疑，学生党员在群里提出本周学习遇到的问题，由其他党员为其解答，互相学习，共同进步。

（八）共做经验分享

主题：择善而从 齐头并进

时间：2020年5月

地点：腾讯会议

参与人员：支部全体党员

活动内容：

1. 组织党员同志进行学习、生活、工作等各方面的经验分享，促进其互相学习、共同进步。

2. 将较好的经验进行汇总整理，并推送宣传。

学院赴沧州市孟村县深入开展校地企“智联建”融合对接活动

为充分贯彻落实学院党委“开门联合搞党建、融通共促谋发展、优势共享育人才”的建设思路，大力推动校地企“智联建”行动方略，2022 年 7 月 24—26 日，学院党委书记带领学院教师到沧州市孟村回族自治县考察交流，与当地政府紧密对接，为县域重点企业把脉开方，取得丰硕成果。

24 日，团队先后到河北华洋钢管有限公司、河北亚都管道装备集团、河北龙锦管道装备有限公司、沧州格福管件有限公司、河北君宇广利专用汽车制造公司、河北神舟钢管制造公司、河北圣雄管件有限公司、县铸造协会等深入对接。大家参观了企业的生产一线，详细了解企业的生产现状、科技难题和技术需求等，并与公司负责人进行交流研讨。针对企业生产成本过高、产品科技含量急需升级、无法形成有效竞争力等问题，团队提出了诸多解决方案，在专业人才输入、优化生产工艺、技术改造与科技创新等方面进一步明确了合作方向。

其间，团队还到津南革命纪念馆参观学习，详细了解革命先辈光辉灿烂的革命历程，并进行了重温入党誓词仪式。通过重温革命历史，传承红色基因，进一步鼓舞了大家干事创业的信心和决心。

25 日下午，燕山大学与沧州市孟村县校地合作签约暨揭牌仪式在孟村县会议中心举行。沧州市领导李治义，孟村县委县政府有关领导及孟村县重点企业负责人参加了仪式。燕山大学党委书记参加项目合作签约仪式。学院教师团队分别与华洋公司、亚都公司、海浩公司、龙锦公司等就工艺技术研发进行合作签约。同时，校地双方签署了“孟村县人民政府—燕山大学共建燕山大学管道装备产业孟村研究院协议”，并共同揭牌成立了研究院和燕山大学管道装备产业孟村研究院科技人员工作站。

活动期间，团队到沧州市以及孟村县、盐山县等地考察，深入企业一线调研，与企业面对面沟通，了解企业技术难题和人才需求情况，为促进校地企开展更多合作奠定基础。

此前，学院党委为活动的成功举办做了大量基础工作，多次与孟村县政府和有关企业负责人沟通，并带队到当地调研交流，此次促成首批共签署 12 项校企合作项目。今后，学院党委将进一步发挥引领作用，积极为校地企融合发展搭建平台，推动学院乃至学校的学科和科研优势赋能于地方经济发展和企业转型升级，让科研科技之花在地方结出产业之果。

第四节　打造“红色基因”党建工作品牌

高校基层党建工作应结合自身学科专业优势，打造具有自身特色和“标签”的党建活动品牌。引导师生党支部充分发挥社会服务功能，理工类高校可重点打造师生科技志愿服务特色活动，如实验室开放日、科普实践、科技扶贫等系列品牌。文科类高校可重点打造科普志愿服务特色活动，如理论宣讲、普法宣传、红色讲坛等系列品牌。

一、“师、学、政、心、德”五大教育品牌

燕山大学机械工程学院党委紧扣立德树人根本任务，以党的政治建设为统领，以提升组织力为重点，秉承“强基础、创品牌、促发展”的工作思路，统筹布局，精准发力，与实际工作紧密结合，积极探索实践五大领域的教育工作品牌。

1.“强规范，树师德”的育师品牌。一是以“规”立师德，推进师德建设的长效化。结合实际制定《教师职业道德考核工作办法》和《师德考核实施细则》，明确师德考核指标体系。二是以“学”促师德，促进师德建设的内涵化。以理论学习为基础，组织教师学习习近平新时代中国特色社会主义思想和相关法律法规；以培训讲座为依托，开展教学名师讲座培训，把师德师风教育与院内各类培训相结合，将教师职业道德、学术规范等列为岗位培训、业务培训、专题讲座的重要内容；以教学大赛为平台，依托教学观摩大赛、教学基本功竞赛，引导广大教师热爱教育事业，自觉地养师德、树师表、练师能、铸师魂。三是以“范”展师德，促进师德建设的导向化。积极挖掘和树立师德先进典型，利用学院网站、党建网站、官方微信等专栏，对涌现出的先进事迹进行宣传，发起“党员教师温情送别毕业生”活动，增进师生感情，激励教师职业情怀。

2.“讲诚信，促学风”的育学品牌。燕山大学机械工程学院党委从树立理想信念、激发学习兴趣、养成良好习惯、搭建成长平台、坚持锻炼身体、增强自信力量、学会终身学习 7 个方面，从学生学习的源动力、内驱力、约束力、

塑造力、执行力、影响力、持久力7力联合激发的角度，构建了“学风建设生态系统”。横向上因材施教，按年级、分阶段教育，大一重在养成、大二突出规划、大三强调互助、大四着重复盘；纵向上分类指导，按需求、分层次教育，努力做到优秀学生有平台、中等学生重引导、困难学生强帮扶。成立学院学生学习与发展指导中心，并配备多名专任指导教师，组建“优学库”学霸志愿服务者组织，推进朋辈互助教育；开设《创新创业培训课》专门课程，健全课程体系，实施大学生创新创业训练计划，多角度培养学生勇于探索的创新精神和善于解决问题的实践能力。此外，组织签订“大学生成长协议”，阶段性的复盘总结，以及开学预讲、学霸讲堂、日常答疑、学风表彰、诚信考试示范岗、“风华机械人”榜样人物评选等一系列学风建设品牌活动，不断推进本科生学风建设。在研究生学风建设上，形成“榜样示范学术引领”的新理念，构建强基础、拓视野、促科研的学风建设工作新格局。充分发挥学术导师的主体作用，提升学生科研和创新能力与水平；大力开展国际游学访学、校际学术交流、专业交叉融通，努力培养具有爱国情怀、国际视野、敬业精神、创新思维的科学研究和工程技术领域高端人才。

3.“改作风，强管理”的育政品牌。结合一流学科建设的重要任务，以机关工作效能提升建设为抓手，开展系列工作。一是完善智能办公服务。建立智能办公服务系统和智能机器人问答系统，实现常见问题的网络化服务，大大提升工作效率。二是改进各项工作流程。梳理完善各项工作流程，并通过学院官网、官微等平台公开，提供及时有效的服务，提升师生满意度，引导师生依规办事，促进院务工作公开。三是编制工作年鉴。建立编制年鉴的长效化机制，定期总结、分析研判学院推进工作质量和效力。

4.“兴文化，聚人心”的育心品牌。“大学文化是‘双一流’建设的灵魂。文化竞争和文化品牌已经成为一流大学的标签。”高校基层党组织要把文化建设作为一种重要工作，系统开展文化建设工作。一是发挥基层党支部组织优势，对专业发展历程进行梳理，记录学科历史、传承学科专业文化。二是增强职能科室凝聚力，对单位发展历程进行梳理，书写创业历程、汇聚学科力量。通过专业和单位发展历程梳理，激励广大师生不断传承和发扬艰苦奋斗、求真务实的校院精神。三是加强文化引领，基层党组织要不断畅咏爱校情怀、凝聚校院精神，可以创作具备院系特色的歌曲、诗歌、建立学科展廊，积极营造师生爱校荣校、传承文化的浓厚氛围。

与此同时，学院党委加强文化阵地建设，挖掘机械学科文化素材，线上线下同步发力，建造全媒体机械文化“育人矩阵”。一是场馆文化阵地建设。对学院机械馆一楼修缮改造，建成机械学科回廊；以学科和专业特色为主线，接续建设学院所属场馆楼道宣展，以及实验室、课题室文化主题宣展，构建机械学科场馆文化传承赓续的全覆盖体验空间。二是影音文化阵地建设。成立学院融媒体库专项组，拍摄“匠心为国”学院官方宣传片；制作多版本学院官方PPT；创建“机缘印象”影像库，向离退休老领导、老教师、知名校友和毕业生开展访谈实录；谋划制作学科标志性成果官宣短片和专业官方宣传片。三是网络文化阵地建设。创办“听TA说”官微专栏；开设“机思广益”官微，设置“听TA说”思政育人专栏、“佳片有约”红色影片赏析、“四史传承”专题书单诵读、“微党课”原创视频展播等多个专栏，持续更新作品、出精品，架起党建思政线上媒体“新引擎”，筑牢意识形态安全“防火墙”。部分被中国教育电视台CETV官方微信公众号、全国高校思想政治工作网转载。

5.“传帮带，乐奉献”的育德品牌。志愿服务是帮助师生党员树立理想信念，增强学习工作原动力的主要方法和途径。燕山大学机械工程学院党委注重用科学技术来服务和奉献社会，构建实施三大志愿服务模式。一是党员“传帮带”。利用各种形式调动广大学生党员参与到志愿服务中，用奉献的热情点燃青春之光。二是志愿者行动。充分发挥学院河北省优秀志愿服务组织——“雷锋突击队”的品牌效应，开设关爱新生、义务家教、爱老敬老、赛事服务、雷锋书架、防艾宣传、校园美化、雷锋名片和网络文明等多个板块活动。三是师生社会服务。面向科技前沿、扶贫一线、技术转化，形成“科研实验开放日”“科普实践育少年”“科技扶贫重扶智”等党员志愿服务品牌，惠民科普年均2000余人次。疫情防控期间，向雷神山医院捐赠自主研发医用电动转运装备；数百名师生党员志愿者深入乡村、社区参与抗疫工作。

二、凝练打造“红色基因”组织育人品牌

紧密结合学科、专业历史沿革的优势和特色，传承红色基因，凝聚红色

力量，抚育红色科创，在党建引领下熔铸锻造重型机械新时代育人品牌。凝聚红色力量，弘扬以爱国主义为核心的创造、奋斗、团结和梦想精神，建设国防重点实验室爱国主义教育阵地、创办感悟军旅精神的“彩虹训练营”等红色力量底色培育品牌活动；培育红色科创，面向科技前沿、扶贫一线、技术转化，形成“科研实验开放日”“科普实践育少年”“科技扶贫重扶智”“奇思妙想助科创”等红色科创服务育人品牌活动。逐渐形成了传承熔铸“红色基因”的“志•智”双升育人品牌。

1. 红色力量，擦亮底色。创办“彩虹训练营”，采取学生自愿与辅导员推荐组建团队，将军旅文化和军事化管理模式引入学院，聘请退伍学生担任学生教官，开展统筹设计、统一指挥、全面丰富、纪律严明的“彩虹训练营”军旅模式学习活动。通过军旅生活亲身体验和感悟，强化思想引领，训练艰苦奋斗、顽强拼搏的意志品质。建立“国防军工”教育阵地。依托学院国防重点学科实验室，建设“国防军工”爱国主义科技教育阵地，基于国防军工领域的典型研究成果，梳理凝练国防科技案例和奋斗故事，举办国防军工科技展览、专题学术论坛等活动，传播工匠精神和奋斗基因。

2. 红色科创，服务社会。把党建引领融入科技创新过程，引领师生践行学科和专业使命，利用专业知识，服务社会发展。每年组织举办 1 次以“匠心为国”为主题的实验室开放日，面向校内外师生和社会人员进行专业知识、工程装备等的科学普及，体验“智能制造”“工程美学”；积极开展科技服务活动，训练提升学生的“创新创业”能力、创新意识、创新思维，引导师生针对青少年、特殊群体、脱贫攻坚等开展科技志愿服务活动；积极引导广大师生面向科技前沿、面向经济主战场、面向国家重大需求、面向人民生命健康，开展科研攻关和“卡脖子”技术研究，践行学院“匠心为国铸重器”的“红色基因”。

熔铸“红色基因”组织育人品牌，丰盈高校育人实感阵地和实践载体，铸就“匠心为国铸重器”人才培养目标的鲜亮底色，为锻造新时代重型机械领域“尖刀上的刀尖”提供最坚韧的材料。红色力量底色培育和红色科创服务育人品牌活动的交叉融合，构建了传承熔铸“红色基因”的“志•智”双升育人品牌，开辟了育人“新模式”。

“红色基因”组织育人系列品牌活动促进广大师生“志•智”双升，彰显学院匠心为国的育人特色。“科研实验开放日”被新华网、央广网等多家媒体报道，惠民科普年均2000余人次；获全国优秀志愿工作者3人，科技扶贫小组获省级李保国志愿服务先锋队；抗疫期间，向雷神山医院捐赠自主研发医用电动转运装备；获“互联网+”大赛等国家级竞赛奖200余项，入选大学生小平科技创新团队；参与FAST、C919、北斗三号等研发，攻克重大工程核心技术难题；承担省部级以上科研项目300余项、企业技术项目千余项；获国家、省部级科技奖励20余项。

【典型案例】

李保国志愿服务队：用技术和知识服务于银里村的发展建设

银里村位于承德市围场县银窝沟乡政府西南4千米处，全村社会总面积14.7平方千米，辖10个居民组，6个自然营子，全村195户，665口人。全村共有耕地1694亩，林地5000亩，是典型的农业旱区，2011年农民人均纯收入约1300元。

银里村盛产野山菌，但由于该村地理位置偏僻、交通不便、经济欠发达等原因，导致其野山菌滞销，产品来不及风干而腐烂，影响农户的经济收入。2015年前，多数农户采用砖混土灶等方式搭建烘干房，并采用烧煤、柴方法烘干蘑菇，烘干效率低、环境污染严重。2015年个别经济条件较好的农户从网上购置了电加热的烘干机，但由于银里村地理位置、交通等原因，仅送货运输费用一项就超过了2000元，占了设备费用的20%，一方面农户初投入成本增加，另一方面设备一旦发生故障，售后服务得不到有效保障，大大增加了农户的风险和负担。

（1）充分发挥服务队所在机械工程专业学科的优势特长，组建研发团队，专门为银里村村民研发电加热蘑菇烘干机，解决燃煤型烘干蘑菇的污染和品相差问题。先后设计了3款不同规格设备（烘干能力分别为1000kg、500kg、100kg），分别面向工厂、作坊、家庭等不同层次和规模的受众使用，同时提供设计资料，并指导村民自己动手制造设备，降低了农户投入成本。该工作不仅使当地村民学会电加热烘干机的加工制造方法，也使其掌握了电加热烘干设备的操作、控制、使用等方面相关技术，对于提高当地村民自主维护、维修设备的知识和能力起到了巨大作用，同时增加了农户的收入也提升了他们的自信心。

（2）促进劳动力转型升级，注册成立村集体所有的银里机械制造有限公司，实现工业零的突破。立足精准扶贫，开拓创新，服务队与燕山大学后勤设备处沟通联系，走访相关学院和部门，查看进入待报废名单的一批批机械设备，从中挑选出可用且能用的设备进行修复，最终协调将这些设备从秦皇岛运送到承德银里村，共计11台，其中大型车床1台，小型车床7台，钻床2台，磨床1台，成功组建了银里机械厂。银里机械厂的组建，不仅拓宽了当地农户的收入渠道，同时对辐射和服务周边农村及农户起到了示范作用。并对数十名村民进行设备操作技能培训，将烘干机的加工制造原理、方法及设备操作、控制、使用、维修养护等方面的技术手把手地进行教授，使他们成为第一批离土不离乡的产业工人。

（3）畅通农产品销售渠道，有效提升农户家庭收入，进一步增加农产品的吸引力和附加值。内容包括：注册“银里”商标，打造银里品牌，对当地优质特色农产品进行深加工和销售，开设“银里特产”淘宝网店，建立“缘聚银里”微商销售平台，扩展销售渠道。通过电商把“银里牌”蘑菇、手工粉条、红谷小米、柴鸡蛋和葵花籽油等农副产品推向千家万户，发往全国各地。同时，借助视觉传达艺术魅力，为银里设计地图、Logo、彩绘、手办以及产品包装等精美文化创意产品，丰富了银里产业价值和内容，促进农副产品销量，扩大银里品牌的影响和知名度。

彩虹训练营：融入军旅文化 锻造底色品格

燕山大学机械工程学院一直以来都将学风建设工作作为立德树人进程中的重点工作，经过不断探索和积累，目前学院形成了“以生为本，立足实际，因材施教，分类指导”的学风建设工作思路。但在此过程中，部分学业困难学生由于自我约束力不足，意志力不坚定，在闲暇时间沉迷游戏，陷入了“不听—不懂—不会”的恶性学习循环，成绩严重下滑。因此，自2020年起，在学院党委的指导下创新开展以体验军人生活，锻造优良品格、塑造向上风貌、涵养优秀文化的“彩虹训练营”系列建设活动，聘请退伍学生担任教官，吸收学业状态不佳的学生为营员。启动至今已举办至第四期，参训教官25人次，参训营员100+人次。

预期项目能够通过科学合理的活动和要求，真正实现对学业困难学生的精准帮扶，改善学业困难学生的现状，同时，彩虹训练营的管理体系要逐渐成熟化、体系化，能够为其他学院的学困生帮扶提供具有参考性的意见。在学院内部为学困生营造军旅文化的志愿服务平台，促进学困生由“被帮扶”到“帮扶者”的主体对象转换。以彩虹训练营的部门和军训优秀学员为抓手，将学困生在彩虹训练营中形成的良好意志品质和精神文化体现到具体的行动中，全方位、多层次地提高学困生的积极性，不断挖掘学生们的个人潜力，增强学困生的自信心，进而优化学生将来的学业习惯和工作作风。此外，最重要的是借助彩虹训练营系列机制，将国防教育观念深植于每位学子的心中，激发更多学生积极投身祖国国防建设，成为新时代下立大志、明大德、成大才、担大任的青年群体。

（1）健全管理组织，落实各项保障机制

为了高效有序地实施半军事化管理相关政策，学院建立半军事化管理领导小组，由辅导员担任思想教育指导人员，加强军事化管理的思想领导和组织领导。同时，学院制定《彩虹训练营日常管理条例和实施办法》，成立彩虹训练营部门，隶属于机械工程学院学生工作办公室，吸纳全体退伍学生和军训优秀学员为成员，负责处理日常各项事宜。在全院范围内营造良好氛围，使半军事化管理流程形成一条主线，由上而下地施行，建立严谨踏实的纪律风气。

（2）夯实育人基础，组织国防教育活动

以彩虹训练营为依托，组织全体成员实施国防教育活动，积极引导教官、学困生在课余时间参加国防教育实践活动。在学院层面，相关负责人可以邀请军事训练课程或者征兵负责老师面向营员进行国防教育主题知识讲座；在学生层面，可以邀请彩虹训练营办公室中的退伍学生与学困生进行面对面的交谈，畅谈军营生活，渗透军人观念，用教官们的所见、所闻、所感来宣传军营文化精神。同时，还可以在训练营内部组织开展国防知识竞赛以及演讲等竞赛类活动。

发挥国防影像资源优势实施国防教育活动，增强全体成员的报国情。在国防教育系列活动中，可以组织营员或者学困生观看有关军事、国防主题的影片，并引导学生进行影视评价，在欢快、放松的环境中感受国防教育的重要性，并以影片所蕴藏的爱国主义及国防知识鼓舞营员并勉励自己，陶冶爱国的高尚情操。

（3）转变帮扶主体，打造军旅文化特色

学院要积极引导爱好军事训练的学生和退伍学生创建并发展军事类志愿服务小组，在负责老师的指导下，日常的活动由学生们自主管理，开展与国防教育相关的活动，并借助志愿服务小组在春秋季的征兵入伍之前面向学院全体的学生辅助征兵负责老师宣传大学生的入伍征兵政策以及相关的军事理论知识等。同时，借助宣传平台，加强对彩虹训练营的多角度、全过程宣传，比如说制作训练营的宣传片，形成文化产品，并在官方网站等线上平台进行宣传，同时引导每位教官和营员成为彩虹训练营的代言人，讲述自己与训练营的故事，还可以不定期开展退伍学生经验分享会，向有意向入伍参军的同学宣传政策、传达信息、交流经验等，在学生当中产生广泛影响。

以上的教育形式，能够依托志愿服务、学生活动将军旅文化氛围与高校的思想政治教育相融合在一起，既可以提高大学生对基本理论知识的积极性，也可以增强大学生的拥军、参军意识，树立正确的国防安全观念。

第六章　高校党支部示范创建工作案例

高校示范性党支部建设是申报和创建全国高校党建工作标杆院系的有力支撑，需要高校基层党委做好顶层设计，提前谋划布局，分析自身优势，抓住工作关键点，做好示范性党支部的培育和建设工作。2019 年以来，燕山大学机械工程学院入选全国“双带头人”教师党支部书记工作室 1 个、全国“百个研究生样板党支部”1 个、全国党建工作样板支部 1 个，入选河北省首批“双带头人”教师党支部书记工作室和样板党支部各 1 个。这些示范性党组织的成功建设，为申报全国党建工作标杆院系打下了坚实基础。

第一节　燕山大学机械工程学院机械工学部党支部：全国“双带头人”教师党支部书记工作室

燕山大学机械工学部教师党支部书记工作室，2020 年入选全国第二批高校“双带头人”教师党支部书记工作室，是河北省首批高校“双带头人”教师党支部书记工作室。党支部依托国防重点学科实验室和航空科技重点实验室，坚持党务和业务能力“双硬”、凝聚力和战斗力“双强”、人才培养质量和国防服务水平“双高”，努力建成服务新时代国防军工发展的坚强堡垒。

一、党支部基本情况

党支部于 2001 年成立，现任班子由 1 名支部书记和 2 名委员组成，均具有博士学位，其中博士生导师 1 人。现有党员 27 人，其中教授 20 人，45 岁以下中青年教师党员 19 人，具有博士学位 25 人。拥有 1 个国防重点学科实验室和 1 个航空科技重点实验室（中国航空工业集团系统外唯一），有一批国防军工领域高层次人才和科研骨干，其中国家教学团队 1 个、长江学者 1 人、全国优秀教师 1 人，教育部新世纪优秀人才、河北省首届军民融合十大人物等省级人才 9 人。

二、工作开展情况

党支部以政治建设为统领，以组织建设为基础，强化党支部书记“头雁效应”和党员先锋作用，服务国防科技、促进军民融合。

（一）“四个强化”强政治引领

强化学习教育，每两周一次理论学习，每月一次党建研讨，每季度一次“课程思政”交流。强化制度建设，坚持重大决策党内先讨论、重大政策党员先知情，把好政治关。强化党性修养，开设“我为大家讲一讲”互教平台。强化使命意识，选派 1 名党员教师援疆 2 年，任新疆工程大学机电工程学院院长；选派本专业 20 余名研究生赴东北老工业基地富拉尔基实习实训。

（二）“五严一新”严组织生活

严党员教育，注重使命教育，引导师生主动服务国防现代化建设。严党员管理，强化国家安全观，对师生意识形态全过程监控。严党员发展，选配政治导师，确定 1 名优秀青年教师为积极分子。严班子配备，3 名支部委员均为学术骨干。严组织生活，开展 20 余次“不忘初心、牢记使命”“尺笔丹心 •‘疫’线先锋”主题党日活动。创新党建载体，与学生支部“教”“学”共建，同中国航空工业集团“校”“企”联建，打造军工特色党建。

（三）“多措并举”聚师生团结

赴海军基地学习，强报国信念；实行听课制，把政治方向；新教师欢迎会，凝团结集体；离退休座谈会，倡使命传承；“高端航空装备共性技术”系列专题沙龙，显国防特色；选派 30 余名师生外出访学，促国际交流；每学期 1 次分享会，塑高尚师德；走访慰问患病及心理波动师生 20 余人次，建和谐之家。

（四）“三个着力”促中心工作

着力深化“三全育人”，率先开展 CDIO 教学改革，聘请全国辅导员年度人物王银思任思政秘书，凝练典型教学案例，获批 5 门课程思政教改立项，1

名研究生获大学生年度人物。参与中国天眼、北斗三号、C919 等研发。着力引育党员表率，开展项目式教学，推进新工科建设，聘任 20 余名校友共同担任学生班级导师，服务创新创业，获国家教学成果二等奖 1 项，省级教改项目 3 项。

三、党支部及科研平台取得的代表性成果

（一）党建工作代表性成果

党支部以政治建设为统领，以组织建设为基础，强化支部书记“头雁效应”和党员先锋模范作用，着力推动党建与教研双融双促。

2019 年，郝秀红入选河北省首批高校“双带头人”教师党支部书记工作室；

2020 年，郝秀红获燕山大学优秀党务工作者称号；

2020 年，郝秀红主持的《党建教研双融双促——新时代高校“双带头人”教师党支部书记工作室建设新模式》，获批燕山大学党建课题。

（二）教学、学术工作代表性成果

党支部深入贯彻落实立德树人根本任务，坚持 CDIO 教育理念，开展项目式教学改革，推进新工科建设，获国家教学成果二等奖 1 项，省级教学改革项目 3 项。

承担国防基础科研、国防重大专项、军委科技委基础加强、军口 863 项目等国防军工和军民融合项目共 20 余项，其中合同额 100 万元以上的项目 6 项，累计科研到款 1.2 亿元。发表中国科学院一区高水平学术论文 20 余篇，获批国家发明专利 90 余项。研究成果应用于中国航空工业集团公司、中国商用飞机有限责任公司等，为航空事业作出重要贡献。党支部书记的代表性成果：

2017 年，郝秀红入选河北省“三三三人才”工程；

2017 年，郝秀红主持国家自然科学基金面上项目；

2017—2019 年，郝秀红燕山大学本科生课堂教学质量评价连续获得优秀；

2018 年，郝秀红获中国机械工业科学技术奖二等奖（负责航空轴承研发项目可靠性评价）；

2019 年，郝秀红在摩擦学顶级期刊 *Tribology International* 上发表论文。

四、党支部/工作室建设思路、目标

总体思路：以习近平新时代中国特色社会主义思想为指导，贯彻落实立德树人根本任务，面向“两个需求”，提升党支部建设质量。面向科技强国建设的创新人才需求，优化工作思路，实现党建和业务双融双促，为国防现代化培养高素质人才。面向国防现代化和军工产业重大需求，聚焦基础研究和原始创新，着力解决“卡脖子”技术问题，大力提升服务国防军工的能力和水平。

建设目标：紧紧围绕中心任务，发挥“双带头人”教师党支部书记引领作用。组织建设上，实现党务和业务能力“双硬”、凝聚力和战斗力“双强”、人才培养质量和国防服务水平“双高”，把党支部建设成服务新时代国防军工发展的坚强堡垒。人才培养上，探索“把党员教师培养成教学科研管理骨干，把学生培养成担当民族复兴大任的时代新人”的“双培养”机制，为国防现代化培养高素质人才。平台建设上，通过基础研究、应用研究和关键技术转化研究“三研结合”，打造高水平人才培养、先进科技装备研发与高端试验平台建设“三位一体”的国内一流、创新型国防重点学科实验室。社会服务上，瞄准航空航天领域发展前沿，针对超常规条件下高端装备及零部件基础设计理论问题，突破技术瓶颈，为我国国防事业和军工发展作出重要贡献。

各年度工作目标和具体举措：

（一）2021 年度：固本强基计划

目标：围绕“双带头人”工作室重点建设任务，创新工作方法，强化政治功能，抓好主责主业，提升思政质量，为实现国防重点学科实验室“构筑大平台、组建大团队、承担大项目、培育大成果、作出大贡献”提供坚强组织保障。

具体举措：

（1）创新党建活动。扎实推进“三会一课”，开展与立德树人、科学研究、服务社会相融合的主题党日活动。将“微党课”模式引入党建工作，推进智慧党建。

（2）抓好队伍建设。引导教师党员亮身份、立标尺，带头攻坚克难，投身改革事业。完善服务载体，解决实际问题，从职业规划、激励评价、人文关怀等方面促进教师成长发展，培育“四有好老师”，实现“四个相统一”。

（3）探索支部共建。以支部共建为切入点，推动与国防军工相关单位的合作交流、资源共享，加快核心技术转化，促进军民产业融合，提升支部服务国防军工和经济社会发展能力。

（4）推进课程思政。突出课程教学的育人导向，将德育与教学有效融合，深化课程思政教学改革，发挥课程育人和科研育人功能，加强课程思政“研究体系化”“资源校本化”“融合多元化”建设。

（二）2022 年度：青蓝培育计划

目标：吸收优秀青年教师和高水平人才入党，在人才培养、教学科研、社会服务等方面发挥党员先锋作用。提高青年教师及研究生科研创新能力，为国防军工事业储备高水平人才。

具体举措：

（1）党员发展。制订青年教师发展计划，联系青年常态化，谈心谈话定期化；为青年教师配备政治导师，思想指导制度化，成长进步日常化，及时把符合党员条件的优秀青年教师吸收入党。

（2）机制激励。完善表彰制度，健全激励机制，打造和谐、高效、充满创新激情的教学科研团队，发挥青年党员在教学改革、双创指导、科学研究和“双一流”团队建设中的主力军作用。

（3）师资培育。重视青年教师职业规划，提供高水平科研平台，加大培养力度和资金支持，定期举办发展论坛，组织参与重大研究项目，使青年党员迅速成长为支部建设发展的中坚力量。

（4）示范交流。建立师德师风考核长效机制，讲好师德故事、弘扬高尚精神；开展国内外访学交流、军工企业参观学习、“工学青年大讲堂”，为青年教师发展铺平道路。

（三）2023 年度：鸿雁领航计划

目标：发挥支部书记“领头雁”作用，增强班子凝聚力，提升支部战斗力。以落实立德树人根本任务、培养高水平人才为牵引，把党组织的领导力和组织力转化为推进中心工作的强大动力，实现党建工作与教学科研工作双促进双提高。

具体举措：

（1）加强班子建设。组织交流培训，开展课题研究，拓宽视野、提升能力，实现工作理论化与科学化；党支部书记以身作则，支部委员履职尽责，加强对重大事项的研究与决策。

（2）促进合作交流。拓展与其他高校、科研院所的深度合作，巩固科学研究实力；加强校企合作，推进产学研一体化建设，促进科技成果转化；参加国内外重要学术会议和高端论坛，把握行业发展脉搏。

（3）强化育人职责。在科学研究、学科竞赛、创新创业工作中，发挥教师党员的作用，促使知识传授与价值引领同频共振，培养高素质人才；支部成员担任本科生班导师，充分发挥育人职责；开展“实验室开放日”“国防科技成果展”等学科特色活动，扩大育人辐射面。

（4）增强科学研究。瞄准国防军工发展前沿及制约航空高端装备发展的关键问题，合理规划发展方向及研究任务，加强原始创新能力培养，解决航空高端装备“卡脖子”问题。

五、建设成果

总体预期成果：发挥支部思想政治引领、规范组织生活、团结凝聚师生、促进中心工作等四大主体作用，形成“六个一”建设成果。

2021 年度：

1. 一批党建和教研高水平研究成果：培育并至少获批校级以上党建课题 1 项；至少获批 1 项校级以上教学成果，培养一批高水平教学科研人才，产生多项国防军工研究成果。

2. 一个具有影响力的网络宣传阵地：运用“燕铭红韵”党建信息平台，“机思广益”微信公众号，开设党支部建设专栏，展示支部建设成果。

2022 年度：

3. 一套成熟完善的制度体系和机制：在师德师风考核、党员发展、党内表彰奖励、师资培养与引进等方面，出台规章制度和机制办法。

4. 一系列特色工作品牌和育人载体：制作国防军工专题“微党课”；推出 1 ～ 2 门课程思政改革示范课；开设“工学青年大讲堂”，举办“国防科技成果展”等特色品牌活动。

2023 年度：

5. 一套有效的工作方法和典型案例：系统总结支部建设经验做法，形成一套可推广、可借鉴的“双带头人”教师党支部书记工作方法；梳理党建教研融合、校企支部共建、先优个人等典型案例。

6. 一本示范性党支部建设成果汇编：编撰支部建设成果资料汇编，分类展示支部党建活动成果；申报优秀党支部，总结党支部建设经验，开展校内外学习交流。

六、保障措施

学校党委明确要求推荐“双带头人”教师党支部书记通过法定程序担任学院党委委员，同时列席学院党政联席会议、学术委员会，参与学院工作规划、干部人事、评奖评优等重要事项讨论决策。“双带头人”教师党支部书记经历作为选拔任用院级党政干部的重要条件，党务工作计入工作量。对“双带头人”党支部书记工作室提供经费、政策支持，鼓励开展理论研究和实践探索。建立校领导直接联系点，加强工作指导。健全党委组织部牵头抓总，党委宣传部、党委教师工作部以及教学、科研、财务等单位协调配合工作机制，为工作室搭建研究平台、实践平台、宣传平台，解决实际困难，做好评先评优和表彰工作，加强创建成果和典型经验在校内外示范推广运用。

学院党委对工作室建设高度重视、积极落实，学院党委书记直接联系指导党支部实际工作；提供必要的配套设施和经费支持，建立专门党员活动室，划拨专门经费用于支部建设；工作室负责人郝秀红同志入选学院党委委员、师德建设领导小组成员、教学指导委员会成员和学术团队负责人，积极参与学院重大事项研究和政策制定；加强协调、指导，积极协调有关部门解决支部建设过程中的困难，聘请专家指导支部党务和业务工作，推动党建与教研双促进、双提高。

【典型案例】

“四贯穿四引领”筑牢服务国防军工堡垒

燕山大学机械工学部党支部书记工作室（简称工作室），充分发挥党支部书记“头雁效应”，依托燕山大学极端条件下机械结构和材料科学国防重点学科实验室和中航工业—燕山大学自润滑关节轴承共性技术航空科技重点实验室，坚持面向科技强国建设创新人才需求、国防现代化和军工产业等重大需求，坚持以“立德树人”为根本任务，全力构建“三全育人”新格局，探索实践“四引领四贯穿”的工作方法，努力把机械工学部党支部（简称党支部）建设成服务国防军工的战斗堡垒。

政治引领贯穿中心工作，凝心聚力同向同行。党支部以“三会一课”和主题党日活动为抓手，坚持主题党日“精准滴灌”，党建教研“有机融合”，每月精准谋划，围绕人才培养、课程思政、学科建设、教书育人、创新创业、师德师风等开展主题党日活动；认真执行支委会、工作小组会、支委培训等制度，定期召开工作研究分析及交流会议，提前谋划党支部的学习和活动内容、方法、举措等，逐步形成线上线下相结合，“理论＋实践”的学习模式；根据党支部所依托的科研平台属性，积极开展国防军工特色主题党日活动，举办“高端航空装备共性技术”系列专题沙龙，显国防特色，激发师生用所学知识报效国家的信仰；坚持开展国防军工主题教育，赴海军基地、航空航天相关单位进行技术交流，与相关单位开展联合技术攻关，增强老师们科技报国的信念的同时践行军工报国梦想。

文化引领贯穿阵地建设，厚植国防军工情怀。党支部积极发挥文化的培根铸魂作用，深入挖掘所在单位科研平台和科技成果中的“红色基因”，大力建设具有自身优势特色的国防军工科技成果展室和活动室，打造国防科技爱国主义文化阵地；筹备开展国防教育科技文化节，进行国家观念和国防意识政策、国防安全视频及案例宣传，举办“聆听国防报告，厚植爱国情怀”主题报告等，广泛弘扬爱国主义精神，提升国家安全意识；持续强化国防重点学科实验室文化建设，厚植研究生和教师们的国防军工情怀，激发师生用科技知识参与国防军工现代化的热情。文化阵地成为支部党员的精神熏陶之地、使命激发之地，为国防军工的责任深深扎根在支部党员心中，同时向更多的师生和社会人士传播国防教育和国防科技知识。

思想引领贯穿人才培养，践行立德树人使命。党支部承担着所在机械类及近机械类专业基础课/专业选修课教学任务，着力深化“三全育人”，深化教学改革，提高立德树人的本领，是党支部重点工作之一。针对机械工学部课程特点，强化顶层设计构建与具体环节实施，率先开展CDIO教学改革，逐步打造了基于线上+线下混合式以及翻转课堂+三级项目式理论课教学模式，探索出工程实例+仿真设计+典型加工+基本功竞赛的实践课育人思路，承担的主要课程获批校级、省级教学改革立项，切实提高了学生创新能力和机械设计基本素养。

紧密结合课程思政改革发挥思想引领作用，聘请全国高校辅导员年度人物为思政秘书，共同研究学生的思政教育需求，打造学生喜欢、教师欣赏、动态发展的课程思政体系，组织开展集体备课、跨院系联合备课、优秀案例分享等活动，凝练形成具有燕山大学代表性科研成果的机械基础课程相关案例库；探索国防“科研思政”方式，培养国防优秀人才，带领鼓励青年教师和学生深入了解所在单位和科研平台发展历程、优势，引领师生在科研实践中传承发扬严谨踏实的科研品质和不惧困难、勇于挑战难题的科研精神；开设“工学讲堂”，邀请校内外优秀教师从教学、科研、研究生培养等方面，拓展学术视野、提升教学和科研技能，为践行立德树人架桥铺路。

组织引领贯穿社会服务，加快科研成果转化。党支部心系航空航天等国防现代化建设，组织教师党员团队积极承担重大国防军工项目，参与中国天眼、北斗三号、C919等研发，为我国高端前沿国防军工装备发展贡献力量。同时，坚持“开门联合搞党建、融通共促谋发展、优势共享育人才”工作思路，在学院党委的领导下，广泛深入地方、企业和协会，开展校企校际党支部共建联建活动，与中国航空工业集团、北京卫星环境工程研究所等单位建立紧密联系，为广大教师对接企业工程技术需求，服务社会发展提供渠道和平台。

“四引领四贯穿”的党建工作方法，将党建工作渗透到中心工作的各个方面、各个层次、各个领域，“坚持党建工作和中心工作一起谋划、一起部署、一起考核”，使党务与中心工作思想同心、责任同担、目标同向、落实同步，实现了党务与中心工作的深度融合、互促共赢，为服务国防军工科技发展提供了坚实堡垒。

第二节　燕山大学机械工程学院冶金机械系研究生第三党支部：全国“百个研究生样板党支部”

燕山大学机械工程学院冶金机械系研究生第三党支部2021年入选第二批全国高校“百个研究生样板党支部”，是全校率先建在科研团队上的学生党支部。党支部瞄准重型装备产业转型升级发展需求，以高质量党建为引领，紧紧围绕内涵建设与质量提升的核心任务，探索出一条以“熔炼党建‘红星’，浇铸报国‘红心’”为工作主线、以“1+5”为运行机制的特色党支部建设体系。

党支部基本情况

燕山大学机械工程学院冶金机械系研究生第三党支部成立于2011年，是全校率先建在科研团队上的学生党支部之一。党支部秉承学院“赓续奋斗精神，铸大国重器；传承红色基因，育科创英才”发展理念，立足学科60余年研发优势和产学研协同传统，依托国家冷轧板带装备及工艺工程技术研究中心与精品钢铁生产工艺装备智能化省部共建协同创新中心，“六点发力”推进党建与业务“双轮驱动”，将党支部建设成点燃青年爱国奋斗激情、面向重机行业科技前沿、服务国家战略需求、引育创新人才成长的坚强堡垒。

一共建，“锻造”载体，强组织力，突出支部政治功能。因势而新，发起校际党支部“云共建”，与贵州大学、塔里木大学、西藏农牧学院等高校云端携手，联动推进支部建设、党员成长同提升。因需而新，发力校企党支部“智联建”，着眼行业前沿，与中国一重、河钢集团、秦皇岛智能制造企业联合会等开展工程实践与学术研究合作，被全国高校思政网、河北共产党员网等媒体宣传报道。

两保障，“淬炼”信念，增凝聚力，涵育青年家国情怀。筑牢政治保障，实施三个加强。加强理论学习，开展微党课视频创作等活动，提升政治素养；加强党性修养，开展“寻访老教授，追忆奋斗史”系列活动，传承燕大品格；加强先锋意识，举办“风华机械人”评选、“小微志愿服务”等活动，59人次获国家奖学金，1人获评中国大学生自强之星。筑实组织保障，推进三个严格。

严格党员发展，制定《党员发展工作范本》，吸纳优秀学生；严格党员管理，关注出国党员意识形态建设；严格组织生活，打造“匠心为国铸重器”品牌活动，实验室开放日科普惠民6000余人，党支部成员32人赴东北老工业基地实训，寻根实践振兴重机行业。

三聚焦，“熔铸”堡垒，壮战斗力，压实学子报国本领。聚焦科技自主创新，问鼎重型机械发展前沿。参研新型高强耐磨钢和铁路轨道高锰钢，达国际先进水平，获国家技术发明二等奖2项；参与的大型筒节轧制、高纯净钢冶炼等项目，获省部级科技奖20项，其中一等奖9项。聚焦国家重大战略，助力钢铁产业转型升级。参研大型风电轴承钢等多种国家急需材料；与宝武钢、鞍钢等多家企业项目合作200余项；冷轧带钢板形仪解决世界性难题；参与制定国家与行业标准20余项。聚焦科技成果转化，引育党员本领锤炼。参与重大专项、重点研发计划等国家级课题，发表高水平论文100余篇，专利转化近百项，获国家级科创竞赛奖20余项。

【典型案例】

熔炼党建“红星”浇铸报国“红心”

一、工作背景与建设理念

党支部深入学习贯彻习近平新时代中国特色社会主义思想，认真贯彻落实习近平总书记关于研究生教育工作的指示精神，秉承学院“赓续奋斗精神，铸大国重器；传承红色基因，育科创英才”发展理念，瞄准重型装备产业转型升级发展需求，传承学科60余年研发优势和产学研协同传统，以高质量党建为引领，紧紧围绕内涵建设、质量提升的核心任务，敢于“过五关斩六将”，探索出一套以“熔炼党建‘红星’，浇铸报国‘红心’”为工作主线，以“1+5”为运行机制的特色党支部建设体系。如图6-1所示。

图6-1 党支部“1+5”运行机制模型

党支部以国家冷轧板带装备及工艺工程技术研究中心、精品钢铁生产工艺装备智能化省部共建协同创新中心为平台，有力有效推动理想信念教育与专业本领教育互融互通，教育引导青年学子有真信仰、有真本事，做到责任感强、专业扎实，有创新精神和开拓勇气，将党支部建设成点燃青年爱国奋斗激情、面向重机行业前沿、服务国家战略需求、引育创新人才成长的坚强堡垒。

二、党支部建设的主要做法

1. 强化政治引领，熔铸一颗红心

党支部重视思想政治教育，牢固政治保障，以主题党日为载体，在实践、专业、文史三个方面强化政治引领，使思想政治教育入脑入心。（1）实践教育。开展美化校园、红色影院、专业实验室科普等活动，增强成员责任感、使命感；制作抗疫视频，宣传抗疫精神，9人担任抗疫志愿者，发挥先锋作用；32人赴东北老工业基地实训，服务东北振兴战略。（2）专业教育。将思想引领融入学习、科研和日常生活，以生产模拟、研究生论坛、积分打擂等方式帮助党员了解重要时事和学术前沿，引导党员坚定科技报国信念，树立科学强国信心。（3）文史教育。通过参观爱国主义教育基地、校史馆、院史回廊、采访老教授、名师座谈等活动传承燕大精神品格，内化学术道德；善用时代题材，在抓好疫情防控同时弘扬抗疫精神，以燕山大学百年校庆、赴齐齐哈尔寻根实践等为契机，将历史与现实对比，重走建校初期奋斗路，强化爱校爱国教育，坚定“四个自信”。

2. 发力国家战略，服务中国制造

作为新中国第一所重型机械行业院校，燕大人矢志报国，创造了中国重机行业多个“首台套”，为我国重工业奠基和重机行业发展作出了杰出贡献。党支部传承燕大前辈的家国情怀，紧跟行业发展前沿，逐梦“自主创新，制造强国”，面向国家战略校准人才培养方向。成员先后参与高铁轨道钢、大型风电轴承钢、高等级汽车面板（极）薄板带钢、高品质耐磨钢等国家急需高等级金属材料研发，解决了国家紧缺技术需求，填补了国内诸多空白；与国内多家大型重点企业（宝武钢、鞍钢、河钢集团、中国一重、中铁集团等）开展项目合作200余项；在学科负责人带领下，支部成员参与研制的冷轧带钢智能型板形仪项目更是解决了世界性钢铁生产难题，达到国际先进水平。

3. 发力载体创新，推进共建联建

党支部夯实党建工作根基，发力工作载体创新，在校院党委大力支持下，开展校际党支部“云共建”，疫情防控期间，运用技术手段打破空间障碍，推进党建活动形式创新，与贵州大学、塔里木大学、西藏农牧学院等开展“东西共建云端携手，互学互促使命担当”校际党支部“云共建”，搭建东西部不同类型不同层次高校间共享共建共融网络平台，实现党支部发展建设、党员成长蜕变的耦合增量。开展校企党支部“智联建”，党支部发挥智力优势和科技特长，与中国一重、河钢集团等国企开展校企党支部“智联建”，以党建工作为切入点，以科技创新和应用为落脚点，着眼国家钢铁冶金行业前沿和关键核心技术突破，助力传统产业转型升级。相关活动被全国高校思政网、河北共产党员网等媒体宣传报道。

4. 发力制度建设，强化运行管理

党支部筑实组织制度保障建设，扎实开展“三会一课”，加强“两学一做”学习教育，深入进行“四史”教育；严党员教育制度，做到党课培训规范、学习形式多样；严党员管理制度，加强保密教育和总体国家安全观教育，关注出国党员意识形态建设；严党员发展制度，结合支部实际细化完善《党员发展工作范本》，搭建发展对象成长进步展示平台；严品牌活动建设，打造“匠心为国铸重器”品牌系列活动，涵盖微党课、科技展览、实验室开放日等内容。

5. 发力产业转型，提供技术升级

党支部充分发挥所在学科产学研一体化优势，引导青年学生积极服务传统钢铁产业转型升级，推进绿色智能化生产，为构建“双循环”新发展格局贡献力量。支部成员深度参与河钢、首钢、津西钢铁等京津冀地区钢铁企业科技合作，助力传统产业蜕变升级，为京津冀地区远离雾霾、再现蓝天白云作出贡献；以支部成员为主的课题攻关团队，与宝武钢、鞍钢等国内重点钢铁生产企业、中国一重、二重、戴卡轮毂等国内大型装备或汽车零部件生产企业长期保持交流与合作，助力企业智能化生产与数字化制造。

6. 发力科技转化，引领行业前沿

党支部坚持胸怀两个大局，做到对“国之大者”心中有数，通过鲜活生动的形势任务教育和思想政治工作，激励引导青年学生攻克关键核心“卡脖子”“撒手锏”技术。参研的板带轧制、先进金属材料制备关键技术、数字化设计与制造、智能化绿色生产等均处于国内一流水平，科研成果在河钢集团、宝武钢集团、鞍钢集团等国内大型钢铁企业转化为实际生产。参与的大型筒节轧制及热处理控形控性一体化技术，突破传统锻造工艺瓶颈；参与研制的新型高强耐磨钢板和铁路轨道用高锰钢达国际先进水平。

第三节　燕山大学机械工程学院机电控制工程系研究生第一党支部：全国党建工作样板党支部

燕山大学机械工程学院机电控制工程系研究生第一党支部，2019 年入选第二批“全国党建工作样板支部”培育创建单位，2022 年顺利通过验收。党支部切实增强政治功能，重点从“系统工程统筹规划、云端共建创新育人、先优典型榜样带动、科研工作夯实基础”四个方面发力，瞄准国之重器及“卡脖子”技术攻坚克难，相关研究成果应用于国家风能清洁能源、航天器对接、C919 大飞机等重大项目。

一、工作基础

燕山大学机械工程学院机电控制工程系研究生第一党支部成立于 2011 年，支部结合研究生学习科研实际，按照科研团队纵向跨年级设置，由研究生机控 1 班和 2 班组成。

党支部在校、院党委的领导下，坚持以马克思列宁主义、毛泽东思想、邓小平理论、“三个代表”重要思想、科学发展观和习近平新时代中国特色社会主义思想为指导，深入学习贯彻党的十九大精神，扎实开展“两学一做”学习教育，坚持对支部成员进行政治理论教育，不忘党的初心，牢记党的使命，严格按照党组织的要求创造性地开展工作，真正将党支部建设成为党基层工作的强有力战斗堡垒，打造党支部建设“领航工程”。党支部采取多种措施，开展特色活动，取得良好效果。

（一）“三会一课”是“航线”，长效教育设目标

党支部以落实“三会一课”制度为切入点，开展每季度 1 次党员大会、每月 1 次支委会和党小组会、每季度 1 次党课，搭建了“三个课堂”学习教育实践平台，将“两学一做”学习教育机制常态化。理论学习课堂：开展“先锋讲堂”，精心设计“党课我来讲”“党课请你讲”“党课大家讲”三种模式，切实提升党员的理论水平。求是交流课堂：定期开展学习主题征文、重温入党誓词、手写党章、时事政治之我见、习近平总书记系列重要讲话精神座谈会等活动，引导党员深入思考。争先创优课堂：设立“党员先锋岗”，鼓励党员主动为学院和支部作贡献；设置党员先进标志，要求党员参与活动亮明身份，树立党员在同学中的先锋形象。

（二）党员管理是“罗盘”，严格培养作表率

党支部严格按照“控制总量、优化结构、提高质量、发挥作用”的党员发展总要求，把政治标准放在首位，有计划地保证发展党员的程序和步骤依规有序进行。构建立体化党员发展考核机制，创新性引入发展党员答辩环节，开展“成长进步公开展示”，严把党员发展质量关。近三年来，党支部累计新发展党员 13 人，确定入党积极分子 72 人，转出毕业党员 32 人，转入新生党员 25 人。支部党员及时足额上缴党费，党组织关系和党籍管理严格规范。党支部通过不断地教育引导，充分发挥研究生党员的先锋模范作用，近三年来，支部党员在班级占比一直保持在 35% 左右，班、团干部均由党员担任；在各科研平台中，党员均是骨干成员；在各课题小组项目中，负责人也均由党员挂帅；校、院的文体赛事，党员也积极打头阵、作表率。

（三）支部建设是“引擎”，监督服务有成效

党支部始终坚持把纪律和规矩挺在前面，实行“三会一课”备案单、党日活动记录单、党员帮扶指导单的“三单制”，规范活动程序；在支部委员模范遵规守纪的基础上，对各种不良现象和行为，发现后及时纠正和制止，不让问题扩大化和严重化，利用各种场合和会议，及时提醒和督促广大党员守住纪律红线。党支部组织开展“重温经典——《党章》系列学习活动”，开展党员的权利义务教育，让广大党员明确做合格共产党员，重在日常，贵在有恒，成在自觉。党支部严格组织生活，严肃认真开展批评与自我批评；党员主动建言献

策，对支部委员和党支部活动提出各种意见和建议。在新生报到、导师选择、科研项目申报等环节，党支部内开展党员“一帮一”活动，老党员带新党员，老生带新生，帮助他们尽快适应新的学习和生活。党支部内已经形成了有问题找党员、有困难找支部的良好工作局面。

（四）党日活动是“船桨”，实践育人有力量

党支部按时开展形式多样的主题党日活动，以理想信念教育为核心，以社会主义核心价值观为引领，深入学习宣传中央精神和各级党组织决议决策，加强研究生党员的党性教育，强化纪律意识。党支部注重实践育人，深入开展实践党课教育，组织美化校园、实验室安全大排查、红色影院、温情敬老院等活动，引领广大研究生党员在实践中提高觉悟。另外，党支部结合专业特色开展系列主题党日活动，将思想引领和价值观塑造有机融入研究生学习、科研和日常生活，以组织视频学习、交流研讨、博士论坛、学习强国学习平台积分赛等方式帮助党员了解国内重大科技成果和学术前沿，引导研究生党员坚定科技报国的信念，树立科学强国的信心。

（五）内外宣传是“风向标”，及时教育重引导

党支部及时运用校、院专题网站、党建信息平台以及微信、QQ 等信息化手段开展学习宣传，精准地将上级的会议精神和要求传达给每一名支部党员，及时总结支部成果在学校党建信息平台——“燕铭红韵”中进行展示和宣传。近三年来，在学校、学院等各类平台累计宣传陈立娟等先优党员、典型人物 10 余人次。支部多名党员和团队的优异表现先后被多家主流媒体报道。支部党员巴凯先参与纵向课题 14 项，以第一作者发表 SCI 论文 10 余篇，作为燕山大学 2017 年大学生年度人物获搜狐网专题报道；支部曹晓明等 6 名党员参加的科研项目“液压元件及系统轻量化设计制造新方法”，获国家重点研发计划项目资助；支部史俊强等 6 名党员的科研团队，参加 C919 飞机液压管路应力分析工作，赢得上海飞机设计研究院高度认可，并获河北新闻网的报道；支部党员王东坤带领的“机器人液压系统设计及控制创新团队”，科研成果填补了国内空白，事迹在网易予以报道；以支部党员为主体组织承办的燕山大学（东重）液压专业创立四十周年庆典，获得凤凰资讯专题报道。

（六）组织凝聚是“风帆”，齐心协力跟党走

党支部不断加强对研究生党员的思想政治、道德品质、科研能力等综合素质的培育引导，使广大学生在学习、生活、科研中，有方向、有目标。在各种校、院的赛事活动、志愿服务和大型学术会议中，支部组织党员成立志愿者小分队，敢于付出和无私奉献的精神深受师生们好评；支部经常组织篮球比赛、素质拓展等活动，增进支部成员凝聚力。在科研项目申报中，支部鼓励党员勇于承担国家产业发展紧缺和空白项目，在C919大飞机、风力发电、重型机械、液压装备和关键零部件产业的科研项目申报和成果转化中屡有突破，党员的带头示范作用明显，形成了协同奋进的良好组织环境。支部党员带头参与科学研究项目，近三年来，支部成员共参与国家级纵向课题46项，横向课题114项，发表学术论文140篇（其中SCI检索37篇）。在党员的模范带动下，支部呈现出崇德向善、见贤思齐的良好精神风貌，研究生机控2班（支部第2党小组）多次获评河北省“先进班集体”、燕山大学“优秀文明班级”、燕山大学“优秀团支部”的荣誉称号；研究生机控1班团支部（支部第1党小组）获评燕山大学机械工程学院“优秀团支部”的荣誉称号。

（七）乘风破浪勇向前，支部党员争先锋

2016年以来，党支部的前后三任党支部书记郭海鑫、白如霞和娄文韬，守信念、重品行、有本领、敢担当、讲奉献，三人工作突出，分别获得过院级、校级和省级表彰。其中，郭海鑫获2016年校级优秀学生干部，2018年河北省优秀毕业生；白如霞获2017年度校优秀共青团干部，2018年校级优秀共青团干部，2019年河北省优秀毕业生；娄文韬获2018年院级优秀共青团干部。近三年来，支部成员中10人次获得国家奖学金，其中，陈立娟连续2年获评；13人次获河北省“优秀毕业生”“三好学生”等省部级以上荣誉；刘艳娇等2名同志获2016年河北省第四届创新创业大赛一等奖；巴凯先等2名同志分获2016年和2017年“河北省科技进步一等奖”；曹晓明获2018年第八届全国大学生电子商务“创新、创意及创业”挑战赛总决赛三等奖；娄文韬获2019年河北省研究生数学建模一等奖，2019年挑战杯河北省二等奖，2019年“互联网+”大学生创新创业大赛河北省冠军；袁龙获2019年“互联网+”大学生创新创业大赛红旅赛道河北省金奖；寇成浩获2018年河北省研究生数学建模二等奖。

二、建设总体思路与目标

以贯彻党中央各项政策方针为指引，落实新时代高校党建“双创”工作精神，做好学校和学院党委的有力战斗堡垒，燕山大学机械工程学院机电控制工程系研究生第一党支部在继续开展“领航工程”的基础上，打造双创工作“征途工程”，再一次出发：我们的征途是星辰大海。

党支部秉承落实学院“赓续奋斗精神，铸大国重器；传承红色基因，育科创英才”的发展理念，明确支部思想建设、组织建设和特色建设“三足鼎立”的建设目标，筑牢思想根基；稳固树立政治、制度、精神“三大保障”，夯实基础工作；扎实铺就培训、发展、教育“三条主路”，突出特色建设；充分驾驭业务、科研、情怀“三驾马车”。

不忘筑基层堡垒战斗先锋之初心，不忘建党初期将支部建在连队的初心，做党的政策方针的坚定执行者，做国家发展建设需要的螺丝钉，做学校学院进步发展的排头兵，做学生学习生活奋斗指引的北斗星，扎扎实实作表率，真真切切在行动。

牢记担家国情怀接续奋斗之使命，牢记新时代青年之历史使命，坚持党的领导，突出专业特色，服务国家重型机械装备制造，打造大国重器，将个人发展与国家需要紧密结合，树立家国情怀，勇接时代接力棒，做大国有为青年。

三、建设方案

（一）筑牢思想建设根基，为征途指引方向

1. 坚持党的领导，突出政治保障功能

政治功能是党组织的首要功能，要把政治保障放在首要位置，坚持党的领导，确立党组织的领导核心地位和作用。一是增强政治意识，加强理论学习。通过落实党支部“三会一课”、组织生活会、主题党日、支部特色活动等形式，引导支部成员坚定“四个自信”，自觉做到“两个维护”，把握住意识形态工作主导权。二是强化政治领导，明确政治职责。党支部书记是支部建设第一责任人，支部委员要贯彻民主集中制，明确分工，党小组长推动责任落实和任务完成，全体党员要坚定落实党组织的规定，完成党组织交给的任务。三是突出使命担当，保证政策落地。“加强党的基层组织建设，关键是要抓好落实。”要把

党对教育事业的领导、贯彻立德树人的根本任务，实现教育和科技发展在中华民族伟大复兴中的重要使命在基层一线宣传贯彻落实到位，持之以恒抓基层、打基础，做党的工作最坚实的力量支撑。

2. 加强制度建设，确保制度保障功能

不断完善党支部的各项规章制度，保证有制可依，有制必依，守制有奖，违制必究，确保制度的保障功能。一是有制可依，坚持学习党的相关组织条例和工作章程，扎实推进“三会一课”有效开展，结合支部工作实际，创新学习形式，广泛开展移动端等新媒体和“学习强国”学习平台学习竞赛。二是有制必依，严格执行学院党委“136”工作要求，做到每月进行“两学一做”汇报、每季度对“三会一课”工作汇报、每半年《支部手册》迎接学院抽查。三是守制有奖，完善考核机制，对党支部的规定和任务落实到位的成员提出褒奖，在党建工作平台宣传展示，建设先优党员示范岗，开展优秀发展对象“成长进步展示”、先优党员进行“党员树形象、校园先锋行”专题报道。四是违制必究，加强监督和纪律教育，在继续落实完善党支部建设“三单制”的基础上，开展支部工作自查自纠，支委会每学期开展一次工作反思会，学年末工作总结会，党支部书记参加年末“党支部书记公开述职答辩”，实现从严监督和激励约束相统一。

3. 植根“燕大精神”，锻造精神动力保障

燕山大学建校溯源一百年，独立办学一甲子，特有的奋斗精神和红色基因，是燕大学子植骨入髓独具特色的精神动力。党支部按照校院党委要求，不断强化全体成员的精神力量，加强校史教育和精神传承。一是校史校情教育。组织支部成员进行校史院史学习，了解学校白手平地起家、整校异地南迁、创业腾飞的发展历程，将学校发展与国家发展相融合。建校百年来的艰辛与成就也是国家发展的缩影，我们与祖国同呼吸共命运。二是感悟燕大精神。作为燕山大学龙头学院和王牌专业，在校院发展和专业建设中，燕大机械人接续奋斗，负重图强，凝练出“艰苦奋斗、严谨治学、求实创新”的燕大精神。通过校史讲座、校友座谈、退休老教师访谈等形式，引导当代师生感悟燕大精神内涵，感受燕大精神力量。三是履行责任担当。在新的历史时期，引领支部成员弘扬燕大精神，践行个人发展与时代使命相结合，从今天起，从眼前起，从小

事起，在奋斗中摸爬滚打，将燕大精神与国家民族复兴的伟大梦想相结合，植骨入髓，入脑入心。

（二）夯实组织建设基础，为征途保驾护航

党的基层组织是党执政的组织基础，担负着直接教育党员、管理党员、监督党员和组织群众、宣传群众、凝聚群众、服务群众等重要职责。基础不牢，地动山摇。在党支部组织架构长期稳定的基础上，加强支部的组织建设就是带领支部成员在培训、发展、教育工作中铺路搭桥，这也是开展组织建设必须修好的“三条主路”，如此才能为征途保驾护航。

1.“培训路”：党员发展前的教育培训

党支部重视成员入党前的教育培训，做好思想引领，引导他们坚定跟党走。一是加强党史学习。开展徐川老师“顶天立地谈信仰”专题学习研讨会、“学习强国”学习平台积分竞赛、“手抄《党章》”我来学等活动，将移动端新媒体、互联网和传统考试考核方法相结合，拓展学习渠道，知晓来时的路。二是丰富学习形式。除了传统的强化教育、书本学习，不断融入新的时代元素，开展网络学习，加强移动端、微博微信客户端建设，开展志愿服务和社会实践、要求他们参加先进典型报告会等多元化学习活动，并不断探索新的学习途径。三是拓展教育阵地。发挥课题室党小组的战斗支点作用，强化组织教育阵地；积极申请设置会议室兼做支部党员活动室等线下教育阵地；利用学校“燕铭红韵”平台和学院微信客户端党建家园构建线上教育阵地，以期形成全面、立体的教育阵地格局。四是强化基础考核。在支部考察的基础上，开展党的基本知识“应知应会考试”，对入党积极分子在以上途径中的学习成果进行封闭式考试考核，作为支部考察发展对象的重要参考依据，成绩公开公布，接受师生监督。

2.“发展路”：党员发展中的先优展示

对拟发展的对象，开展“成长进步展示”活动，在接受广大师生监督的同时也扩大了党组织的影响力。一是发展对象公开展示。将发展对象在学习、科研、生活等领域取得的成绩在学校“燕鸣红韵”“两学一做”学习教育网站和学院微信客户端“党建家园”进行公开展示，接受广大师生监督。二是发展对象确定过程公开。在支部考核的基础上，开展“发展对象成长进步展示”公开答辩，由党委副书记、辅导员和党支部书记组成联合评委会，择优推荐优秀发

展对象参加党校学习。三是发展对象名单公开。依据党校考核成绩，严格按照组织要求及时公开公示拟发展对象名单。

3.“教育路”：党员发展后的教育考核

以增强党性、提高素质为重点，扎实开展教育培训工作，提高党员队伍整体素质；对支部新发展党员和老党员进行教育和考核，建立党员再教育长效机制。一是新发展党员的再学习。继续开展新发展党员服务全院师生的小微志愿服务活动，做好学院日常工作运行运转的润滑剂，保证服务时长每学期不低于100小时。加强党校学习培训，完善学习内容，拓展学习形式，在课堂理论学习的基础上，开展“红色影院”爱国主义影视展播、社会实践、“创城创卫”献力活动，不断增强新党员的党性意识。二是老党员的再教育。支部老党员是支部的主力和中坚，对老党员进行再教育，不断加强他们的政治素养，要坚持以学促做，引导广大党员“回味初心”，增强“四个意识”，按照党员标准严格要求自己，做合格共产党员。充分发挥党员的思想引领、模范带头、行为促进作用，带动支部其他成员团结奋进，增强支部凝聚力和战斗力。

（三）提升特色建设高度，为征途提速增量

作为党在基层最坚实的支撑力量，支部持之以恒打基础，发挥基层党组织战斗堡垒作用和党员先锋模范作用。支部工作也不断提升特色建设高度，开展形式多样、内容丰富、领域宽广的特色活动，驾驭支部业务精进、整体科研能力提升、成员心有家国情怀“三驾马车”齐头并进，为征途提速增量。

1. 第一驾：“打铁必须自身硬”，支部业务要精进

（1）理论学习与社会实践相结合

要坚持思想建党、理论强党，坚持学思用贯通、知信行统一。参加学院理论研修班，协助开设专题理论课程体系、结构化研讨交流，继续开展我的“微党课”视频大赛、社会调研报告、毕业论文与答辩等环节，建立跨越全年的理论学习、实践和考核的课程体系。不断巩固和加强政治理论学习，把理论和实际工作相结合，用政治理论的哲学思维去指导日常工作。工作目标是巩固马克思主义在高校意识形态领域的指导地位，加强思想政治引领。

（2）文化育人与支部建设相结合

文化自信是更基本、更深沉、更持久的力量。文化兴国运兴，文化强民

族强。建立以文艺文化活动为载体的团队精神培养体系。举办党支部与专业教师共同参与的诗文创作、文艺展演、专业周年庆典、百年校庆筹备、趣味运动会、体育竞技和素质拓展等活动，加强党支部成员交流融通，团队协作，凝练文化，传承精神。

（3）朋辈教育与精神传承相结合

建立以朋辈交流访谈为途径的精神传承体系。借助建校溯源一百年、独立办学一甲子的有利契机，邀请专业知名校友回校回访，开展交流沟通。对专业资深博导教授开展访学访谈，开展技术学习与人文交流。主动参与校史院史梳理和撰写，加深对学校的校史教育和情怀担当，积极参与校史馆的建设筹备，深入了解学校发展大事记。

2. 第二驾：“新征程大有可为”，科研能力要提升

（1）点的雕琢，主动成才意识的培养和引领

优秀党员成长培养。以支部优秀党员为点，为优秀人才培养提供良好的成长环境和发展机遇，促成他们在更高层次更深领域不断进步成长，不断加强对他们的爱国主义宣传教育，引领他们主动成才。在国家亟须和空白领域，鼓励学生党员在导师指导下联合攻关，合力打造大国重器。

（2）以点带线，党员模范作用的发挥与带动

优秀党员带动骨干。以优秀党员成长进步为点，带动支部内党员和普通学生骨干共同进步。在科研项目申请、课题立项、重大横向项目攻关等领域，形成优秀党员为龙头、骨干学生为主力的以点带线模式。

（3）以线带面，重大科技专项的历练与贡献

支部成员全面提升。在国家重大科技专项等大项目带领下，学生骨干力量利用支部跨年级组合的优势，以老带新，以先进带后进，以个人发展带动整体进步，支部全体成员全面提升，形成“点的雕琢、以点带线、以线带面”的全方位发展格局，实现“一个也不少”，促进支部整体素养与能力提升。

3. 第三驾：“我们都是追梦人”，家国情怀勇担当

（1）社会担当的情怀培养

习近平总书记指出：“青年是祖国的前途、民族的希望、创新的未来。青年一代有理想、有本领、有担当，科技就有前途，创新就有希望。”支部不定

期邀请知名校友来校推进项目合作、开展学术交流，努力拓展横向课题研究方向，积极服务社会企业发展，在学习中不断开展社会实践项目，寓教于学，寓教于练。

要有探索真知、求真务实的态度，在立足本职的创新创造中不断积累经验、取得成果。在科研重大项目攻关和个人未来发展中，教育引导学生将个人发展与国家需要相结合，把个人的青春梦融入民族的中国梦，既做个人梦想的追梦人，也是国家发展的追梦人。把学到的本领奉献给祖国和人民，让青春之光闪耀在为梦想奋斗的道路上。

要有逢山开路、遇河架桥的意志，为了创新创造而百折不挠、勇往直前。要树立一天燕大人终生燕大魂的奋斗理念，发扬“艰苦奋斗、严谨治学、求实创新”的燕大精神，坚定信仰，树立信心，敢打必胜，以勇于拼搏的奋斗精神秉承先辈遗志，在奋斗的青春中展现最美丽的自己。用青春书写无愧于时代、无愧于历史的华彩篇章。

（2）社会化公益服务活动

建立以社会公益服务活动为载体的价值观培养体系。配合教工党支部延续开展实验室社会开放日、科技扶贫社会实践、中小学科技作品展演等活动，践行我党为人民服务的根本宗旨，同时宣传学校和学科实力，展现当代青春大学生的时代风采。

新时代的长征，我们永远在路上，向着梦想再出发：我们的征途是星辰大海。

四、重点任务完成情况

在校院党委和支部委员会的领导和推动下，燕山大学机械工程学院机电控制工程系研究生第一党支部（以下简称机控一支部）深入贯彻习近平新时代中国特色社会主义思想和党的十九大精神，落实新时代高校党建“双创”工作要求，做好学校和学院党委的有力战斗堡垒，按照组织要求打造“七个有力”的坚强团队，以点带面发挥引领作用，示范性带动校院党建工作全面进步。

（一）教育党员有力

1. 政治挂帅，始终坚持党的领导

机控一支部始终坚持把讲政治放在首位，牢记政治功能是党组织的首要功能，在各项工作中确立党组织的领导核心地位和作用。严格落实“三会一课”制度。通过认真开展“不忘初心、牢记使命”主题教育，推进“两学一做”学习教育常态化制度化，引导支部成员坚定“四个自信”，自觉做到“两个维护”，做好上传下达的关键枢纽，把握住意识形态工作主导权。不断强化政治领导，权责分明。党支部书记虽然由学生党员担任，但始终是支部建设第一责任人，支部委员会贯彻民主集中制，分工明确，依据科研团队设置 2 个党小组，以党小组组长和党员骨干推动责任落实和任务完成，宣传党的路线方针政策，执行上级党组织及党支部的决议，保证支部成员始终在思想上、政治上、行动上同以习近平同志为核心的党中央保持高度一致。

2. 催人奋进，讲好百年精神教育

机控一支部利用 2020 年燕山大学百年校庆、2021 年中国共产党百年华诞的有利契机，挖掘母校燕山大学“建校溯源百周年，独立办学一甲子”独特的奋斗精神和红色基因；在喜迎建党 100 周年之际，学习中国共产党创立以来艰苦卓绝、不懈奋斗的辉煌历史，或独立或合办或参与各项庆祝大活动 11 场，累计组织支部成员 430 多人参与，录制专题视频 2 部，协拍视频 2 部，增强了支部成员的荣誉感和使命感。

在这两大历史机遇中，机控一支部首先着力加强历史教育。组织支部成员进行校史党史学习，了解学校白手平地起家、整校异地南迁、创业腾飞的发展历程；了解中国共产党自创建以来革命、建设、改革的百年奋斗历程，将校史与国家需要相融合，将党史与国家发展相结合。其次是引导大家通过相关历史的学习感悟精神内核。通过对校史和党史的学习，着重引导支部成员将校史和党史中的精神因素内化为个人发展的精神动力，引导当代师生感悟精神内涵，感受中国力量。最后学习和感悟最终要落实责任担当。引领支部成员弘扬燕大精神、传承中国共产党百年以来不忘初心、全心全意为人民服务的精神，树立党员的历史使命感和责任感，践行个人发展与时代使命相结合，将事业和精神追求与国家民族复兴的伟大梦想相结合，鼓励支部成员积极参与国家重大工程项目，在 C919 大飞机、航天器对接等国家发展需要的尖端领域中实现人生价值。

（二）管理党员有力

机控一支部特别注重学生党员的发展、管理和培训工作，以党员发展为切入点，在发展前、发展中和发展后三个阶段针对不同对象分别开展组织教育，将支部成员在不同阶段都强有力地组织在一起：在入党积极分子阶段通过党课、自学、考试、一帮一、小组学习等开展党的基本知识培训教育，走好理想信念之路；在发展党员时集中进行先优展示，主动接受群众监督，走好榜样模范之路；党员发展后及时组织开展小微志愿服务，为学院、师生活动提供志愿服务，并列入党员的教育考核指标，纳入预备期考察项目，走好砥砺奋进之路。

1. 铺就理想信念路：注重党员发展前教育

机控一支部十分重视成员入党前的教育培训，在复杂的社会环境下坚持思想改造，不断端正申请人的入党动机，趋大义而非趋小利，逐步树立共产主义信仰，帮助申请人树立崇高的理想信念。支部按照计划，首先加强党史再学习。开展了“顶天立地谈信仰”专题学习研讨会，在学院微信公众号发表符合学生时代特色的作品 13 部。 其次开发培训多平台。支部融入新的时代元素，开展网络培训、定点签到、定时签到，加强微信客户端等移动端的开拓，开展 2021 年假期返校疫情防控志愿服务和社会实践、要求成员参加先进典型报告会等多元化学习活动，不断探索新的培训途径平台。再次拓展教育新阵地。发挥课题室党小组的战斗支点作用，强化组织教育阵地；积极申请设置会议室兼做支部党员活动室等线下教育阵地；利用学校“燕铭红韵”平台和学院微信客户端“党建家园”构建线上教育阵地，形成全面、立体的教育阵地格局。最后强化基础重考核。在支部考察的基础上，开展党的基本知识“应知应会考试”，对入党积极分子在以上途径中的学习成果进行封闭式考试考核，作为支部考察发展对象的重要参考依据，成绩公开公布，接受师生监督。

2. 打造榜样示范路：加强党员发展中择优

机控一支部对支部考察中表现突出的入党积极分子，首先开展“成长进步展示”，利用支部 QQ 工作群、学校“燕铭红韵”党建工作平台展示其学习工作生活，梳理好榜样示范效应，接受广大师生监督。同时做好拟发展对象确定三步走：首先是成就公示。支部将拟发展对象的确定标准及其在学习、科研、生活等领域取得的成绩在支部工作 QQ 群、学院微信客户端“党建家园”栏目进行公开展示，接受广大师生监督。其次是过程公开。在培养人对其日常教育、引导和考核的基础上，开展“发展对象成长进步展示”公开答辩，由辅导员、支委会、骨干党员组成联合评委会拟定推荐名单给支部委员会研究，并在党员大会讨论通过，由支部委员会依据发展名额择优确定优秀发展对象参加党校学习。最后是结果公平。依据上述工作方法确定的发展对象，近年来无一例上访举报，实现了党员发展零投诉的良好局面，也在支部内形成了积极向上的工作氛围。

3. 建设砥砺奋进路：强化党员发展后考核

机控一支部对新党员加强再学习。继续开展新发展党员服务全院师生的小微志愿服务活动，做好学院日常工作运行运转的润滑剂，保证服务时长每人每学期不低于 10 小时，创建以来累计提供各类志愿服务 630 多小时量。加强党校学习培训，在课堂理论学习的基础上，开展“红色影院”爱国主义影视展播、社会实践、“创城创卫”献力活动，不断增强新党员示范带头意识。支部对老党员强化再教育。支部老党员是支部的主力和中坚，不断加强他们的政治素养，引导广大党员“回味初心”，增强“四个意识”，按照党员标准严格要求自己，做合格共产党员。充分发挥党员的思想引领、模范带头、行为促进作用，带动支部其他成员团结奋进，增强支部凝聚力和战斗力。

（三）监督党员有力

机控一支部坚持不断加强制度建设，坚持把纪律和规矩挺在前面，监督党员履行义务、遵规守纪，保证有制可依，有制必依，守制有奖，违制必究，立好规矩。做到有制可依，坚持学习党的相关组织条例和工作章程，扎实推进“三会一课”有效开展，在“学习强国”平台开展学习积分竞赛，多年在发展党员工作中不仅无一例违规发生，更是创造推广了党的基本知识考核、党建材料范本等多项新举措。严肃有制必依，严格执行学院党委“136”工作要求，做到每 1 个月进行“两学一做”汇报、每 3 个月对“三会一课”工作汇报、每 6 个月《党支部手册》迎接学院抽查，《党支部工作手册》更成为全院学生支部填报记录的典范。明确守制有奖，完善考核机制，在党建工作平台宣传展示，建设先优党员示范岗，开展“党员树形象、校园先锋行”专题报道20余人次；涌现出河北省“冀青之星”朱琦歆、省级优秀毕业生娄文韬等多名优秀党员代表。强调违制必究，加强监督和纪律教育，经常性开展支部工作自查自纠，支委会每学期开展1次工作反思会，学年末工作总结会，支部书记参加年末“党支部书记公开述职答辩”，支部党员大会不定期开展批评和自我批评，党支部在每年召开1次组织生活会和民主评议会，让批评和自我批评成为工作常态，认真查摆和解决问题。

（四）组织师生有力

机控一支部以科研团队为组建基础，成员包括硕士、博士、不同年级不同行政班级，既跨年级也跨层次，带动各个层级的成员积极投身科研，执行党的政策决定，在集体中培育践行社会主义核心价值观是党支部一直以来都很重视的重要工作。

机控一支部建立在学院科研团队的基础上，支部联系对应教工党支部，把思想价值引领贯穿支部党员的论文选题、科研立项等中，在实践中塑造成员的价值观念。

（五）宣传师生有力

1. 对内奖优促学树榜样

机控一支部注重树立优秀党员形象，加强先优典型宣传报道。支部组织近3年新发展60余名预备党员进行“成长进步展示”，全部参加预备党员小微志愿服务活动，为学院正常运行、疫情防控、实验室开放日等专题活动提供人力资源服务。优秀的集体才能孕育出优秀的个人。在学院微信公众号、学校“燕铭红韵”“党建平台”等宣传阵地树立宣传河北省冀青之星朱琦歆、省级优秀毕业生娄文韬、受企业突出表彰的优秀毕业生白如霞等学习、学业、科研和（防疫）志愿服务先优典型等个人25人次。2021年7月1日，支部党员朱琦歆同学代表河北省新发展预备党员，参加了建党百年在西柏坡进行的新党员入党宣誓仪式，并做代表发言，被河北电视台《河北新闻联播》和中央电视台《新闻联播》专题报道。

2. 对外互学互促树形象

在抗击新冠疫情中，支部化不利因素为有利因素，在学院党委的大力支持和

“机思广益”党建思政工作室的协助下，参与开展“东西共建云端携手，互学互促使命担当”的高校间支部云共建活动，与贵州大学、西藏农牧学院、塔里木大学等开展四校五支部互学互鉴的支部云共建活动。本次活动各个高校都很重视，隆重召开了启动仪式，开展支部间自我介绍，联合开展活动，共上“云端党课”等。疫情防控期间，党支部的理论学习、主题党日、志愿服务等组织生活积极采用线上开展新形式，在更广阔的物理空间内开展。特殊时期下的组织生活形式为学生党支部的“云共建”活动提供了新思路，也打开了一扇互相学习的窗口，提供了不同高校间党支部互相学习取长补短共同进步的崭新途径。

支部的云共建活动有了良好的开端，学院冶金机械系研究生第三党支部也参与了支部云共建，本科党支部又先后和合肥工业大学等原机械工业部四小龙高校继续开展支部云共建，教工党支部也以此模式与中国一重、中电科集团等开展了智联建，共建活动如火如荼，并逐渐扩展。

（六）凝聚师生有力

支部将大家拧成一股绳，加强文化和精神传承，齐心合力创品牌。文化育人与支部建设相结合：支部继续开展我的“微党课”视频大赛，并于2021年首次提升到学校层面学校主办学院承办，全校收获短视频300多部，学生的创新创作潜力被极大激发。支部与专业教师共同参与毕业文艺展演、专业周年庆典、百年校庆筹备、学院趣味运动会、体育竞技和素质拓展等特色活动，加强党支部不同小组和团队成员交流融通，团队协作；朋辈教育与精神传承相结合；借助建校溯源一百年，独立办学一甲子的有利契机，邀请专业知名校友回校回访，开展交流沟通。对专业资深博导教授开展访学访谈，开展技术学习与人文交流。主动参与校史、院史、学生党建历程梳理和撰写，提供志愿者，加深对学校的校史教育和情怀担当，积极参与校史馆、组织生活馆的建设筹备，了解学校发展大事记。

（七）服务师生有力

支部不定期邀请知名校友来校推进项目合作、开展学术交流，努力拓展横向课题研究方向，校企联合共创发展，积极服务社会企业发展，在学习中不断开展社会实践项目，寓教于学，寓教于练。要有探索真知、求真务实的态度，在立足本职的创新创造中不断积累经验、取得成果。支部成员参与了多项国家建设、国防领域的重大专项活动，与多家企业进行了横向课题研究，成果丰硕。支部建立以社会公益服务活动为载体的价值观培养体系，配合教工党支部延续开展实验室社会开放日、科技扶贫等社会实践类活动，选派支部优秀成员参加“寻根实践、振兴东北”研究生实训团，到母校发源地参加北满特钢等企业生产实训。志愿公益体现价值。支部成员不仅在校内积极参加小微志愿服务，还在疫情防控期间积极协助学校组织同学们返校进校，在专业液压实验室开放日接待超过2000名校内外师生群众参观，并被多家新闻媒体报道，践行了我党为人民服务的根本宗旨，同时宣传了学校和学科实力，展现了当代青春大学生的时代风采。

五、重要措施落实情况

（一）在党建工作体制机制、组织机构、专职队伍建设等方面有关政策的落实情况

支部深入贯彻落实燕山大学党委深入推进的学生党支部“华章行动”，立足当代大学生时代特征，以“红色梦想，谱我华章”为主题开展学生党支部创建活动；参与落实学校党委的“基层党组织组织力提升工程”，加强基层党组织建设，激发基层党组织积极性、主动性、创新性，为基层党组织开展工作搭建平台、提供支持；落实实施全校党组织“对标争先”建设计划，针对学生党支部建设标准，推进党组织“对标争先”的方针、要求、程序以及培育等方面的工作。

燕山大学机械工程学院有着浓厚的党建工作氛围，为支部构建了良好的工作体制机制。在学院党委的坚强领导下，秉承“赓续奋斗精神，铸大国重器；传承红色基因，育科创英才”的发展理念，支部严格落实“三会一课”制度、深入开展“两学一做”学习教育，营造了以党建促学习科研、以党建促成长成才的良好工作机制。

校院两级党委高度重视党建工作，鼓励和支持党建课题立项，鼓励开展党建特色阵地建设和特色党建活动，为开展党建“双创”工作积累了大量经验，指定了专门的指导教师，也是对学院党建工作持续深入开展的重要政策保障。

（二）在资源投入、硬件设施、经费支持、条件保障等方面有关措施的落实情况

1. 资源投入：在人力资源方面，机电控制工程系研究生第一党支部委员会委员 3 人，党小组 2 个，投入了大量的时间和精力开展党建工作。同时，燕山大学机械工程学院党委为党支部配备了 1 名专业教师和 1 名辅导员作为党支部活动开展的指导教师，指导支部委员高效高质量地完成党建工作。

2. 硬件设施：党支部配备了 1 个党员活动室、1 个综合会议室，为开展集中性党员活动提供专门场所。同时，学院的其他公共场所、实验室及办公室也为党建活动提供了必要支持。支部还购置了笔记本、摄影器材等硬件设备，利用学院专门的党建信息平台和新媒体开展思想政治学习宣传教育。

3. 经费支持：学校为党支部配套一定经费，作为开展党建“双创”工作的必要支持，具体用途主要包括党员活动室建设、科技竞赛活动资助奖励、校内培训、学习教育、宣传品制作、设备设施采购、日常办公及资料费等。

4. 条件保障：校院党委高度重视。学校和学院两级党委一直高度重视基层学生党建工作，学校党委做好顶层设计，学院党委长期重视党建工作，成绩突出，营造了极为优良的工作环境和氛围。党支部委员会的工作态度和能力。党支部委员会的 3 名同志团结合作，分工明确，确保了党支部党建工作的有序开展。党员的基本素质和政治觉悟。党支部可以全面调动全体党员积极性，能够全员共同参与党建“双创”工作，形成规模效应。

（三）在申报时提出的有关创建思路、建设措施等方面的落实情况

党支部秉承落实学院“赓续奋斗精神，铸大国重器；传承红色基因，育科创英才”的发展理念，明确支部思想建设、组织建设和特色建设“三足鼎立”的建设目标，筑牢思想根基；稳固树立政治、制度、精神“三大保障”，夯实基础工作；扎实铺就培训、发展、教育“三条主路”，突出特色建设；充分驾驭业务、科研、情怀“三驾马车”，开展特色校际支部云共建活动。

（四）在机制创新、实践创新、方法创新等方面的落实情况

1. 继续开展特色活动

机控一支部利用现有条件，继续开展特色活动：支部以学院微信公众号“党建家园”专栏为根据地，开展“谈信仰”专栏 13 篇，用适合当代青年学生

语境的“谈信仰”系列马列基本知识宣讲，实现与燕山大学“燕铭红韵”专题网站“官民结合”的互补效应；持续开展“微党课”视频大赛，并由支部发展到学院级活动，2021 年发展为全校性党建活动竞赛，120 多个学生党支部参加，收获 300 多部视频作品。

2. 开展校际支部云共建

在疫情防控期间，支部在学院党委和“机思广益”工作室帮助下探索实践校际党支部云共建模式。党的十九大报告中指出要加强党的基层组织建设，必须推进党的基层组织设置和活动方式创新，其中不同支部间开展联合共建就是支部活动方式的一种新方法、新途径。支部与贵州大学、西藏农牧学院、塔里木大学等开展四校五支部互学互鉴的支部云共建活动，有了良好的开端，带动学院冶金机械系研究生第三党支部也参与了支部云共建，本科党支部又先后和合肥工业大学等原机械工业部四小龙高校继续开展支部云共建，教工党支部也以此模式与中国一重、中电科集团等开展了智联建，共建活动如火如荼，并逐渐扩展。

六、示范作用发挥情况

（一）创造性开门做党建，开展校级支部云共建

2020 年 7 月，燕山大学机械工程学院机电控制工程系研究生第一党支部联合学院冶金机械系研究生第三党支部同贵州大学、塔里木大学、西藏农牧学院等共 4 所高校的 5 个党支部开展了主题为“东西共建云端携手，互学互促使命担当”云共建活动。各共建党支部集思广益，开展了“共读经典名著”“同上云端党课”等活动，促进了各高校间党员的交流，实现了各支部间优势的互补，提供了建设基层高校党支部的新思路。

1. 应对形势新变化，积极搭建“云平台”

通过“党支部云共建”的创新形式，突破空间障碍搭建“云平台”。充分利用微信群、QQ 群、腾讯会议等在线平台，形成了打破分支界限的区域团体。通过交流共建，实现互利共赢，有助于将好的工作方法发展为工作模式，同样也在特殊形势下为其他高校基层党支部校际交流提供了新思路，彰显了各支部、各高校间合作价值。

共建党支部中的贵州大学是全国党建标杆院校，支部率先学习了兄弟院校的成熟经验，并在建党百年之际联合开展了 1 次纪念活动，制作了庆祝建党百年海报和 3D 建模模型，体现了专业特色；学习了收到习近平总书记表扬信的塔里木大学扎根新疆、培育胡杨精神的感人至深发展史。通过共同活动，开阔了视野，增进了感情，互相扩大了影响。

2. 重大事项抓机会，聆听感悟润物无声

“党支部云共建”活动在抗击疫情特殊时期应运而生，因此也抓住疫情特殊时期组织党员同志对身边抗疫故事进行分享，制作了 2 部抗疫专题视频进行云端共享。

学院第 5 届微党课视频大赛时因疫情学生均未返校，但参赛同学和支部通过 8 个省份、12 个视频拍摄、12 份“带你看我家乡”红色文化共享，从台儿庄到沙家浜，再到西南边陲；从红军岩，到殷夫故居，再到新四军纪念馆。在分享中，感叹祖国的壮丽山河，感悟华夏的红色风采；在思考中，重温先烈的英雄故事，传承革命的红色基因。

3. 解决面临新问题，积极宣传“云共享”

“党支部云共建”是党建工作的新形式，获得了大家的广泛支持，多次组织生活也受到了各支部教师和同学们的广泛认可，但同时也存在着一些问题，比如共建活动效果难以把握等。未来我们将在这些方面多下功夫，同时开展更多意义丰富的新活动。

“党支部云共建”活动增强了基层党支部建设，推动了基层党支部活动方式的创新，对各高校的沟通合作，学生党员的交流学习具有重要意义，因此云共建的后续宣传工作也尤为重要。目前，“党支部云共建”活动通过微信公众号、校内外新闻等方式进行宣传，其中仅“机思广益”党建思政工作室官方公众号已推送“云共建”专题文章 27 篇，浏览量达 2400 余次，此外“党支部云共建”活动受到了全国高校思政网及各个高校平台的广泛宣传。

“党支部云共建”是燕山大学机械工程学院党委指导机电控制工程系研究生第一党支部创新性开展基层党支部建设的一次尝试和探索，实现了共融、共建、共享的预定目标。“党支部云共建”活动正在稳步推进，学院冶金机械系研究生第三党支部也参与了支部云共建，本科党支部又先后和合肥工业大学等原机械工业部四小龙高校继续开展支部云共建，教工党支部也以此模式与中国一重、中电科集团等开展了智联建，共建活动如火如荼，收获了较好效果，未来我们将继续拓宽“云共建”的辐射面，将“云共建”的好经验分享给更多高校，同众多高校一道，在持续的“向前走、回头看”过程中，不断提升共建活动质量、深化共建支部合作、促进支部党员发展。

（二）做好微党课竞赛，讲好讲出自己的故事

机控一支部一组织和参加微党课视频大赛6届，在这过程中，根据不同层次、年级、性别的学生特点，紧密围绕“爱国、爱党、爱校”这一主线，从单独集中录制到圈定主题进行个性化发挥，立足学生手中现有的影音设备和宣传平台等软硬件资源，引导支部成员将国家发展和个人科研学习生活相结合。以微党课视频大赛为平台，激发支部成员的探索精神和求知欲、创造欲，展现学生党员和入党积极分子的学习成长过程和成果，将党组织的理论教育与学生的个体学习实践相结合，使微党课成为党员教育管理的新平台和有力抓手，最终推动学生党建工作向前发展。

疫情暴发后，为认真贯彻落实中央关于做好疫情防控工作的重要部署要求和指示精神，讲好“疫”线故事，传递青春正能量，支部制作了“携手同行，共克时艰”抗疫微视频，献给最美的抗疫逆行者，并上传至全国高校思想政治工作网，传播了正能量和决胜信心，为打赢抗疫阻击战贡献了微薄之力。

微党课视频大赛从支部到学院，从学院到学校，影响范围不断扩大。2021年升级为全校性活动后收到视频作品超过300部，累计已经收获视频作品540多部，在学院支部工作群、党校党课、微信公众号、学校党建工作平台、全国思想政治工作网等进行了公开宣传展示。微党课涵盖了“课堂教学、科研论述、国情讲解、理论学习、时事政治、校史校情、家国情怀、主题教育、宣传引导”等不同类型的视频短片。截至目前，微党课视频大赛已经累计成功举办了6届，从支部层面发展到学院、再到全校性活动，先后参与的学生8000多人次，录制视频500多部，在党建工作平台和全国党建思政网上公开展示。微党课已成为学院学生党员开展宣传教育的阵地、展示党员风采的窗口、完善党员教育的补充。

【典型案例】

以微党课为抓手的大学生思想政治教育新方式

随着以抖音、快手为代表的直播、短视频平台的迅猛发展和广泛应用，智能手机App应用的极大普及，以及新时期学生党员自主性、分散性、趋利性明显增强且诉求日益多元的新情况，学生的思想政治教育需要寻找新的抓手。燕山大学机械工程学院党委机电控制工程系研究生第一党支部在开展学生党建工作中以微党课为抓手创新开展支部成员的思想政治教育，将短视频模式的微党课逐渐引入学生党建的日常工作中。通过搭乘新媒体发展的快车，实现学生党建与现代传媒手段和信息技术的融合，为基层党组织建设提供了新思路、新方向，在广大学生党员中扬起一阵清新的“微”风。

一、主题与思路

机控一支部在开展微党课过程中，根据不同层次、年级、性别的学生特点，紧密围绕“爱国、爱党、爱校”这一主线，从单独集中录制到圈定主题进行个性化发挥，立足学生手中现有的影音设备和宣传平台等软硬件资源，引导支部成员将国家发展和个人科研学习生活相结合，以微党课视频大赛为平台，激发支部成员的探索精神和求知欲、创造欲，展现学生党员和入党积极分子的学习成长过程和成果，将党组织的理论教育与学生的个体学习实践相结合，使微党课成为党员教育管理的新平台和有力抓手，最终推动学生党建工作向前发展。

二、实施方法与过程

（一）方法上突出方向性，明确三大板块

针对支部一线党建工作实际、党员结构特点和入党积极分子的现实情况，支部在实际工作中逐年摸索，最终将微党课明确为主题、形式、内容三大板块，为支部成员开展微党课活动“制作指南针”。

1. 一个“定位器”：引导党员明确主题

微党课参考高考命题作文的方式，开展主题式活动。围绕当前的国家发展、党的建设以及个人学生科研，先后开展“党课我来讲”“我和祖国共奋进”“我和我的祖国”等主题式微党课视频大赛，引导学生将建军90周年、新中国成立70周年、五四运动和建校建党100周年等重大时事纪念活动与学校学生参与的C919大飞机、FAST天眼、国防科工重大等项目相融合，深刻理解个人的学习发展与国家整体发展的关系，体会“一滴水融进大海则永不干涸”！

2. 一台“助推器”：指导党员明确形式

机控一支部组织的微党课活动采用当下最为流行的短视频形式，以几分钟的小视频形式讲授成员在党的组织生活、成长过程和科研学习中的心得体会，以学生的视角来进行讲授，集趣味性、时代性、娱乐性、知识性于一身。同时微党课的展示形式也很丰富，学生采用讲故事、讲道理、列数据、说历史、新闻采访、导游式讲解、现场录制等多种不同的风格，形式多变，“千挑万选总有你的菜”！

3. 一部“传感器”：倡导党员明确内容

“包子有肉不在褶上”，看内容必须有干货。微党课的讲授内容，大至国家政策方针、时事热点，小到一个科研项目的现实意义、一个标杆性学生的普通一天。既响应上级要求和号召，又贴近实际生活，以通俗易懂的语言和内容来讲述学生眼中的党建工作，贴地气吸人气，“香花要好看，会说更会干”。

（二）过程中突出实际性，深化三建工作

支部以微党课为抓手，深入推进“建强队伍、建好平台、建全制度”为主要内容的“三建”工作，为广大学生党员制作微党课这部好戏保驾护航。

1. 打造“有力的拍摄团队”：建强队伍

充分发挥党小组、支委会和科研团队等现有基层党组织的宣传、动员和组织协同作用。党小组负责组建队伍、党支部进行宣传动员、上报学院和学校进行展示和传播。随着微党课的影响力不断扩大，与学院党务中心共同举办每年一届的微党课视频大赛，并成功升级为校级党建比赛活动。

2. 搭建“精彩的演出舞台”：建好平台

微党课的平台主要分为制作平台和宣传平台两部分。制作部分以每年一届的微党课视频大赛为主，并在6届比赛的基础上逐步建立微党课优秀作品素材库。在宣传平台建设上则立足学院和学校，在学院的微信公众号、“机思广益”党建思政公众号、支部云共建、学校“燕铭红韵”特色阵地专栏等进行宣传展示，以及在全国高校思想政治工作网展播。

3. 建立“良好的票房保障”：建全制度

微党课的成功举办，促成学院党委在研究生发展对象确定及管理办法中指出微党课作为发展对象和党员工作中应予以积极完成的基本任务，目前的微党课视频大赛，连续成功开展了6届，已经形成工作惯性。

有了拍摄队伍、建好了舞台、有了保障，就给了演员充足的发挥空间和演出期望，促成微党课活动出精品出实效打造经典演出，唱出好戏。

微党课涵盖了“课堂教学、科研论述、国情讲解、理论学习、时事政治、校史校情、家国情怀、主题教育、宣传引导”等不同类型的视频短片。微党课视频大赛成功举办6届，从支部层面发展到学院、再到全校性活动，先后参与的学生8000多人次，录制视频500多部，在党建工作平台和全国党建思政网上公开展示。微党课已成为学院学生党员开展宣传教育的阵地、展示党员风采的窗口、完善党员教育的补充。

第四节　燕山大学机械工程学院机电控制工程系教师党支部：河北省首批党建工作样板党支部

2018年，机械工程学院机电控制工程系党支部入选河北省首批“全省党建工作样板支部”，党支部结合高校基层教学单位实际，深刻把握“立德树人”根本任务，践行“为国为民”初心使命，通过编撰专业发展史、举办毕业生“欢送会”、打造“实验室开放日”品牌活动、党员教师致力于国家多项“卡脖子”技术攻关等工作，促进党务与业务双促双融。

一、工作基础

中共燕山大学机械工程学院机电控制工程系支部委员会（以下简称机电控制工程系党支部）为教师党支部，现有正式党员26人。机电控制工程系党支部在校、院两级党委的领导下，坚持以马克思列宁主义、毛泽东思想、邓小平理论、“三个代表”重要思想、科学发展观和习近平新时代中国特色社会主义思想为指导，深入学习贯彻党的十九大精神，坚持对支部党员进行政治理论教育，严格按照党组织的要求开展党建工作，充分发挥党支部的战斗堡垒作用和党员先锋模范作用，取得了良好效果。

（一）严格“三会一课”，规范组织生活

机电控制工程系党支部坚持以“三会一课”为基本的组织生活制度，以“两学一做”为基本内容，主题党日严格规范，积极开展一系列为民服务活动。以落实“三会一课”制度为切入点，开展每季度1次党员大会、每月1次支委会、每季度1次党课，将“两学一做”学习教育机制常态化。机电控制工程系党支部委员会设有书记1名、组织委员1名、宣传委员1名，3人工作团队在党建工作的各项事务中充分发挥了团队协作能力。支部委员会实施了党务工作信息互通机制，相关党务信息要3人共同分享，至少保证1人能及时作出响应，保证不漏掉任何一条信息。另外，3名委员工作分工有所侧重，同时也存在诸多交叉内容，开展党建工作过程中充分发挥了集思广益、协同推进、民主决策的思路，不仅提高了工作效率，也提升了党建工作的质量和层次。

（二）激励帮扶并举，培育党员成长

机电控制工程系党支部共有正式党员26名，其中40岁以下党员18名，具有高级职称党员20名，具有博士学位党员22名，有出国（境）学习工作经历党员21名。机电控制工程系党支部是一个青年党员占比很大、学历层次高的群体，大部分党员都处于事业发展的黄金期。因此，青年党员的成长是党员管理工作的重要内容，党支部在与学校、学院两级教学、科研管理部门充分沟通后，制定了针对青年教师的激励与帮扶制度，合理安排青年教师的本科教学任务，保证青年教师从事科研工作的时间，促进个人业务能力的提升；同时，党支部还对青年教师发表高水平论文、教学科研获奖等给予奖励。

党支部拥有国家级教学团队1个、国家级精品资源共享课程1门，机械工业优秀创新团队1个、河北省“巨人计划”创新团队1个、河北省省管优秀专家2名、河北省“三三三人才工程”第二层人选1名、河北省教学名师2名、河北省青年拔尖人才2名。2016—2018年，党支部教师承担国家级纵向科研项目（包括国家重点研发计划、973计划项目、国家自然科学基金项目等）24项，项目实际到款达1983万元；承担河北省自然科学基金重点项目1项、优秀青年项目1项、省部级纵向项目8项，经费累计133万元。获得全国机械设计创新大赛一等奖1项，河北省机械设计创新大赛特等奖1项，河北省创新创业竞赛一等奖1项、二等奖1项；获得河北省科技进步一等奖3项（其中1项

在公示中），社会力量奖多项。发表高水平学术论文 100 余篇，其中 SCI 检索一区 TOP 期刊论文 4 篇，均由青年教师党员发表。

（三）规矩纪律在前，履行监督职责

机电控制工程系党支部始终坚持把纪律和规矩挺在前面，先后认真学习了新修订的《中国共产党党内监督条例》《中国共产党纪律处分条例》《中国共产党廉洁自律准则》等党纪党规，切实做好廉洁自律工作，按规定召开专题组织生活会，切实解决党性党风党纪方面存在的问题。

实行“三会一课”签到制度、请假审批制度等，严格规范组织生活程序；在支部委员模范遵规守纪的基础上，对各种不良现象和行为，发现后及时纠正和制止。

扎实开展了深化师风师德提升活动，对于学术道德、学术腐败、师生关系等高校容易出现的问题，做到时刻提醒警示。以弘扬主旋律为动力，做到典型引路，形成学先进、当先进的良好局面，促使校风、教风、学风进一步转变。

（四）组织形式丰富，广泛引领带动

高校教师的日常教学、科研任务繁重，为了更好地组织带动广大党员教师更有效地参与党支部组织生活，机电控制工程系党支部制定了一些更适应高校教师的组织和活动形式。

1. 开展主题鲜明的党日活动，调动教师党员参与组织生活的积极性。

2. 开展形式多样的政治理论学习，利用互联网、移动网络等先进的信息交流手段，在非工作时间开展政治理论在线问答、重要文献阅读视频音频共享等。

3. 科研团队内部党员结对，相互带动，相互引领，提高参与组织生活的热情。

4. 鼓励青年党员主动担任本科、研究生的“人生导师”（辅导员）。

（五）宣传手段多样，广度深度并重

机电控制工程系党支部高度重视宣传工作，一方面是传达各级党委的文件指示，宣传党的最新理论成果；另一方面是宣传党支部自身的各项党建活动。党支部利用学校“燕园红韵”、学院门户网站等网络平台及时宣传报道党支部的会议纪要和相关活动，同时还申请了“燕大液压”微信公众号等自媒体宣传手段，委派专人负责自媒体的信息发布和维护，高效准确地发布党支部动态以

及各级党委的重要指示。

党支部的宣传工作既重视范围广度，利用多种媒体不断扩大受众群体；同时，更注重内涵与深度，努力把一些既有理论深度又有实践价值的内容通过党支部的平台传递出去，例如“燕大液压”微信公众号专门设置了先进集体和先进个人的宣传模块，不定期发布师德先进个人、教学科研获奖、优秀创新创业导师等内容。

（六）组织凝聚有力，夯实战斗堡垒

一个有凝聚力的基层党组织，才能真正起到战斗堡垒作用。机电控制工程系党支部多措并举，不断提升教师党员对国家、学校、学科专业的认知度，通过爱国主义教育为主题的党员活动来激发党员的家国情怀，通过宣传校史、专业发展史等内容让党员重温创业者们艰苦卓绝的奋斗历程，从精神层面增强党支部的组织凝聚力。

1. 梳理专业发展历程和举办专业庆典。
2. 举办离退休教师座谈会。
3. 举办师生座谈交流以及文体联谊活动等。

（七）为民服务为本，体现支部价值

为人民服务是党的根本宗旨，机电控制工程系党支部多年来开展了大量的为民服务活动，在这些活动中体现了一个基层党组织的根本价值以及每一名党员的先锋模范作用。

1. 联系企业院所，开展广泛的校企合作。
2. 举办一年一度的实验室开放日活动。
3. 开办图书角、开展教职工慰问等人文关怀活动。

二、建设计划

机电控制工程系党支部党建工作严格遵照中共中央印发《中国共产党支部工作条例（试行）》的要求开展各项工作。

党建工作的总体思路是，坚持和加强党的全面领导，弘扬“支部建在连上”光荣传统，将党支部的领导地位深入落实到机电控制工程系的教学、科研、人才培养、学科建设等工作的每一个细节，全面提升党支部组织力，强化党支部

政治功能，充分发挥党支部战斗堡垒作用，巩固党长期执政的组织基础。

党建工作的建设目标是，经过持续建设，机电控制工程系党支部将成为组织机构健全、政治理论过硬、支部班子坚强、教育管理严格、监督警示有力、组织师生有力、宣传全面广泛，成为能够团结带领广大党员和教师在教学、科研、人才培养、学科建设等各项工作中开拓前进的战斗集体，党支部的战斗堡垒作用得到充分发挥和体现。

（一）2019年度工作成效与成果

在支部委员会的领导和推动下，以政治理论学习、爱国主义教育、师德师风建设等为主要抓手，继续提升党员的政治理论水平，激发教师的爱国热情，增强组织凝聚力；深入开展师德教育，塑造师德先进典型，以典型为榜样，全面提升教师的职业道德和素养，为人才培养工作提供强有力保障；继续加强师生互动，加强学生对学校、学院、学科和专业的了解，培养学生的爱校情怀。

1. 党员的政治理论水平有较大提高

党员对习近平新时代中国特色社会主义思想和党的十九大精神两大重要理论成果，能做到背诵目录提纲的水平，并给本科生、研究生上党课。

2. 教师的师德素养全面提高

进一步完善师德考核制度，创新师德教育方式方法，师德建设工作不断加强，塑造良好的师德氛围，学院教师的职业道德素养提高，学生评价明显提高。

3. 形成良好和谐的师生关系

把教师和学生培养成为朋友，营造良师益友的和谐师生关系。

（二）2020年度工作成效与成果

统一思想、凝聚力量，为机械工程一流学科建设、新工科人才培养等核心工作提供强大的思想和组织保障；创建形式多样、生动活泼的为民服务形式，把实验室开放日做成品牌项目；通过《燕大液压校友录》的采集制作，推动校企合作持续开展。

1. 教师的综合素质得到有效提升

通过对政治理论的深入学习，党员的哲学素养得到提升，也会促进教师教学、科研、学科建设等日常工作能力的提升。

2. 为人民服务成为党支部常态化工作

不忘初心、牢记使命，把为人民服务的理念灌输到每一名党员心中。

3. 完成《燕大液压校友录》的前期工作，推动校企合作深入开展

《燕大液压校友录》的编撰制作目的是建立学科专业与毕业生的长效联系机制，学科专业关注每一名校友的发展状况，同时积极与校友交流研讨，开辟校企合作的新思路，从而有力推动机械工程一流学科的建设工作。

三、重点任务完成情况

机电控制工程系教师党支部结合高校基层教学单位教师党员的实际情况，探索了一种“党务与业务工作有机融合”的党支部工作新模式。党支部全体党员在深入开展“两学一做”学习教育的基础上，全身心投入到“不忘初心、牢记使命”主题教育中去，以新中国成立70周年、五四运动100周年、疫情防控阻击战、燕山大学百年校庆等重大事件为学习载体，真正达到了理论学习有收获、思想政治受洗礼的效果。全体党员紧抓立德树人根本任务，把育人精神体现在教学、科研、人才培养等业务工作中的每一个环节；全体党员不忘我党“为人民服务”的根本宗旨，在做好本职工作的前提下，积极投身于各项为人民服务工作中去。

（一）教育党员有力：深入开展“两学一做”，严守“三会一课”

习近平新时代中国特色社会主义思想和党的十九大精神两大理论成果是机电控制工程系党支部两年来政治理论学习的重点内容，党支部先后开展了多次多种手段、形式丰富的政治理论学习活动。主要包括：支部党员大会、机电控制工程系例会、领导干部讲党课等形式，保证每一名党员都能较扎实地掌握两大理论的重要知识点。

2019年9月下旬，“不忘初心、牢记使命”主题教育全面开展，机电控制工程系党支部认真传达和执行党中央重要指示精神和省委、省委教育工委、学校和学院党委工作要求，周密部署、精心组织，把党史、新中国史、典型人物案例等爱国主义题材的学习内容融合到日常的学习中来，将政治理论学习的氛围推向了一个高潮，党员们学习热情高涨，学习效果极佳。

70 周年国庆期间，机电控制工程系党支部开展了多次以爱国主义为内容的主题党日活动，包括组织观看爱国主义题材影片、重温入党誓词、共唱爱国歌曲、学习典型人物等特色活动，这些仪式感极强的系列活动大大激发了党员同志们的爱国情怀。

2020 年春节前后，一场突如其来的新冠疫情席卷全国，在以习近平同志为核心的党中央的坚强领导下，在举全国之力，广大医务工作者、解放军战士、普通人民群众的无私奉献下，在付出了巨大代价之后，我国的疫情防控取得重大战略成果。在这次疫情防控阻击战中，机电控制工程系党支部按照各级党委的要求，在做好防控的同时，在 3 月份，就通过微信公众号向全球各地的液压校友、在读学生发起了倡议，号召大家团结一致、为武汉加油、为中国加油。通过线上会议的形式，及时向党员教师、学生传达国家的各项防控举措，学习党中央关于疫情防控的重要指示精神。

2020 年 9 月，燕山大学百年校庆期间，机电控制工程系党支部组织了多次主题党日活动，师生集中学习校史、院史、专业史等，感受学校和学科发展的历程。

（二）管理党员有力：激励帮扶并举，培育党员成长

截至 2020 年 12 月，机电控制工程系党支部共有正式党员 28 名，其中 40 岁以下党员 19 名，具有高级职称党员 20 名，具有博士学位党员 23 名，有出国（境）学习工作经历党员 24 名。机电控制工程系党支部是一个青年党员占比很大、学历层次较高的基层党支部，大部分党员同志都处于事业发展的黄金时期，因此，青年党员的成长是党员管理工作的重要内容，党支部在与学校、学院两级教学、科研管理部门充分沟通后，制定了针对青年教师的激励与帮扶制度，合理安排青年教师的本科教学任务，保证青年教师从事科研工作的时间，促进个人业务能力的提升；党支部还对青年教师发表高水平论文、教学科研获奖等给予一定的物质奖励。

党支部在征求支部全体党员意见的基础上，制定了《机电控制工程系党支部组织生活组织记录性工作条例》，强调了党员参加组织生活的重要性和必要性，把党员参加组织生活的具体表现作为党员测评、教师师德考核、教师上岗晋级的重要参考指标。

2019 年 1 月至今，党支部党员获得荣誉称号情况为，第六届河北最美（共产党员）教师荣誉称号获得者 1 名；秦皇岛市“优秀党务工作者”荣誉称号获得者 1 名；国家百千万人才工程“有突出贡献中青年专家”1 名；国务院政府特殊津贴专家、河北省高端人才、河北省优秀回国人员各 1 人次；河北省“优秀教育工作者”荣誉称号获得者 1 名。

2017—2019 年，党支部教师承担国家级重点研发项目 1 项，国家基金重大项目课题 1 项，国家重点研发课题 2 项，国家自然科学基金项目 15 项，纵向科研经费共计 3200 余万元；企业合作研发项目 63 项，研发经费共计 4500 余万元。

发表高水平论文 271 篇，其中 SCI 收录 36 篇，EI 收录 102 篇。ESI 高被引论文 1 篇，实现零的突破。出版学术专著 8 部，荣获第四届中国政府奖图书奖 1 项。

研究生获得上银优秀机械博士论文特别奖 1 篇，省部级优秀硕、博士论文 10 余篇。

党支部教师获得河北省教学成果一等奖 1 项，教育部第二批新工科研究与实践项目 2 项获批立项，同时还承担了多项校级、院级的教学改革项目。

（三）监督党员有力：规矩纪律在前，履行监督职责

机电控制工程系党支部以落实“三会一课”制度为切入点，严格执行每季度 1 次党员大会、每月 1 次支委会、每季度 1 次党课。支部委员会委员认真分析了党支部存在的组织纪律性问题，考虑高校教师工作性质、工作时间、工作对象等特点，教师党员在上课、实训、出差等状态中无法在第一时间对相关党务信息作出反馈，支部委员会实施了党务工作信息互通机制，相关党务信息要 3 人共同分享，至少保证 1 人能及时作出响应，保证不漏掉任何一条信息。

开展了学术道德与科研诚信教育专项活动。为进一步加强学术行为道德规范建设，端正学院学风，严防学术不端行为，防范化解风险，根据学校《关于加强学术道德教育和科研诚信建设的通知》和学院《关于加强学术道德教育和科研诚信建设的通知》的相关要求，党支部在每个学期都开展了针对科研活动和相关成果的审查、调查、分析、纠正等活动。自查内容主要包括教师和学

生日常的工作和学习态度、实验安全规范、工作室安全卫生情况等方面进行评估；论文、著作、专利、科研项目、科研获奖、科技成果评价等是否存在学术不端行为。

开展了师生安全卫生警示教育，对在岗教职工、本科生、研究生进行了安全卫生警示教育工作，制定了《研究生工作室安全卫生管理条例》《实验室安全操作规范》，要求每位教师和研究生只要进入工作地点，必须严格按照条例的要求执行；党支部草拟了《研究生工作室安全卫生保障承诺书》，并要求每一位教师和学生签字。研究生工作室安全卫生、实验室安全卫生、日常人身财产安全等几个方面要高度重视、防范为主、严格遵守。

（四）组织师生有力：组织形式丰富，广泛引领带动

高校日常教学、科研任务繁重，为了更好地组织带动广大党员教师更有效地参与党支部组织生活，机电控制工程系党支部制定了一些更适应高校教师的组织和活动形式。

开展了主题鲜明的党日活动，调动教师党员参与组织生活的积极性。

疫情防控期间，“线上组织生活”发挥了重大作用，既有效地落实了党中央关于疫情防控期间的防控举措，又能保证党支部日常组织生活的开展。

开展了形式多样的政治理论学习，利用互联网、移动网络等先进的信息交流手段，在非工作时间开展政治理论在线问答、重要文献阅读视频音频共享等。

科研团队内部党员结对，相互带动，相互引领，提高参与组织生活的热情。

组织师生参加一系列义务劳动活动，营造良好的学习、工作和生活环境。

（五）宣传师生有力：宣传手段多样，广度深度并重

机电控制工程系党支部高度重视宣传工作，一方面是传达各级党委的文件指示，宣传我党最新的理论成果；另一方面是宣传党支部自身的各项党建活动。充分利用移动互联网技术，利用学习强国学习平台、“共产党员”微信公众号、“河北 12371 党员教育服务”党建信息平台、“河北党建研究”微信公众号、燕山大学“不忘初心、牢记使命”主题教育网站等多个网络平台，进行广泛的宣传和学习，随时在党员之间进行学习交流，包括软件的使用技巧、精彩学习内容分享、热点问题讨论等方面。

（六）凝聚师生有力：组织凝聚有力，夯实战斗堡垒

1. 梳理了专业发展历程，建设了具有专业特色的党员活动室。

2. 多次举办了离退休教师教学经验座谈会。

3. 每年举办本科毕业生欢送会，为本科生上“最后一堂课”。

由于疫情原因，党支部为2020届毕业生进行了线上欢送会，在非常时期用这种特殊的形式，提升了毕业生对专业、对学校的认同和感恩。

（七）服务师生有力：为民服务为本，体现支部价值

1. 联系企业院所，为企业进行相关技术培训，开展广泛的校企合作。

2. 举办一年一度的实验室开放日活动，面向全社会开放，年平均接待来自校内外和社会各界的参观者1500余人次。

3. 疫情防控期间，党支部组织党员承担了液压专业实践课程的视频录制、剪辑、发布等工作，完成了31学时，共计时长超过1200分钟的视频资源库。

四、重要措施落实情况

（一）体制机制

学校和学院党委高度重视党建工作，鼓励和支持党建课题立项，学校党委每年会以立项的方式支持和资助一批党建实践项目和理论课题研究。学院支持的党建项目，鼓励开展党建特色阵地建设和特色党建活动，这为开展党建“双创”工作积累了大量经验，也是对基层党支部的党建工作持续深入开展的重要政策保障。

（二）组织机构

机电控制工程系党支部委员会委员3人，有较为充裕的时间和精力开展党建工作；2020年10月完成了新一届党支部委员会的换届选举，2名年轻的教师党员进入委员会。

（三）队伍建设

党支部新转入党员2名，均为35岁以下的博士教师人才引进；1名入党积极分子完成了组织考察。机电控制工程系党支部今后一段时期，将以高学历的青年教师为主体，引领各项党建工作的开展和实施。人才引进（建设）成果主

要有：

国家百千万人才工程“有突出贡献中青年专家”1名；

国务院政府特殊津贴专家、河北省高端人才、河北省优秀回国人员1名；

河北省“优秀教育工作者”荣誉称号获得者1名；

河北省“青年拔尖人才”荣誉称号获得者2名；

秦皇岛市“优秀党务工作者”荣誉称号获得者1名。

（四）资源投入

人力资源方面，由28名教师党员，包括3名支部委员会委员组成的机电控制工程系党支部是完成各项党务工作的主体，也是各项教育、监管活动的主要对象。另外，党员活动室、实验室、线上会议设备等相关硬件资源经过两年来的持续建设，已经形成了健全的体系和规范，将在今后的党建工作中发挥重要的支撑作用。

（五）硬件设施

党支部建设了具有专业特色的党员活动室，同时具备专业发展陈列室、荣誉展览室等功能；购置了笔记本电脑、音箱、无线麦克等，便于开展线上交流和学习活动；购置了摄像头、三脚架、音频线缆等，可以进行教学视频的采集和录制。

（六）主要建设举措

（1）投入较大经费建设了具有专业特色的党员活动室及其配套设施。

（2）线上线下齐抓共管，高标准建设和维护党员活动阵地。

（3）弘扬“支部建在连上”光荣传统，把党务工作与教学、科研、人才培养等业务工作有机融合。

（4）紧紧把握立德树人根本任务，教师与学生建立全天候联络机制，把育人理念落实到教师的每一个工作环节中去。

（5）切实贯彻“以本为本”理念，深化本科教学改革，探索新工科模式人才培养机制。

（6）瞄准“双一流”和第五轮学科评估，党员发挥先锋模范作用，科研和学科建设工作以点带面寻找突破口。

（7）以实验室开放日、企业技术人员培训、城市“创卫”义务劳动等活动为载体，充分调动党员积极性，加大开展为民服务力度，切实注重服务工作的实效性。

【典型案例】

党务与业务有机融合的高校教师党支部党建工作模式实践

燕山大学机械工程学院机电控制工程系党支部，在各级党委的正确领导下，在教师基层党组织中始终坚持和加强党的全面领导，弘扬“支部建在连上”光荣传统，将党支部的领导地位深入落实到机电控制工程系的教学、科研、人才培养、学科建设等业务工作的每一个细节，全面提升党支部组织力，强化党支部政治功能，充分发挥党支部战斗堡垒作用，巩固党长期执政的组织基础。

机电控制工程系党支部各项工作都是围绕“立德树人”的根本任务来开展的，每一项具体工作的出发点都是“如何更好地完善教师素质和品德、如何更好地培养合格的社会主义建设者”，而评价工作完成质量的唯一标准就是，“是否有利于提升教师的综合素质和品德情操，是否有利于全方位地提升人才培养质量”。

党支部全体党员群策群力、共同协助，逐渐形成了一整套适合高校基层教师党支部的党建工作新模式，即党务和业务工作有机融合。党务与业务的融合要体现出“有机性”，即两者并不是简单的“相加”，而是要产生“1+1>2”的效果，党务工作的开展能有效促进业务工作的进行，而业务工作反过来也能提升基层党支部凝聚力、夯实战斗堡垒。

一、以专业发展史、年鉴、月度工作简报等形式，提升组织凝聚力，夯实基层党支部的战斗堡垒作用

机电控制工程系党支部多措并举，不断提升教师党员对国家、学校、学科专业的认知度，通过爱国主义教育为主题的党员活动来激发党员的家国情怀，通过宣传校史、专业发展史等内容让党员重温创业者们艰苦卓绝的奋斗历程，从精神层面增强党支部的组织凝聚力。

同时，每年编撰机电控制工程系年鉴，记载每年系内各项工作的点点滴滴，让这些细节去感染每一名教师，不忘为人民服务的初心、牢记为祖国培养合格人才的光荣使命。

二、建立了教师与本科生的全天候联络机制，探索了人才模型导向的研究生培养新理念，全面落实立德树人根本任务

机电控制工程系党支部制定了专业课阶段的本科生导师制度，大学三年级专业分流后，每一名机控专业方向的本科生都要配备一名教师作为本科导师，一直到该学生本科毕业为止。本科导师主要负责专业知识引领、创新项目指导、科学方向等方面的工作，而且师生之间还建立了全天候的联络机制。

党支部每学年举办一次本科毕业生欢送会，给毕业生上“最后一堂课”，还为每一位毕业生赠送了纪念品。这些仪式感极强的活动，有效地增强了师生之间的情谊，同时激发了学生们对学校和专业的认同感。

三、党员发挥先锋模范作用，带动科研和学科建设工作取得了一定突破

科研能力是一名高校教师综合素质的重要体现，只有站在专业学科领域的前沿，把握住全球科技发展形势的脉搏，才能培养出更加优秀的人才。立德树人的根本任务要求高校教师德才兼备，发挥党员的先锋模范作用，带动全体教师科研水平的整体提升是党务工作与业务工作有机融合的体现。

机电控制工程系党支部于2019年年底印制了《机电控制工程系科研成果汇编》，该汇编整理了系内教师多年来的科研方向和成果应用情况，让广大教师更加清晰地了解了近年来学科的发展趋势，有利于大家拓展新的研究方向。

四、加大为民服务工作力度，注重服务工作的实效性

机电控制工程系党支部每年举办一次实验室开放日活动，年均接待来自校内外和社会各界的参观者1000余人次。实验室开放日是机电控制工程系党支部的一个品牌活动，把为民服务工作和教师的业务工作紧密联系起来，向社会公众提供了一次普及科学知识的全方位服务，为营造全社会学科学、爱科学的良好氛围必将起到积极的推动作用。开放日活动吸引了新华社、河北共产党员网、《海南日报》等多家媒体的关注和报道。

机电控制工程系党支部还多次举办了为企业、机关单位等相关人员的技术培训服务，采用理论课与实践课相结合的培训方式，重点解决企业的一些流体传动与控制方面的技术难题，也为部分管理人员普及机械工程类的基本知识，使其对机械装备和液压元件有一定的感性认识。

高校不但承担着培养合格人才的重任，为民服务、为区域社会经济服务同

样也是一所高校的使命所在。实验室开放日旨在为广大人民群众提供一个服务平台，这也是我党创办人民的高校的初心；科研攻关、企业技术服务、社会培训等业务工作，本质上也是体现人民高校为人民的初心。

五、疫情防控时期，“停课不停学”，保证人才培养质量

2020年春节前后，一场突如其来的新冠疫情席卷全国，在以习近平同志为核心的党中央的坚强领导下，在举全国之力，广大医务工作者、解放军战士、普通人民群众的无私奉献下，在付出了巨大代价之后，我国的疫情防控取得重大战略成果，在这次疫情防控阻击战中，机电控制工程系党支部按照各级党委的领导和指示，在做好防控的同时，通过微信公众号向全世界的液压校友、在读学生发起了倡议，号召大家团结一致、为武汉加油、为中国加油。

党员教师们响应号召，积极开展了线上教学和线上人才培养，考虑到实践教学环节的特殊性，实验室的党员教师自发承担了液压专业实践课程的视频录制、剪辑、发布等工作，截至2020年6月底，已经制作完成了31学时，共计时长超过1200分钟的视频资源库，部分视频资源已经在超星学习通平台供相关专业的同学学习观看。

第五节　燕山大学机械工程学院冶金机械系教师党支部：燕山大学党建工作样板党支部

一、党支部基本情况

燕山大学机械工程学院冶金机械系党支部（以下简称冶金机械系党支部）有党员43人，其中党支部书记1人，组织委员1人，宣传委员1人，设立2个党小组。所有党员中教授9人，副教授13人，副研究员1人，高级实验师1人，讲师12人，实验师4人，助理研究员2人，职称结构合理。目前，拥有享受国务院政府特殊津贴3人，新世纪百千万人才工程国家级人选1人，河北省“燕赵学者”1人，河北省省管优秀专家2人，河北省有突出贡献中青年专家2人，河北省“三三三人才工程”第一层次1人，第三层次2人。2019年，获评燕山大学首批“双带头人”教师党支部书记工作室。在学校及学院党委统

一领导和部署下，支部围绕加强党的政治理论和方针政策学习，提升党支部战斗力、推进党的建设与教学科研工作双促进、双提高等重点工作开展特色活动，充分发挥党支部战斗堡垒和党员先锋模范作用，为学校和学院的建设作出重要贡献。

二、工作开展情况

（一）以“党建＋学习”，打牢铸强思想根基

党支部针对“党员多、素质高、思想活”的特点，确立了抓党建工作先抓思想建设的工作思路，大力做好支部党员的思想政治教育，让全体党员真正做到从“形式认同”到“思想认同”。

1. 规范组织生活，强化支部政治功能。根据学校及学院的安排部署，坚持“三会一课”制度，利用好每一次政治理论学习活动，提前安排，精心准备，优化过程，及时总结，确保实效，达到理论学习全员覆盖、理论水平全员提升。充分利用“主题党日”开展讲授党课、业务培训、经典诵读等活动，在相互切磋和交流探讨中加强党建和思政工作理论知识学习，提升党员的综合能力素质。积极推进“互联网＋党建”，利用 QQ、微信、党建 App 等信息化载体，适时推送分享学习内容，强化思想武装和学习实效，实现党员群体“全覆盖”。进一步完善提升阵地建设内涵，在现有阵地基础上，充实学习资料和信息化设备；重新布置和开辟“学习角”，提供更具温度的文化氛围和学习环境；强调软阵地建设，将学科优势、专业特色进一步整合凝练，形成具有鲜明燕大冶金底蕴的实验室、课题室的工程中心文化影音、图形等宣传文化。

2. 突出党史学习教育。通过支部书记讲党史、重温入党誓词等活动追溯初心使命；通过学习楷模事迹、影视资料感受榜样力量；通过学习研讨习近平总书记国庆 70 周年系列讲话、歌唱祖国、“知史爱党、知史爱国，我讲党史”系列活动激发老师们的爱国情怀；赴花厂峪抗日纪念馆等地开展爱国主义教育；通过学习研讨习近平总书记关于高等教育的重要论述，紧扣立德树人根本任务。

3. 充分利用主题党日，守好党建责任田。疫情防控期间，党支部开展“尺笔丹心、‘疫’线先锋”，“战‘疫’仍在进行中，科研指导不掉线”“传承专

业历史 展望科研未来——学术研讨会”等系列主题党日活动，通过视频会议或者群聊讨论的方式组织支部成员及时学习习近平总书记关于新冠疫情防控工作的重要讲话精神，探讨疫情防控期间如何让学生在家科研工作不掉线，如何确保研究生学位论文不掉线，如何更有效地在线指导和开展学生学习、交流等亟待解决问题，并在全系范围内开展学术讨论与交流，老师们在主题党日活动中，学有所感、学有所获，更加坚定在党中央坚强领导下夺取抗疫斗争最终胜利的信心。

（二）以“党建＋教学”，不断推进人才培养质量提升

1. 强规范重师德，营造师德建设浓厚氛围。党支部坚持以学习为主导，以活动为抓手，以考评为手段，以激励为动力，以实效为目的，力求创新工作方式，不断加强师德师风建设。党支部定期组织师德师风主题党日活动，围绕“怎么当好教师”“疫情防控期间如何上好课”等主题开展大讨论，全体教师在交流中分享智慧、增长知识，对照先进典型人物、对照师德规范，找不足，找差距，提整改。开展“课程思政”大讨论，帮助教师深入挖掘课程中蕴含的思想政治教育元素，并进行课程思政教学环节设计，全面提升课程思政育人的能力与效果，做到“同向同行，深耕课堂”。党支部认真履行学院制定《教师职业道德考核工作办法》和《师德考核实施细则》，做好师德考核工作，完善教师职业道德考核和监督制度，建立师德建设的长效机制，并把师德表现作为教师年度考核、职务评聘、评先评优重要内容。

2. 发挥党员先锋模范作用，推进党建与教学双促双升。充分收集挖掘共享资源，党员教师带头开展“团队教学科研分享会”“教师业务提升工程”“实验室大精仪器培训”等专项活动，把教师业务培训和党员培训相结合，提升系部老师整体业务水平。开展实验室安全日检制度和研究生课题室值日制度，安排党员教工带头参与实验室安全检查和研究生课题室安全卫生检查工作，确保安全卫生工作无隐患，无死角。

3. 深耕课程思政，做到“同向同行”。习近平总书记指出，各门课都要守好一段渠、种好责任田，使各类课程与思想政治理论课同向同行，形成协同效应。党支部不断加强新形势下党建和思想政治工作的探索与实践，积极响应学校“课程思政”教学改革号召，充分将“课程思政”建设与支部建设紧密

结合，做到“同向同行，深耕课堂”，在教学过程中实现“知识传授”和“价值引领”的有机统一，助推学生“专业成才、精神成人”。充分运用“三会一课”、主题党日、组织生活会等日常载体开展“课程思政”建设，使“课程思政”建设成为加强支部建设的新载体、新途径，为党支部发挥战斗堡垒作用拓展新平台、注入新活力。借助这一载体，党支部力争使党建工作看得见、摸得着、有形式、有内容、有效果。

（三）以“党建＋科研”，打造钢铁行业创新科技服务平台

1. 以科研团队为抓手，推动产学研用融合。积极推动党支部与科研团队融合发展，以团队为单位，明确党务工作职责，充分将党建与科研工作融合在一个平台中，着力破解党建工作与业务工作“两张皮”难题。支部和团队的人心更凝聚了，引领事业发展的目标更明确了，工作动力更强劲了，发展路径更清晰了。在支部的带动下，全体党员的党性意识和职业素养不断提升，教师“人人肩上有压力，个个心中有责任”，科研团队凝聚力、行动力全面提升。近几年，支部党员教师获得国家技术发明二等奖 1 项，省部级一等奖 4 项，二等奖 7 项。承担国家基金重点、973、863 等国家省部级项目 10 余项，承担国家重点研发项目 3 项，承担宝钢、鞍钢、河北钢铁、迁钢等委托项目 30 余项。在国际顶级期刊和高水平杂志上发表高质量论文 40 余篇，获批国际发明专利 2 项、国内发明专利 10 余项。以冶金机械系教师党支部为基础的国家工程技术研究中心，成果转化创造产值 5000 余万元，取得了一批高水平研究成果、显著工业应用效果和巨大经济社会效益，着力打造钢铁行业高水平创新科技服务平台。

2. 发挥平台功能，打造钢铁行业创新科技服务云端。党支部积极整合“国家冷轧板带装备及工艺工程技术研究中心”“河北省现代轧制技术与先进钢铁材料协同创新中心”和“面向先进高强钢板带产业的国家科技服务业试点”等多个平台，围绕冷轧板带装备工艺技术，开展相关基础性和工程化技术研究，取得了一批高水平的研究成果、显著的工业应用效果和巨大的经济社会效益，打造钢铁行业高水平创新科技服务平台。定期开展“实验室开放日”活动，向社会公众普及科学知识，营造全社会学科学、爱科学的良好氛围。

3. 突出引领作用，促进钢铁行业发展。与机关单位、行业协会联合，对河北省乃至我国钢铁行业发展规划与未来技术开拓布局等方面开展调查研究与资

政辅助，实现国家级平台在专业领域的技术引领和方向指引作用。定期开展校内外钢铁学术技术研讨会，积极承办、协办钢铁行业国内外学术会议，规划并实施钢铁企业高峰未来科技与发展论坛，充分发挥出中心面向企业、面向工程的技术特点和行业优势，促进钢铁行业发展。

【典型案例】

做实“党建＋学术”建设模式，提升支部引领力

近年来，燕山大学机械工程学院冶金机械系党支部在各级党委的正确领导下，党支部的建设工作深入落实到教学、科研、人才培养、学科建设等业务工作中，探索出“党建＋学术”建设模式，充分激发党支部活力，发挥引领作用，取得较好的实践效果。以创新、交流、协同、发展为理念，积极开展校内、校外学术论坛、技术交流、国际会议等活动，开阔视野，拓展思路，充分交流，相互学习。党支部深入全国各地的高校、科研院所、企业和行业协会等，为广大教师拓展科学研究方向、对标学科发展水平、对接企业工程技术需求、服务区域社会发展等提供渠道和平台。

一、内部学术交流，促进团队协作

冶金机械系包含7个科研团队，研究方向各有侧重，支部以主题党日为抓手，在系部内开展学术报告会系列活动，以新引进教师为重点对象，增加科研团队研究方向的相互了解，促进内部学术交流，催生系部内的合作互助。该项活动，还辐射到本专业研究生和本科生，通过主题党日，在中心内营造浓郁的学术氛围，给全体师生提供了一个好的学习的机会，开阔视野和思路。两年来，组织内部学术报告12场，疫情防控期间，也坚持在线举行，参与人次超300。

二、小型国际会议，创新交流发展

对外积极承办、协办国内外学术、行业会议，邀请知名高校、院所和企业的学者、专家共襄盛举。2020年，采取线上线下互动融合的模式，主办冶金轧制新技术研讨会（2020）暨先进金属材料智能制造小型国际论坛，会议邀请澳大利亚埃迪斯•科文大学、德国多特蒙德工业大学、丹麦技术理工大学、美国宾夕法尼亚州立大学多位知名专家学者作主题报告，来自相关专业及领域的200余名师生参加了此次会议。2021年，主办“现代轧制技术和先进金属材料

国际研讨会”，以“低碳、绿色、智能钢铁生产和先进金属材料制备新理论新工艺新技术”为主题，邀请来自澳大利亚伍伦贡大学、南京工业大学、重庆大学、日本东京大学和丹麦技术大学多位专家作学术报告。会议组织和举办过程中，党员起到先锋模范作用，积极联系学术资源，并作为会议志愿者参与一系列筹备工作。

三、研究生学术论坛，展示学生风采

针对研究生群体，开展研究生在线学术论坛和经验分享会，促进交流，共同进步。此项活动为机械工程学科的研究生培养提供了新的参考方向，拓宽了研究生的学术视野，激励参会人创新思维，提升冶金机械系和中心在学科交叉和融合创新领域的社会影响力。

第七章　高校基层党建与教研融合的创新与实践典型案例

加强高校基层党组织建设，推进高校基层党建工作创新是全面贯彻落实国家发展战略、推动高等教育事业高质量发展的必然要求。近年来，燕山大学机械工程学院党委坚持以习近平新时代中国特色社会主义思想为指导，认真贯彻落实新时代党的建设总要求，以《中国共产党普通高等学校基层组织工作条例》为基本遵循，在全国高校党建工作标杆院系创建和建设过程中，提炼组织建设新思路、搭建党员教育新平台、开辟基层党建与教学、科研、学生管理等深度融合，大大提高党支部建设以及党建工作实效。

第一节　高校师生支部联合共建的教育管理工作新模式

燕山大学机械工程学院以习近平新时代中国特色社会主义思想为指导，坚持把立德树人作为教师党支部开展工作的中心环节，把思想政治工作贯穿本科教学、研究生培养的全过程，通过师生支部联建的方式实现全程育人、全方位育人。

一、研究建立“e-DFCA”能力为导向的人才培养模式

中国特色社会主义进入新时代，高校作为培养高端人才的主要基地，需要对标社会主义新发展理念进行人才培养目标的定位和调整。

在多家企业展开广泛调研，了解企业需求，与企业人力资源部门对接，重

点对本专业学生毕业后就业的职类、职种及职位特征进行分析，得到对应于不同职类、职种及职位的能力，并根据能力重度进行排序；筛选一些就业人数较多、能体现本专业特色的典型岗位，走访相应的岗位从业人员，从员工角度，分析对应于不同工作岗位的能力需求，同样根据能力重度进行排序。归纳为“e-DFCA”（八维度知识、能力、素养）工科人才能力模型，包含基础文化知识、基本专项技能、工程实践能力、工作创新能力、终身学习能力、团队合作能力、心理调适能力和人格品质素养。如图 7-1 所示。

基础文化知识	=	人文社科素养	自然科学素质	工程理论水平	专业知识水平	0	0
基本专项技能		外语应用	计算机应用	制图建模	设计计算	操作测试	0
工程实践能力		液压元件开发	液压系统设计	成套设备集成	电控设计集成	技术服务维护	营销管理
工作创新能力		个性	视野	思路	意识	积淀	0
终身学习能力		学习意识	信息获取	自主实践	独立学习	反思总结	自我激励
团队合作能力		团队意识	协作意识	组织能力	领导能力	沟通能力	表达能力
心理调适能力		强健体魄	承受挫折	抵抗压力	加强心理保健	适应环境	自我营销
人格品质素养		提高思想品质	人文素质	社会素质	科学素养	职业道德	社会责任

图 7-1 “e-DFCA”工科人才能力模型示意图

“e-DFCA”工科人才能力模型，所涵盖的能力要素准确而全面，准确体现了国际上先进的高等工程教育理念对人才的描述，符合我国高等工程教育实际，契合企业对合格工程人才的迫切需求。该人才模型打破了传统“堆砌式”课程体系构建方法，以行业或企业需求为目标，基于工程类人才能力模型，构建以能力为导向的教学体系建设方法。建立了集知识基本结构、框架、教学内容设计、教学方法设计、教学过程设计和教学结果评价于一体的理论教学体系，形成了一套以能力为主的课程体系建设实施方案。

二、建立以导师科研团队为单元的师生党支部联建组织架构

目前高校的学生党支部基本上都以专业自然班为组织基础，这种组织模式在低年级的本科生党支部基本能满足日常组织生活的要求。对于研究生党支部来说，随着研究生招生数量的急剧增长（2019 年以来，燕山大学机械工程学院每年的硕士研究生招生数量与本科生招生数量基本保持在 1 ∶ 1 的水平），自

然班的学生党支部组织形式很难适应当前以科研团队为单元的研究生群体，主要表现在工作效率较低、组织生活的针对性不强、学生党员的学习交集不够充分等。基于以上实际情况，学院党委统筹协调教师党支部和学生工作办公室，通过对一些示范性专业进行试点改革创新，在学生党支部的组织架构上进行了一定程度的优化。

1. 对于本科生党员和预备党员，这部分群体的人数较少，结合目前学院各专业实施的本科生导师制、本科生进科研团队等制度，本科生党员将在日常的党员组织生活中与导师党员共同参加活动。

2. 研究生党支部已经开始实施以科研团队为单元的党小组组织形式，而且研究生群体的日常组织相对灵活，便于开展日常的党员组织生活。

3. 师生党支部共建开展组织生活的频次与要求方面，结合本科生、研究生党员的实际情况，基本落实学生参加教师党支部每两周 1 次的集中学习，每季度 1 次的党课教育，以及每学期 1 次的师生全体党员大会。

三、建立以“课程思政”为主载体的本科生师生党支部联建模式

在制造业智能化和数字化转型升级的战略需求下，如何培养扎根机械、适应机械发展、又红又专的工程尖兵，已是地方高校不可回避的时代课题。学院与部分教师党支部经过深入研究和探讨，逐渐探索出一种以立德树人为目标、以思政引领和文化铸魂的新型工科机械专业育人模式，并在本科教学中开展了一系列工作。

以大国重器锻造液压机为雏形，构建了思政课程“上梁”定位、课程思政“动梁”锤炼、思政建设“底梁”支撑，文化品格“四柱”导向的“三梁四柱”思政育人体系，集中打造“第一课堂筑牢理论根基，第二课堂发力价值判断，实践教学深化学思践悟”思政课教学体系。凝练“赓续奋斗精神，铸大国重器；传承红色基因，育科创英才”专业文化内涵，开设专业之美、专业历程、专业现状、专业前沿导学课，实现知识传授、能力培养、价值塑造三位一体的培养理念。如图 7-2 所示。

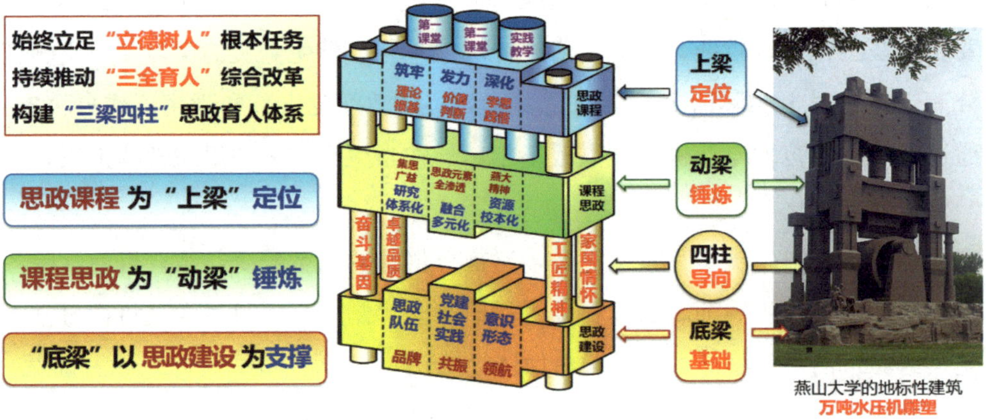

图 7-2　“三梁四柱”思政育人体系

燕山大学的代表性科研成果——“三梁四柱”万吨压机（四大国宝之一）是大国重器的典型代表。通过追溯学科发展、凝练内涵精神，提出了独具机械特色的“三梁四柱”思政育人模型，熔铸学生选择机械、热爱机械、投身机械助力中国梦的初心使命。三梁：多级联动的思政课程为“上梁”，筑牢价值定位；多化共融的课程思政为“动梁”，深化品行锤锻；多位一体的思政建设为“底梁”，夯实基础支撑。四柱：始终把学校百年发展历程中接续传承的“奋斗基因、家国情怀、卓越品质、工匠精神”四大优良传统，作为育人“锻造”过程中的精准导向。在此基础上，将思政内容和校园文化充分融入理论教学、实践教学以及科研活动等各个培养环节，实现思政育人的全方位覆盖。师生党支部每学年举办一次本科毕业生欢送会，给毕业生上“最后一堂课”，还为每一位毕业生赠送了纪念品。这些仪式感极强的活动，有效地增强了师生之间的情谊，也激发了同学们对学校和专业的认同感。

四、以特色“主题党日”活动为载体的研究生师生联建活动

2021 年恰逢中国共产党建党百周年，为庆祝这一重大历史时刻，同时宣传红色机械为引领的爱国主义匠心精神，展示近年来学科在教学和科研方面取得的建设成果，燕山大学师生党支部联合举办了主题为“红色机械•匠心为国”庆祝建党百年实验室开放日活动。据不完全统计，开放日活动举办期间，累计

接待了参观者1200余人次。开放日作为党支部的特色活动，已经连续开展了5年，活动的目的是向相关专业的本科生、研究生介绍机械类学科的工程实践知识，促进基础理论与实践应用的结合，让同学们了解相关专业领域今后的就业方向，帮助同学们制定有针对的学习计划。开放日校内外师生普及了机械工程领域技术与应用的一些基本常识，积极寻求不同专业之间的结合点，探索多学科交叉融合的新思路。向参观者进行专业知识和特种设备的科学普及，体验“智能制造”“工程美学”等概念。

教师党支部和研究生党支部的部分党员、积极分子参与了开放日的志愿服务工作，包括前期展台的布置、设备的调试、趣味性小实验设计、现场引导讲解等工作。实验室开放日成为学院党委和各教师党支部的一个品牌活动，把为民服务工作和教师的业务工作紧密联系起来，既增强了广大教师党员为人民服务的精神理念，同样也用自己掌握的科学文化知识去影响和熏陶活动的参观者，向社会公众提供了一次普及科学知识的全方位服务，为营造全社会学科学、爱科学的良好氛围必将起到积极的推动作用。

多年来，燕山大学教师党支部利用暑假和部分节假日时间组织举办了多次为企业、政府机关等相关人员的技术培训服务，培训对象包括华德液压、南水北调河南公司、河北省部分党政机关等单位。采用理论课与实践课相结合的培训方式，重点解决企业的机械制造、成形工艺等方面的技术难题，也为部分管理人员普及机械工程类的基本知识，达到对机械装备的感性认识。

第二节　党建与教学科研工作融合的实施路径

基层党组织是推动党的各项事业改革发展的坚强战斗堡垒。教工党支部作为高校的基层党组织，需做好立德树人、服务教育教学、组织动员群众、宣传党的方针政策等具体工作。党建的具体抓手和落地落实是业务工作，工作中如何推动党建与业务深度融合、破除“两张皮”现象，提升二者之间的黏合力，做到党建引领业务、业务促进党建，是新时代高校基层党组织亟待解决的现实问题，也是促进高校中心工作稳步发展的必然趋势。

燕山大学机械工程学院教师党支部积极开展党建与教学科研工作发展融

合途径，通过创新党建载体、丰富党建工作形式，开展“校所、校企”多维度“智联建”活动，在与优势研究院所和企业深度对接的基础上，充分挖掘研究院所和企业的党建资源，利用支部共建、校地合作等形式，把党建工作与高校中心业务工作有机融合，同向同行、双促双融，为高校基层党组织党建和中心工作深度融合提供思路。

一、优化支部建设，创新党建活动形式

加强党支部规范化建设，提升党组织生活质量。严格落实支部“三会一课”制度，定期开展理论学习与党建研讨活动。创新党建载体，加强与其他党支部牵手共建，丰富党建工作形式，开展学科竞赛与人才培养、成果转化深度融合的主题党日活动。

创新班子工作方法，充分利用学科团队资源，梳理各团队科研成果和优势，利用校友资源及科研合作的机会。以机械电子工程系教师党支部为例，与中国电子科技集团第五十四所天线伺服专业部取得联系，经过双方充分沟通交流并达成共识，确立“教学科研工程融合，共谋深入合作发展”为共建主题，通过党支部的“组织联建共建”，搭建起研究所和高校交流的新平台。通过第五十四所天线伺服专业部二支部科研工程经验与燕大机电系支部科研学术相结合，优势互补，助推天线技术发展，更进一步促进研究所、高校在“卡脖子”技术交流、思政教育、新工科人才培养、联合双创基地等业务方面更好地合作。

二、实施产学融合，提升人才培养质量

增强班子凝聚力，提升支部战斗力，激发支部党员和学科团队主动性，引入优势企业实际问题，发挥学科团队的集团作战实力和优势，开展有组织的、有规模的、本科生与研究生联合贯通的科研科技活动。开门搞党建，融合促发展，推行“校企、校地”多维度“智联建”，促进合作交流，切实提升支部党建工作与人才培养工作双融双促水平。

例如，通过与山东临工工程机械有限公司合作，面向专业学生，组织开展“临工杯”机电产品创新大赛，将项目式教学引入生产实习并贯穿至课程设计二级项目，引导学生进行创新实践，大力开展“赛教融合、以赛促教”教学改

革，激励学生主动学习，提升学生学习效果。通过将企业真实复杂工程问题引入学校项目式教学体系中，强化“做中学”模式的人才培养实践，有效提高学生分析和解决实际复杂工程问题的能力，激发学生学习动力、提高学生双创能力，实现校企协同育人，提升人才培养质量，为产教深度融合下实践教学改革积累了成功经验。

三、搭建交流平台，丰富党建与中心工作深度融合的支撑载体

组织党支部教师广泛参与“党建引领教学创新”系列活动，尤其是各类教学比赛，以赛促练，以赛促改，以赛促学，有效提升教师教学水平。组织广泛而深入的讨论，在专业建设、课程体系、课程建设、实习实训、教学理念、教学方法、考试改革等方面深度创新，把三全育人理念贯穿人才培养全过程。将创新教育与课堂教学、专业实习、志愿服务、毕业设计、双创项目和教师科研相互结合，培养创新型人才。

制订中青年教师发展计划，制定与校友院校交流常态化机制，切实提升中青年教师教学科研视野，促成中青年教师的多元化教学与科研的融会贯通。以“青年教师论坛”“青年教师说课”等为抓手，加强党建工作与业务工作深度融合的载体建设，助力青年教师提升业务水平。党支部统筹谋划，将“青年教师说课”纳入主题党日重要活动内容，为青年教师讲课把好关，在教学工作和青年教师培养中，积极发挥党组织作用。同时，定期开展“青年教师论坛”，组织青年教师围绕科研教学开展交流研讨，鼓励青年教师指导学生参加科技竞赛，并邀请资深教师参与交流指导、分享经验，发挥教师党员在系部活动中的积极作用，助力青年教师成长，促进中心工作与支部建设有机融合，取得了显著的效果。

第三节　以“微党课”为平台的高校学生党员教育途径

新时代高校学生党员教育面临传统手段逐渐式微、教育阵地日趋多样、青年学生个性鲜明的时代挑战。为了克服新时代高校学生党员教育手段单一、参与积极性和教育效果低下等问题，开创了学生党员自我教育平台的创新，通过

"微党课"视频大赛，利用学生身边最常用的互联网媒体进行宣传，不断提升党员教育活动的可参与性和教育效果，不断增强学生党员的政治素养、理论水平和行动力。同时，建设创新型的让学生党员感兴趣、多关注、强影响的自我教育平台，也是对新时代高校思政工作的要求和考验。

一、项目介绍

大学生党员的教育和培养问题，是高校基层党建研究中的重要问题。然而，现在有些大学生虽然在形式上入了党，但思想上对党的认识深刻度远远不够，不知其所以然，接受党组织的教育、培养的时间也有限。普遍的是，在发展党员之前，对积极分子、发展对象进行多重考察和教育，比如参加党校培训、马列主义班、党章学习小组等，但发展后就认为任务完成了，忽略了党员的再教育管理工作，导致了部分党员存在懈怠心理。学生党员自我教育使学生党员充分发挥自觉性和积极性，使其将教育内容内化为自己的内在准则和信念，充分实现学生党员的培养目标。教育与自我教育相结合的方式，不仅符合学生党员的心理发展特点，还可以充分发挥其主观能动性，有利于实现学生党员的自我认识、自我激励、自我管理、自我控制和自我评价，从而促进其成长、成熟和成才，保证学生党员教育工作的顺利完成。

依托举办的"微党课"视频大赛，学院从创新平台实践中总结升华，探寻新时代高校学生党员自我教育平台建设的新途径和新方法。

"微党课"视频大赛是由机械工程学院党务中心发起的，在学院党委的大力支持和各基层学生党支部的积极配合下创办的学生党员自我教育平台。到目前为止，"微党课"视频大赛已成功举办多届，在每一届不断总结理论和实践经验的基础上，"微党课"视频大赛已经形成一套完整的比赛、评审程序和宣传路径，在学院学生党员中有着巨大的影响力和吸引力，在学生党员自我教育方面，也发挥着积极的作用。

"微党课"视频大赛的成功给学院党务工作者带来了启发和新的工作思路，在总结和升华"微党课"视频大赛经验的基础上，创新各种途径的自我教育平台，例如在本科生党支部开展时政热点分享会，将支部学生党员分组，每组自由选择主讲时政热点，在党小组会上进行分享，参会的党员就时政热点进行热烈探讨，党支部书记进行总结引导等。机械工程学院党委成立“机思广益”党建工作室，作为党建活动的专属平台，涵盖内容丰富，获得全国高校思政工作网的报道。

二、项目研究内容及实施过程

（一）研究内容

1. 以机械工程学院“微党课”视频大赛为例，研究如何进一步扩大党建活动对学生党员的影响力和教育引领作用。通过成功举办“微党课”视频大赛，充分走访参赛者和观看“微党课”学生党员的心得体会，针对学生党员提出的宣传性和动员性问题进行了完善。针对视频大赛本身在赛制上和赛后优秀作品的宣传上进行了升级，例如要求参赛党支部全员参与，优秀作品在学院微信公众号和学校党建平台进行展示，并且结合线下党课的开展情况，邀请优秀党课主讲人进行线下党课，扩大“微党课”视频大赛的影响力。

2. 高校学生党员自我教育途径多样化的探索。“微党课”视频大赛的宗旨是实现学生党员的自我教育，通过自己准备党课内容，用自己的方式和语言进行讲述，使参赛者更能深入了解党课内容，同时更大程度地调动学生党员党课学习的积极性。通过“微党课”视频大赛取得的成果，也启发了更多学生党员自我教育途径的探索和创新。同时，做好党员教育与专业教育相结合可以使大学生党员在学习专业知识的同时，能够同党的相关理论知识进行有效结合，从而更好地发挥本专业知识对社会、对他人的服务作用，也进一步加深大学生党员对党的相关理论知识的理解，在潜移默化的过程中提升自己的思想政治素质和专业素养。

3. 当代学生党员自我教育平台建设与发展。在自媒体高度发展的时代，传统媒体平台逐渐受到冷落，这就要求高校党建更要与时俱进，创新自我教育平台，除了传统的网站平台、QQ 空间、微信公众号的平台建设，还应该占领自媒体领地，为学生党员自我教育的发展贡献力量。

（二）研究过程

1. 归纳总结“微党课”视频大赛参赛者和观看者的心得体会，将优势继续发扬，将学生们反映出的问题进行改进和完善。引导广大党员通过读书读报、观看电视新闻、浏览科教网页以及集体观看《恰同学少年》《建党伟业》等红色影片，寻求“微党课”素材。这样不仅可以实现“微党课”内容来源的丰富化，而且可以发挥“备课”过程的自我教育意义。

2. 持续组织开展“微党课”视频大赛，提高参赛作品质量，扩大参赛支部参与人员，选定党课主题，加强对比赛和参赛优秀作品的宣传。在“集体备课”环节中引入竞争机制，督促学生党员反复“演练”。在“演练”中，强化党员同学之间的互动交流、答疑解惑，深入挖掘“微党课”对主讲党员本人的自我教育价值。同时，努力增强“微党课”吸引力和感染力，充分发挥“微党课”对同辈群体的自我教育功能。

3. 创新学生党员自我教育平台，在原有平台的基础上，扩大建设规模和影响力，采用多种途径和方法，从基层到党委建设学生党员自我教育平台，在本科生党支部开展时政热点分享会，将支部学生党员分组，每组自由选择主讲时政热点，在党小组会上进行分享，参会的党员就时政热点进行热烈探讨，支部书记进行总结引导；在学生党支部号召利用学习强国等学习平台组织学生自主学习，每天安排学生轮流分享学习强国上的优秀推文，在基层党支部营造政治理论学习氛围；学院党务中心定时推出党史故事，从趣味性角度激发学生党员学习兴趣；机械工程学院党委“机思广益”党建工作室及相关微信公众号，作为党建宣传和自我教育平台，扩大宣传力度和影响。

2016 年，燕山大学机械工程学院党委发起“微党课”视频创作大赛，采用故事演绎、历史解说、新闻采访等多种风格，涵盖时政分析、家国情怀、校史校情、学科前沿等多项主题，截至 2022 年已连续开展 7 届，累计制作 354 个视频课程。如表 7-1 所示。

表 7-1 “微党课”视频创作大赛

届数	作品数量	作品分类						
		家国情怀	校史校情	科技强国	党员生活	国情形势	党史党规	其他
第一届	39	2	2	8	4	1	21	1
第二届	25	2	4	9	5	2	3	0
第三届	29	10	4	3	4	0	2	6
第四届	34	9	4	3	6	2	3	7

（续表）

届数	作品数量	作品分类						
		家国情怀	校史校情	科技强国	党员生活	国情形势	党史党规	其他
第五届	55	10	13	0	2	28	2	0
第六届	101	22	21	34	7	12	5	0
第七届	71	16	3	20	1	10	21	0
汇总	354	71	51	77	29	55	57	14

三、项目实施结果

“微党课”视频大赛为学院学生党员自我教育与发展提供了平台，也开创了学院党委创新学生党员自我教育方式方法的新思路，在学生党建理论和实践上都是一次新突破。历经数届，“微党课”视频大赛影响了学院千余名本科生党员和研究生党员，评选出数十部优秀作品，推广量达到，现已成为学院党委学生党建的经典项目，大赛也受到了广泛关注和学院“机思广益”党建工作室的大力推动，涌现出很多高质量的作品。随着“微党课”视频大赛的影响力不断扩大，其已经成为学院学生党员自我教育的主要平台，成为培养先进党员、开展思政教育的品牌特色，在全院乃至全校范围内形成独具特色的党员自我教育新形式。

做好“微党课”视频大赛活动所带来的学生党员自我教育理念不仅为党建工作提供了理论价值，而且也对学生党员的培养有着广泛的积极的现实意义。

以党支部为单位发起的“微党课”视频大赛，为支部展现凝聚力和号召力提供了机会和平台，也是支部风采、精神面貌的一次集中展示。各党支部在视频大赛中的成绩往往是党支部年终工作汇报的巨大亮点，在大赛中表现积极、突出的入党积极分子和预备党员，也可以在年度考察培养记录中有所体现，是支部创先争优的实践体现，具有巨大的实践价值。

“微党课”视频大赛也是学院党委开创学生党员自我教育平台建设的重大实践，“微党课”视频大赛的成功举办，为学院党委的学生党员培养和教育开启了新思路和新方法，使得学院学生党员的自我教育平台建设有了新起点。以“微党课”视频大赛为例，探索新时代高校学生党员自我教育平台建设不仅是为了适应新时代高校学生党员学习形式转变的需要，更是为了要激发学生自我学习自我教育的内在动力，把学生党员教育的载体由外在引向内在，从机构引向自身。而内生动力的激发仅仅依靠学生党员的自我认识是不够完善的，需要有外在的环境约束和引导，“微党课”视频大赛就恰到好处地填补了这个空白。“微党课”视频大赛为新时代高校学生党员自我教育平台建设提供了新的思路和实践，创新了基层党委学生党员教育的新形式。

四、项目评价与总结

（一）项目特色与创新之处

以“互联网＋党建”的模式探索学生党员自我教育平台，以“微党课”视频大赛为抓手，从实践教育活动中总结理论经验，促进学生党员自我教育理论和方式创新，建设和完善新时代高校学生党员自我教育平台建设，边发展边升级，实践与理论相统一。占领网络思政主阵地，在自媒体、“微”时代下树立学生党员思想政治教育的旗帜，线下与线上相结合，传统与创新相结合，多维度开创新时代高校学生党员自我教育新篇章。

（二）存在的问题

在取得进步和成绩的同时，我们清醒地发现，在“微党课”视频大赛的举办过程中和学生党员自我教育平台建设的过程中，还存在着一些问题。经过总结和分析，归纳为以下几点。

1.“微党课”视频大赛的备课和宣传主要依赖网络媒体，但是当前网络媒体对大学生党员教育仍有一定的消极影响。自我教育平台建设特别是网络平台在开放性虽然使得各种信息的传递更加方便快捷，但是网络媒体中各种复杂的消息混杂，然而大学生对这些新消息的接受程度却很高，导致在网络媒体中传播一些不正确的观念，这就很容易对大学生党员产生影响。

2. 随着互联网时代的到来，“微”事物风起云涌，已日益渗入人们的学习、工作和生活中，同样它也受到了广大学生党员的喜爱，运用“微”事物开展党建工作已是大势所趋。这使得以“微党课”为代表的快餐文化理念传播越来越迅速，受到学生党员的欢迎，但是同样，在快餐文化中，学生的浮躁心态越来越严重，“微党课”也带来了“浅阅读”的负面影响。“微党课”中传播的知识大多是碎片化的，具有一定的跳跃性，给学生党员带来的是一种短暂的阅读消遣和精神刺激，这种阅读对学生党员的学习发展不利。

3. 由于在大学教育中思想政治教育的实效性还不够高，很多教师在对大学生进行教育时忽略了思想政治教育的重要性。大学生党员教育是对大学生党员的综合能力素养进行培养的重要途径，是一种综合教育，因此，不能只顾知识教育而忽视了思想政治教育。具体来讲，在当前的高校教育教学过程中，对大学生党员的思想政治的重视程度不够高，对学生党员的自我教育不够重视，对学生自我教育的创新和平台建设不够重视。

（三）改进思路

1. 加强对新媒体平台建设的监管和引导，不管是“微党课”视频大赛的宣传平台还是其他自我教育的媒体平台都应该安排指导和监管负责人，随时对舆论热点和学生党员关注的话题进行积极的引导，传播正能量。高校自身要不断净化自媒体环境，使得自媒体成为社会主义核心价值观传播的重要载体。从社会的角度来讲，在社会上也应该要营造一种良好的氛围，相关部门要加强对自媒体的监管，尤其是对网络传播环境要加以净化，防止各种不良言论消息在网络上大肆传播。加强对相关法律法规的完善，对网络传播机制进行规范约束，使网络环境得到净化，为大学生的学习以及健康成长提供良好的环境支持。

2. 在自由申报视频大赛主题的基础上，联合作品优秀的党支部制作专题党课作为复赛，系统规划和设计“微党课”主讲内容，在集体备课环节设计系统的党课学习内容，分成若干循序渐进的课题，各党支部分配课题进行准备，邀请党建教师进行指导，再按照课题内容在宣传平台进行推广，集零为整，达到学生党员自我教育的效果。结合“微党课”视频大赛的经验，其他自我教育的自选主题也可以进行适当的规划和设计，以期达到党员教育内容的饱和度和完整性。

3. 在高校内加强课程思政和全员党建育人，学生党员的培养不仅仅是学校、学院党委的事，也不是党建指导教师和党支部书记的事，应该是全体高校教育者的重要工作内容。在全学院全校范围内提升课程思政的普及率，号召全体教师和学生投入到党员教育中来，形成良好的培养氛围，才能进一步激励学生党员的自我教育效果，全面提升新时代高校学生党员的素质。

第四节 “大思政”视域下高校新工科“课程思政”实践路径探索

燕山大学机械工程学院坚持以习近平新时代中国特色社会主义思想为指导，以党建为统领，紧贴燕大精神，基于“多向锻造”要求，以引导学生坚定理想信念、厚植爱国主义情怀、增强综合素质为根本，对“大思政”视域下高校新工科“课程思政”实践路径进行探索研究和深入实践。打造新时代高校新工科课程思政“研究体系化”“资源校本化”“融合多元化”的一体化建设体系，是“课程思政”工作全新尝试和创新探索，搭建起高效运行的教育改革机制与协同联动机制，有效地帮助工科教师提高价值认识，增强其敢于设计、善于讲授的自信和能力，并在专业课堂中融入具有燕大特色的思政元素，使隐性的思政教育接地气入人心，为课程思政改革的进一步推进提供了一定的参考与借鉴。

一、研究背景与意义

2014年，习近平总书记提出“办好中国特色社会主义大学，要坚持立德树人，把培育和践行社会主义核心价值观融入教书育人全过程”。2020年，教育部印发《高等学校课程思政建设指导纲要》，强调要全面推进高校课程思政建设，紧紧抓住教师队伍“主力军”、课程建设“主战场”、课堂教学“主渠道”，让所有高校、所有教师、所有课程都承担好育人责任，守好一段渠、种好责任田，使各类课程与思政课程同向同行，将显性教育和隐性教育相统一，形成协同效应，构建全员全程全方位育人大格局。《高等学校课程思政建设指导纲要》指出要“全面推进高校课程思政建设，发挥好每门课程的育人作用”“使各类课程与思政课程同向同行，将显性教育和隐性教育相统一，形成协同效应，构建全员全程全方位育人大格局”。由此可见，党和国家高度重视思想政治教育工作，强调发挥每门课程在立德树人过程中的重要作用，课程思政一词也因此热度不减。关于课程思政，学界给出了清晰的定义：课程思政指以构建全员、全程、全课程育人格局的形式将各类课程与思想政治理论课同向同行，形成协同效应，把“立德树人”作为教育的根本任务的一种综合教育理念。

2017年，教育部发布的《教育部高等教育司关于开展新工科研究与实践的通知》提出，我国高校要加快建设和发展新工科。从此，新工科一词开始出现在人们的视野中。新工科对应的是新兴产业，首先是指针对新兴产业的专业，如人工智能、智能制造、机器人、云计算等，也包括对传统工科专业的升级改造。新工科的提出，与我国近几年提出并大力推行的国家创新驱动发展战略、“互联网+”等战略不谋而合，其旨在改变我国高等工程教育的现有局面，提升工程科技人才的创新能力和跨界整合能力，带动以新技术、新业态、新产业为特点的新经济蓬勃发展和产业转型升级。

在新工科“新理念、新要求、新途径”的背景下，应对变化，塑造未来，培养多元化的创新型卓越工程人才，各个高校已经开展了一系列的教育教学活动和课程改革应对新形势下的变化与挑战。高校人才培养过程中，首先应重视当代大学生的思想政治教育，要坚持育人为本、德育为先的理念和根本。思想政治教育不仅局限于传统的思想政治课程，而是专业教师要从专业课程中发现文化传承和精神文明，把为人处世的道理、社会主义核心价值观、优秀品质和精神、爱国主义以及民族复兴的理想和责任与知识内容相融合，提高学生的综合素质，培养同时具有专业能力、优秀品格和意志的复合型工程人才。

课程思政理念的提出是为了解决“知识教育”与“价值教育”相分离的问题，推行课程思政教学改革是党对于高校实现“立德树人”根本任务的重要要求。在此背景下，专业课教师纷纷投入课程思政的实践之中，但术业有专攻，尽管专业课教师有主动融入的意识、有积极担当的作为，但实践中仍遇到很多难以克服的问题，如教学案例缺乏亲和力，似“空中楼阁，云中日月”；如思政元素糅入生硬，似“眼中金屑、米中掺沙”；等等。

高校辅导员是开展大学生思想政治教育的骨干力量，是学生成长成才的人生导师和健康生活的知心朋友，辅导员对学生成长规律的掌握，对学生喜好需求的了解，与学生良好关系的维系，恰好可以帮助专业课教师解决课程思政的实践困难。因此，本课题将积极探索在课程思政视域下高校辅导员与专业课教师的协同育人路径，充分运用高校辅导员的职业优势帮助专业课教师解决实际困难，增强课程思政的亲和力与针对性，协作交流、优势互补，形成育人合力，共同落实学生思想政治引领的育人使命。高校辅导员与专业课教师的协同，既是落实立德树人根本任务的重要保证，也是实现知识传授与价值引领有机统一的必然选择，同时也是促进大学生全面发展的内在需要，对于课程思政育人目标的实现具有重要的理论与实践意义。

二、建设内容

在“大思政”工作格局下，高等学校积极落实全员、全程、全方位育人要求，做好立德树人工作，推进思想政治工作创新发展、将社会主义核心价值观融入教育教学全过程。“课程思政”的概念也随之出现。2017 年 12 月，中共教育部党组将“课程思政”写入《高校思想政治工作质量提升工程实施纲要》，并把“以‘课程思政’为目标的课堂教学改革”放在“十大育人体系”的首位。2018 年，教育部高等教育司和思想政治工作司均将“课程思政”写入当年的工作要点。

为贯彻落实各级文件精神，2019 年燕山大学出台了《推进课程思政建设实施方案》，统筹推进课程思政改革工作。文件颁布之后，各学院、各专业、各系部教师纷纷投入课程思政的研究之中。但术业有专攻，尽管工科背景的任课教师有主动融入的意识、有积极担当的作为，但实践中仍遇到很多难以克服的问题。

该课题坚持以习近平新时代中国特色社会主义思想为指导，以党建为统领，对“大思政”视域下高校新工科“课程思政”实践路径进行探索研究，推动课程思政“研究体系化”“资源校本化”“融合多元化”的一体化建设，帮助工科教师解决实际困难，增强敢于设计、敢于讲授课程思政的自信和勇气，进一步深化课程思政改革。

（一）推动课程思政“研究体系化”建设

1. 建设目标，强调多向锻造。充分挖掘课程教学的德育内涵，突出专业课程教学的育人导向。系统回顾梳理学校建校以来伴随新中国重机行业成长的光辉历史，传承发扬熔铸在燕大人骨子里的奋斗基因、工匠精神、卓越品质和家国情怀，强调按照“多向锻造”的要求，引导学生坚定理想信念、厚植爱国主义情怀、加强品德修养、增长知识见识、培养奋斗精神、增强综合素质。

2. 课程设计，强调整体转型。教学目标坚持思政刚性，教学内容体现思政鲜活，教学评价坚守思政底线，进行课程体系架构、课堂教学模式、学生学习方式、教师角色调整的整体转型与变革。在教学运行状态评价中强化“课程思政”考核权重、评选“课程思政”优秀教师，不断增强“教育报国守初心、立德树人担使命”的责任感和使命感，为“课程思政”建设注入持续动力。突出弘扬社会主义核心价值观，遵循教育教学规律，体现现代教育思想，反映学科、专业最新发展成果和教改教研成果，将知识、技能传授与理想信念教育有机结合起来。

3. 教学方法，强调分类指导。强化分类指导、精准施策，突出针对性，找准切入点，定期组织“课程思政”教学沙龙、举办“课程思政”教学设计大赛等活动。在工程技术类课程中，突出培育独立思辨、开拓进取的科学精神和敬业专注、精益求精的工匠精神，强调国内外技术发展情况对比分析，培养学生踏实严谨、追求卓越的优秀品质；在自然科学类课程中，突出培育追求真理、严谨认真的求实精神和求新探异、敢为人先的创新精神，将辩证唯物主义和历史唯物主义贯穿渗透，引导学生尊重自然规律、倡导绿色节能、推进生态文明，构建人类命运共同体，实现共享共赢。

4. 实现路径，强调沟通引导。成立“课程思政”专题研究推进组，开展“三沟通”，即为教师畅通与学院党委的沟通渠道，拓宽与思政队伍的沟通路径，搭建与马列专家的沟通平台，联合发力提高教师的思政教育水平。做到“三引导”，即“本职担当引导”，引导教师以高度负责的态度投入课程教学之中，以良好的思想、道德、品质和人格给大学生以潜移默化的影响；“主动融合引导”，引导教师把思想政治教育融入专业学习的各环节，渗透到教学、科研和社会服务各方面；“深层思考引导”，引导教师深入挖掘专业课程与思政教育的结合点，将思想政治教育巧妙融入课程建设，使学生在学习专业知识和技能的同时，自觉自悟，提升思想道德修养，提高政治觉悟。

（二）推动课程思政“资源校本化”建设

该课题把“燕大精神”与“课程思政”的智慧凝聚起来，服务德智体美劳全面发展的社会主义建设者和接班人的培养，服务新工科建设，服务学校和学科内涵式发展，服务地方经济的绿色发展，不断强化课程思政的亲和力，增强课程思政的渗透力、扩大课程思政的传播力、成就课程思政的影响力，为工科师生量身打造与专业密切相关、体现学科特色、贴合生活实际的思政案例。

1. 服务“接班人”培养，强化亲和力。通过深入挖掘身边的思政育人故事，提炼升华成一个个小的“思政案例插片”，贴近实际、贴近生活、贴近学生，努力提高思政案例的针对性、实效性和吸引力、感染力；分类整理汇总成“课程思政案例素材库”，提供给不同专业背景的任课教师使用，拓宽专业课堂的思政视野，增加课堂温度，引起师生共鸣，激励学生的求知欲望和专业自豪感。服务“接班人”培养，强化课程思政的亲和力。

2. 服务“新工科”实践，增强渗透力。当前，世界高等教育正在发生革命性变化，呈现出“大众化、多样化、国际化、终身化、信息化”的趋势，高等教育与世界格局、国家发展、社会进步、个人福祉形成了更加系统而复杂的共生关系。其中，高等工程教育承担了“新工科”人才培养的重要使命。以立德树人为引领，培养未来多元化、创新型卓越工程人才的“新工科”建设，包含“新兴、新型和新生”的内涵，呈现从理念到行动的转变、从理论到实践的铺开，成为教育界和产业界的关注热点。贴近“新工科”理念，适应“新工科”发展，深度挖掘新技术、新产业、新业态、新经济模式的思政元素，结合国家一系列重大战略的实施、产业转型升级和新旧动能转换，深化校企融合元素，进一步探索 OBE 产出导向的工程教育新范式。

3. 服务“双一流”建设，扩大影响力。教育部不断推动高校思想政治工作评价改革融入“双一流”建设、教学审核评估、学科评估的核心指标。第 5 轮学科评估在保持原有指标体系框架基本稳定的基础上，对评估体系和方法进行系统性改进升级，并将党建工作和思政教育的成果成效纳入学科评估体系。本项目以此为切入点，重点推进以“课程思政”为目标的课堂教学改革系统设计，加强思政教育与知识教育的有机统一，提炼专业课程所蕴含的思政教育元素，拓展各门课程所承载的思政教育功能，促进学校和学科内涵式发展。服务“双一流”建设，扩大课程思政的影响力。

4. 服务“京津冀”发展，成就贡献力。在整体设计中，坚守服务国家战略布局需求的初心，强化精品思维，突出行业特色；在案例撰写中，强调服务现实需求、解决实际问题，加大国家和区域经济社会发展的案例梳理与撰写；在教育引导中，牢牢把握京津冀协同发展、雄安新区规划建设、北京冬奥会筹办三大历史战略机遇，鼓励学生主动融入国家战略需求，为创新型国家和创新型河北建设精准发力、奋勇担当。服务“京津冀”发展，成就课程思政的贡献力。

（三）推动课程思政“融合多元化”建设

项目组在以往工作基础上，探索课程思政与专业培养的多元融合路径，以期帮助教师灵活运用“课程思政案例素材库”中的故事，回避德育内容的生硬嵌入，避免思政教育的硬性灌输，通过由近及远、由表及里、引人入胜的运用，引导学生理解社会制度的历史性变革和国家取得的历史性成就，再恰到好处地用“身边事儿”教育“身边人”，把家国情怀自然渗透进专业课程的方方面面，把“思政”与“课程”的关系真正变成如春在花、如盐化水、如影随形。

1. 如春在花，绽放在各方面。结合新版专业培养计划的修订，让思想政治教育体现在培养目标、教育计划、课程设计、教学方案等各方面之中，融入课程教学大纲，调动教师参与课程思政教学改革的积极性，营造课程思政良好工作氛围，建立健全课程思政育人教学体系。

2. 如盐化水，融入进各环节。把思想政治教育融入进课堂教学、实验研究、实习实践、毕业设计等大学生专业学习的各环节之中。抓好专业教学中的育人点，将育人要求和价值观教育变为鲜活的案例融入专业教师的话语体系，丰富课程思政的育人形式，严谨生动、深入浅出地把理论讲透彻、把知识讲鲜活，用创新之举，推进思政教育工作真正走进学生的现实生活和精神世界。

3. 如影随形，渗透到全过程。结合机械学科的特点，使优秀的思政资源渗透到教学、科研和社会服务的指导、把控、反馈、竞赛等全过程之中。在传授专业知识过程中，深入落实立德树人根本任务，加强思想政治教育，使学生在学习科学文化知识过程中，自觉加强思想道德修养，提高政治觉悟，实现价值塑造、能力培养，做到固本铸魂、培德育人。

努力引导学院师生在实施课程思政教改和传播过程中力求讲真故事、动真感情、求真效果。将立德树人的任务贯穿于课堂教学全过程，所有课程都“守好一段渠，种好责任田”，不断推动“课程思政”与“思政课程”同向同行、相得益彰，构建“三全育人”的大思政格局。

三、主要观点和对策建议

（一）主要观点

1. 构建课程思政供给侧需求侧循环双促工作格局是研究课程思想的重要方法论。探究课程思政路径，关键是要找到合适的研究方法，本课题以思想政治教育的最终目的和大学生现实需要为出发点，以建立供给侧循环为主线，以专业课堂内丰富立体的思政内容供给满足学生需求，需求侧循环的建立为供给侧改革提供良好的基础，推进需求侧与供给侧并进，在学生需求侧导向牵引的情况下，实现高校课程思政供给端的转型升级，提高供给的科学化、针对性和亲和力，完善课程思政建设的供需平衡，不断提升课程思政建设水平，为更好地研究课程思政找到了“解决密钥”。

2. 工科课程思政必须优化课程教学。课程思政必须从授课入手进行优化提升，围绕政治认同、家国情怀、文化素养、宪法法治意识、道德修养等重点优化“课程思政”内容供给，授课教师将思政元素融入培养方案、教学大纲、课程教学、实践实训、科学研究、学术指导之中，通过实战凝练，完善思政案例，深入推进教学改革，着力解决好专业教育和思政教育“两张皮”问题，在“提高—凝练—推进—再提高”中完成供给侧改革的自循环。

3. 工科课程思政必须契合学生需求。课程思政的生命力在于找到学生喜闻乐见的教育需求，必须站在学生的立场，深入开展“师生携手 燕大智汇”课程思政案例征集，挖掘燕大发展进程中的动人故事、优秀师生，用身边人、身边事影响带动学生，弘扬爱校、荣校之情，传递奋斗基因、工匠精神、卓越品质、家国情怀的“燕大品格”，让课程思政变得可敬可亲。

4. 工科课程思政必须建强师资队伍。探究课程思政新路径，必须依托强大的教师队伍，采取建立思政案例专题研究团队，吸收老中青结合、文理工融合的教师，纳入学院各级各类学生、辅导员、青年教师、资深教授、退休教师、优秀校友等人员，协同马克思主义学院专家教授，共建共享，协同推进，齐头并进研究课程思政。

5. 工科课程思政必须依托丰富课堂案例。拓宽专业课堂的思政视野，必须增加课堂温度，激励学生的求知欲望和专业自豪感，在具体的研究路径上，必须深入挖掘身边的思政育人故事，探析燕山大学“人”与“事”中蕴含的思政教育元素，用鲜活的教学案例丰富课堂思政，提高教育教学实效。

（二）对策建议

1. 推进课程思政“三化”建设。对“大思政”视域下高校新工科“课程思政”实践路径进行探索，推动课程思政“研究体系化”“资源校本化”“融合多元化”建设，帮助工科教师解决实际困难，增强敢于设计、善于讲授课程思政的自信和勇气。

2. 丰富课程思政供给侧改革。实施“二N三一”工程，即凝练N个“案例插片”、录制N个“示范课程”，运营1个线上平台、整理1个电子素材库、汇编1本思政案例集，为课程思政供给侧改革提供一个内容丰富、贴近学生、即用即取的“思政素材库”，提供给不同专业背景的任课教师使用，拓宽专业课堂的思政视野，增加课堂教学的有效性。

3. 深度融入课堂教学。围绕工科专业培养计划的修订，让思想政治教育体现在培养目标、教育计划、课程设计、教学方案等各方面之中，融入课程教学大纲，调动教师参与课程思政教学改革的积极性，营造课程思政良好工作氛围，建立健全课程思政育人教学体系。

4. 广泛嵌入教学环节。把思想政治教育融入课堂教学、实验研究、实习实践、毕业设计等大学生专业学习的各环节之中。抓好专业教学中的育人点，将育人要求和价值观教育变为鲜活的案例融入专业教师的话语体系，丰富课程思政的育人形式。

5. 全面渗入学校教育。结合机械学科的特点，把优秀的思政资源渗透到教学、科研和社会服务的指导、把控、反馈、竞赛等全过程之中，在传授专业知识过程中，加强思想政治教育，使学生在学习科学文化知识过程中，自觉加强思想道德修养，提高政治觉悟，实现价值塑造、能力培养，做到固本铸魂、培德育人。

四、实施过程与成果

该研究在充分的理论研究的基础上，在实践过程中探索“大思政”视域下对高校新工科“课程思政”的工作路径。

（一）宏观规划，推动顶层设计，构建大思政格局

1. 学院统筹安排，形成工作思路。学院高度重视“课程思政”改革工作，经过充分的理论学习和调查研究形成了适合学院实际情况的课程思政改革工作思路。

2. 完善政策指导，调动各方资源。为保证各项工作有序开展，充分调动专业教师、辅导员、教辅部门等多方资源，学院出台《机械工程学院课程思政建设实施方案》等文件，保障落实、调动力量、协同资源。

3. 配备思政秘书，构建“大思政”格局。为解决专业课教师思政教育能力不足的现实问题，学院统筹安排，为各系部配备辅导员担任课程思政秘书，帮助专业课教师解决“课程思政”实践过程中的问题，引导不同岗位的教职工发挥自身优势，全面落实“三全育人”理念，构建“大思政”格局。

（二）共学互促，加强队伍建设，提升教职工水平

1. 学习研讨，引智入校。学习课程思政的发展演变加强对实际工作的指导；邀请校外“课层思政”领域的专家进校，拓宽视野，为教师提供“课程思政”工作的新知识和新思路；组织学习课程思政工作推进实施方案，明确了课程思政建设目标和内容重点，科学设计课程思政教学体系，切实推动学院课程思政建设工作。

2. 以赛促教，以赛促进。每年组织开展“课程思政”教学竞赛，通过竞赛挖掘专业课程当中的思政元素、引导专业教师对课程思政教学进行思考、为专业教师搭建互相学习的平台。“课程思政”教学竞赛已举办两次，参赛课程质量更好，教师积极性增强，教师将思政元素自然融入课程的能力明显提升，实现了以赛促教、以赛促进的目标。

3. 经验交流，互促互进。通过课程思政主题沙龙、课程思政教学示范设计交流会、典型案例交流会、各系部经验交流分享会等一系列专题活动，为教师搭建了互相交流学习的平台，形成了互促互进的良好氛围，有效地推动了课程思政建设向纵深发展。

（三）需求反馈，调动学生力量，注重需求侧改革

1. 发挥辅导员优势，调动学生积极性。受教学生是课程思政教学改革的直

接受益对象，是课堂教学实施的受教客体，但同时也可以是教学改革的参与主体。辅导员与学生的亲和性，便于充分调动“需求侧”受教学生的积极性、主动性和创造性，多渠道、深层次、广泛地征集本、硕、博学生的需求反馈，发挥“需求侧”的参与能动性，进而挖掘各类课程和教学方式中蕴含的思政教育资源。

2. 广泛案例征集，发动学生力量。以学生“需求侧”的课程思政案例征集大赛为抓手，结合课程特点，动员广大学生主动挖掘学校发展进程中的动人故事、优秀师生，弘扬爱校、荣校之情；从专业历史的角度，追溯中华科技发展进程，强化社会责任、弘扬担当精神；站在学科发展的前沿，了解学科发展最新动态，拓宽视野和知识的深度广度；学习严谨的科学态度、刻苦钻研的科学精神，传颂发展历程中无私奉献的前辈，激发求学热情；学生们通过撰写一个个多元主题的课程思政案例，既可以向专业课教师呈现学生偏好，同时可以实现自我教育与自我提升。

（四）拓展渠道，延伸工作边界，积累于润物无声

1. 党建引领思政，以点带面同向发力。将“课程思政”工作同党建工作融合，组织“使命担当，课程思政”主题党日活动。各支部组织党员结合国家的大政方针学习课程思政的发展历程，掌握了课程思政工作的着力点。针对课程思政的具体实施、教学技巧、思政案例、组织和引领要素等方面进行了深入交流研讨，互相学习、探讨经验，激发了很多好的想法、意见和建议。在支部学习中融合党建思政的内容，能够充分调动党员在基层党组织当中的先锋模范作用，在系部起到较好的辐射带动作用。

2. 利用网络平台，日常积累积微成著。充分利用“机思广益”党建思政工作室的公众号线上平台，打造多个主题专栏，12 期“回顾往昔”，26 期“青春力量”，4 期“事小理大”，8 期“燕大事儿”，83 期“听 TA 说”等专题，在日常对校史院史、身边榜样、典型案例进行宣传的同时，也是课程思政工作的有效补充，专题内容也是课程思政案例的有效积累，是思政案例素材库源源不断的动力和资源。截至目前，公众号累计阅读次数超过 18 万、阅读人数超过 10 万。

在综合研判新时代工科思想政治教育形势的基础上，综合运用资料收集法、教育实验法、行动研究法、个案研究法、教育调查法等研究方法，紧贴“燕大精神”“机械文化”“课程思政”等教学实际，协调推动课程思政“研究体系化”“资源校本化”“融合多元化”建设研究，可以帮助工科教师解决案例缺乏亲和力、思政元素糅入生硬的实际困难，培养具有机械知识、工匠精神、人文精神、家国情怀的新时代机械专业人才，为新时代工科思政教育提供有益借鉴和参考。

五、创新点

（一）把握“新工科”背景，构建“大思政”格局

新工科是基于国家战略发展新需求、国际竞争新形势、立德树人新要求而提出的我国工程教育改革方向。新工科的内涵是以应对变化、塑造未来为建设理念，以继承与创新、交叉与融合、协调与共享为主要途径，培养多元化、创新型的卓越工程人才，为未来提供智力和人才支撑。在新工科“新理念、新要求、新途径”的背景下，高校教学活动和课程设计都在不断进行改革。但由于工科课程的特殊性以及工科专业教师专业背景的劣势，如何在坚持育人为本、德育为先的理念和根本的基础上，在工科专业课中发现文化传承和精神文明，社会主义核心价值观、优秀品质和精神、爱国主义以及民族复兴的理想和责任与知识等内容相融合，提高学生的综合素质，培养同时具有专业能力、优秀品格和意志的复合型工程人才，应当是“新工科”背景下课程思政研究的重点。

该项目在紧紧把握“新工科”背景的基础上，拓展工作思路，将构建“大思政”格局作为解决现阶段课程思政工作困境的有效途径。充分发挥辅导员掌握学生成长规律，了解学生喜好需求，与学生维系良好关系的职业优势帮助专业课教师解决实际困难，增强课程思政的亲和力与针对性，协作交流、优势互补，形成育人合力，共同落实学生思想政治引领的育人使命。此外，利用辅导员工作能够对接各个部门的特点，辅助联系、协调沟通思政工作室、马列专家、校友导师、管理工作者发挥各自优势，构建“大思政”格局，为“新工科”背景下的课程思政工作提供强大支撑。

（二）课程思政引入“供给侧”“需求侧”概念的价值意义

在经济学领域，“供给侧”与“需求侧”是拉动经济增长的一体两面。“供给侧”改革主要强调通过增加社会供给来促进经济增长，通常是以供给和生产端为起点，释放生产力与供给活力，引领经济新动力。“需求侧”改革的战略基点是扩大内需，以需求牵引供给。

“课程思政”与“新发展格局”虽然处于不同的领域，但是二者在供需关系方面有着可融合借鉴的价值意义。“课程思政”与“新发展格局”在主体上有着一致性，都是侧重于供给方。其次，二者在矛盾分析方面有内在的统一性，“新发展格局”是从供给与需求的矛盾分析，而“课程思政”则是从教育主体与客体的矛盾来分析，二者要达到的平衡状态性质是一样的。

该课题所提出的构建课程思政“供给侧”与“需求侧”循环双促工作格局，是以思想政治教育的最终目的和大学生现实需要为出发点，以建立“供给侧”循环为主线，以专业课堂内丰富立体的思政内容供给满足学生需求；同时由高校辅导员主导，建立以学生为主体的循环，为“供给侧”改革提供良好的支撑，推进“需求侧”与“供给侧”并进。最终，在学生“需求侧”导向牵引的情况下，实现课程供给端的转型升级，提高供给的科学化、针对性和亲和力，完善课程思政建设的供需平衡，不断提升课程思政建设水平。

第五节　“大思政”视域下高校机械类专业“智造赋能”教学引育模式创新与实践研究

立德树人是我国高校的根本任务，其中思想政治教育是生命线，不仅仅是思政课、课程思政教育，以及学生管理部门或人员开展思想政治教育工作能解决的问题。做好高校思想政治教育，要放在世界百年未有之大变局、党和国家事业发展全局中来看待，要紧密结合学校办学优势和特色，站在社会政治、经济、科技发展趋势的高度来筹划学生的教育管理模式、课程体系和教学内容。当前，在高校学生教育管理过程中，大力推动构建并实施“大思政”育人格局，要求高校、教师、企业等多个主体共同参与，在学生管理和教育教学中互促互进，发挥协同效应，形成强大育人合力。

与此同时，在社会经济发展中，我国正在进行新一轮技术改革和科技创新，国家对科技创新和自立自强的需求空前迫切，企业技术创新和产品迭代升级的速度加快推进，特别是作为国家经济命脉的制造业，正在加速向智能化、信息化发展。这种发展趋势，无疑对人才的输出主体——高等院校，特别是以工科为优势和特色的高等院校产生重要影响。高等学校的学生教育教学模式、课程体系和课程内容必须要紧跟时代发展和企业智能制造装备产品等进行更新和完善，以此才能培养更符合社会发展和企业需求的时代新人。

一、工作概况

燕山大学机械工程学院以构建高校“大思政”育人格局为出发点，发挥党在高校的领导作用和党建工作的引领作用，结合工科高校特别是“新工科”背景下机械工程类专业人才培养体系，紧跟我国智能制造装备发展趋势，构建并实施校企融合共建的高校教育管理与引导模式，完善面向社会需求的教育教学体系和内容。该项目以党建与思想政治教育为引领，从学习精神教育、实践情景教育、职业素养教育等三个维度，系统构建校企融合的高校学生教育管理模式和教育教学体系，将高校人才培养从课堂教学延伸到学生的日常管理、企业生产和网络阵地。

通过基层党建工作引领，丰富“大思政”教育的内涵，完善“大思政”教育主体，将“大思政”教育延伸到面向企业生产一线的实践情景教育、延伸到面向学生日常管理的学习精神教育、延伸到面向网络阵地的职业素养教育。一是增强高校育人作用，紧密结合社会经济和企业科技创新开展高校学生的思想政治教育，提高思想政治教育的实效性。二是完善高校育人主体，引入并发挥企业专家的育人作用，健全“大思政”育人群体。三是完善高校机械工程专业课程体系和教学内容，促进高校的教学内容和教学实践面向国家科技前沿和企业产品创新，充分发挥高校人才培养的时代性和适用性。四是激发思想政治育人活力。发挥网络思想政治教育的“增量”作用，打造培养高校学生职业道德和职业素养培养的文化产品，找准新时代思想政治教育的“流量密码”。

“大思政”视域下高校机械类专业“智造赋能”教学引育模式是在“大思政”研究视角下，以市场需求为导向，发挥党的领导和党建引领作用，充分利用学校、企业两种不同的教育环境、教育资源培养出理论与实践相结合的复合型人才。我国高校普遍重视学生的思想政治教育，校企合作联合育人也逐渐引起很多高校的重视。但校企合作主要以科研合作为主，育人特别是思想政治育人的作用不够突出。高校作为为党育人、为国育才的主体，思想政治教育的内涵很丰富，外延很广泛，无论从单纯的思政课、思想政治教育，还是从课堂教学、实践教学等环节都要与思想政治教育有机融合。因此，我国的高等教育亟须在校企合作方面完善思想政治教育，以及健全高校教育教学体系和内容。目前，在“大思政”视角下，高校在与企业融合共建的教育管理模式和教学体系、内容建设方面正在进行诸多的尝试和探索，但实际上仍处于摸索阶段，合作模式、育人质效等需要进行全面系统引领和深入研究实践。

二、工作特色与亮点

坚持党对高校的全面领导是建设中国特色、世界一流大学的最大优势，是坚持党对教育事业全面领导的重要领域和关键环节，是我国高等教育治理模式的显著优势。本项目创新新时代学校党建工作新格局，根据教育部等十部门印发的《全面推进大思政课建设的工作方案》，在高校深化推进“新工科”建设的教育背景下，将专业教育和思想政治工作紧密结合、有机融合，坚持工程类专业教育为中国共产党治国理政服务，为我国社会主义现代化建设服务，为国家和企业科技创新与自立自强服务。以机械工程类专业人才培养为示范，紧跟智能制造装备发展，创新建立与专业技能和专业知识培养紧密结合的教育管理模式和教学体系，为我国高端智能制造装备产业发展提供教育支撑，培养更符合新时代中国特色社会主义发展需求的创新型、复合型技术与管理人才。

一是将坚持党对高校的全面领导落到智能制造装备人才培养的具体工作中。该项目主要以完善高校机械工程类专业的人才培养模式和体系为实践，引入企业智能制造装备的“卡脖子”问题、升级换代产品等，最终落脚点主要是高校机械工程的专业课教学和实验实践环节体系构建和实施，这与党的领导工作似乎关系不够直接。实际上，越是高校教学科研等业务工作领域，党的领导和作用发挥越是不足，越是需要创新工作思路和方法。该项目将发挥党的领导放在首要位置，大力发挥党建引领作用，加强对高校机械类人才培养体系、管理模式的顶层设计作用，将我国智能制造装备发展趋势、高校机械工程类专业设置等有机融入党建工作范畴，使我国高校机械工程类专业始终围绕“为谁培养人、培养什么人、怎样培养人”这一根本问题来开展教育教学工作。

二是突出解决高校机械工程类专业复合型和创新型人才培养问题。坚持依托智能制造装备产业、主动服务地区经济的宗旨，构建产学研战略联盟，与行业企业“协同办学、协同育人、协同发展”，开展产学合作教育，构建并实施“产学合作、多科交叉”的机械工程类专业人才培养模式。在培养过程中，既注重应用型基础定位，又重视研究型战略发展，主动对接经济社会发展需要和企业技术创新要求，将智能制造装备产品、功能开发与使用、核心技术、重大技术攻关等引入高校教学和研究内容，打造企业急需、优势突出、特色鲜明的先进制造工程专业集群；按照跨界、交叉、融合的理念，改造或新设大数据、智能制造等研究方向或课程；以工程教育专业认证为标准，创新构建并实施符合工程人才成长规律的“产、学、思”交融的教育教学体系。

三、实现目标

目标一：发挥党在高校人才培养中的领导作用。以党建工作为引领，深度挖掘智能制造装备发展中的思政元素，加强顶层设计，探索实践机械工程类专业的思政育人模式和体系，使高校思想政治教育与智能制造装备发展相耦合，达到“利益共生、情感共鸣、价值共识、发展共赢、责任共担”的工作目标。

目标二：服务国家智能制造装备，发展培养拔尖人才。面向智能制造装备发展趋势，着力推动机械工程类专业教育教学革命，改变传统的教与学形态，在课程教学体系、内容和方式方法上大胆尝试。以行业产业对人才专业能力的需求为导向，建立课程动态调整机制，梳理专业核心课程体系，紧密对接课程教学和行业需求，将行业产业中的新技术、新知识、新发展实时融入课程与实践教学。开展多种新型教学模式，特别是在实验和实践环节，直接面向智能制造装备生产一线，把传统的、简单的教学变成碰撞思想、启迪智慧的互动场所，让学生主动为我国制造强国而学，学到真东西，学到真本领。

目标三：强化思想政治教育在工程技术人才培养中的作用。高校特别是工科类院校不仅要培养专业上的“大国工匠”，更要帮助学生树立正确的价值观和世界观。近年来，教育部大力推进高校课程思政建设，其目的在于强化课程教学中的思想政治教育作用。该项目旨在深入学习贯彻落实习近平总书记关于高校思想政治工作的重要论述，坚持社会主义办学方向，在高校机械工程类专业“课程思政”建设中深刻阐释我国智能制造装备发展的宏观战略和价值取向，努力培养德智体美劳全面发展的高端智能制造装备生产与研发人才。

四、建设内容

在“大思政”视域和研究视角下，紧跟社会经济发展需求和智能制造装备产业发展趋势，以党委推动为引擎，构建并完善高校机械工程专业校企融合共建的教育管理模式、教育体系和教学内容。

1. 发挥高校党的领导和党建引领作用，“精准滴灌”开展主题教育。特别是以主题党日为依托，结合工科类高校相关专业人才培养需求，对企业智能制造装备产品构成、研发瓶颈、发展趋势等进行调查研究，制作相关微课视频、调研报告或开展相关的主题论坛等，将微课、调研报告或论坛的主题、知识点和知识结构与高校有关学科或专业的人才培养目标进行关联和聚合，从思想政治教育角度切入，以主题活动为依托，进行深入教育和推广，为师生提供具有良好需求背景的学习体验，从而达到提高主题教育实效的目的。

2. 面向学生日常管理，进行学习精神教育。聘请企业专家作为学生的专业指导教师和思想教育导师，形成学生管理者、教师、企业专家等协同育人主体。其中，企业专家能够站在社会发展和企业需求的角度分析看待高校学生如何学习，他们教育最有说服力和影响力。因此，在学生日常教育管理中，应大力发挥企业专家的教育作用，为学生系统讲授符合学生应该具备的学习精神、知识结构和专业能力，更好激发学生的学习兴趣，促进良好学风养成。

3. 面向企业生产一线，进行实践情景教育。结合所在院校工程类学科和专业特色，围绕国家重点扶持的行业特色经济产业链和智能制造装备高新技术企业，以学生毕业设计、生产实习、专业实验等实践教学环节为主要突破口，面向企业生产一线，挖掘新的实践教学创新点，探索并实施理论、实验、生产、劳动相结合的学生培养模式，提升学生实践动手能力和创新能力，为我国智能制造装备产业发展培养高级技术人才和高水平研发人员，形成新时代背景下校企融合的学生培养体系。

4. 面向网络阵地，进行家国情怀教育。占领网站阵地，利用学院官网、官微等网络和新媒体平台，借鉴吸收企业融媒体平台资源，深入开展以“工匠精神”“家国情怀”等为主题的宣传教育，打造特色文化精品，培养锤炼学生的职业道德和职业素养；与企业联合搜集整理智能制造装备发展中的思政元素，形成丰富的课程思政案例，推出一批网络课程思政示范课，扩大思政育人的辐射面，完善思政育人的手段，增强思政育人实效。

上述四项建设内容，其中第 1 项是在“大思政”视域下，发挥党在高校领导和党建引领作用的统领性内容，主要起到政治教育的目的和作用，使党的领导牢牢占领高校教育阵地。第 2 至第 4 项建设内容，是分别面向三个领域和维度要建设三个层级的具体内容。

五、实施路径

1. 学校党委或基层党委主动与地方政府和企业联系，建立共建联建战略合作关系，与企业联合开展主题学习教育或学术论坛活动，深入实施创新驱动发展战略，增强创新驱动新动力，实现高校教学、科研、人才等优势与智能制造装备企业的深度融合。

2. 聘请企业技术专家作为所在学院机械工程专业客座教授、研究指导教师，定期为学生讲授专业技术知识，并在学生毕业设计、生产实习、专业实践等环节中给予指导。同时，让智能制造装备企业参与机械工程学科的专业建设，共同研究分析专业设置的科学性、教学内容的实用性等。此外，在学院专业教学指导委员会组成中，吸收一定数量的企业专业技术人员，参与优化机械工程类学科专业设置，并对专业建设进行指导，参与学生培养方案的制订和修改，帮助学院提升专业办学质量。

3. 校企双方联合探索建立智能制造装备产业研究院。以高校科技、人才为依托，面向企业发展需求，大力开展科技创新、技术服务、人才培养和高新技术产业化工作，推动企业制造装备产业转型升级，实现智能化改造、数字化赋能、集约化发展。高校发挥自身科技和人才优势，面向企业创新驱动发展的需求，争取地方政府建设经费和政策支持，与地方政府共建科技创新平台。研究院将立足企业，面向地市、辐射全国、连接全球，实现集知识创新、技术创新、成果转化、科技服务、人才培育于一体的、深度融合区域产业需求的新型研发机构，为企业创新驱动发展和高校建设区域特色鲜明国内一流的研究型大学提供强有力的科研支撑。

4. 根据专业特色和人才培养需求，购买企业的相关设备用于学院的科研平台建设，或企业向学院提供相关实验设备或产品，并定期组织专门技术人员开展设备使用、维护等培训，在高校科学研究和实验教学中充分展现企业先进设备和技术等资源优势。

5. 围绕企业智能制造装备特色创新技术，挖掘新的学生实践教学创新点，探索并实践理论、实验、生产、劳动相结合的学生培养模式，提升学生“德智体美劳”综合素质，为我国培养智能制造装备高级技术和产业领军人才，形成新时代“厂校结合”校企融合的学生培养特色。在国家政策的指引下，结合企业和学校实际情况，制定校企双边互动合作的学生培养方案，细化学生实践教学管理规定，建立一套完善的学生培养体系，促进校企合作培养的健康持续发展。

6. 建立完善基于智能制造装备的机械工程类课程思政建设体系。深度挖掘企业智能制造装备生产发展过程中的思政元素，发挥学科优势和技术优势，加强课程思政与大数据、智能化、信息化等现代信息技术的深度融合，开展虚拟仿真课程思政教学实践，建立“课内与课外互通、线上与线下互联、虚拟与现实互补”的三维立体课程思政教学新模式。

第六节 新时代背景下冶金机械专业"课程思政"创新设计与实践

全面推进专业课程思政建设的战略举措，直接影响国家长治久安和民族复兴崛起。燕山大学冶金机械系机械设计制造及其自动化专业是国家特色专业、国家级一流本科专业建设点和教育部首批本科专业综合改革试点专业，同时依托该专业建有国家工程技术研究中心和省部共建协同创新中心。在新时代新工科教育大趋势下，为落实立德树人根本任务、激发传统学科新活力，在已有专业建设成果基础上，全面推进课程思政建设，经过持续多年改革、研究和实践，形成了较为完善的机械类专业课程思政人才培养体系。

一、研究背景

2020 年 5 月 28 日，教育部印发《高等学校课程思政建设指导纲要》，明确提出：把思想政治教育贯穿人才培养体系，全面推进高校课程思政建设，发挥好每门课程的育人作用，提高高校人才培养质量。指导纲要的发布，将高校思想政治工作推向了一个新的高度，即构建全员、全程、全体系的课程育人格局，将各类课程与思政课相结合，形成曲面的协同效应。该课题以此为契机，综合前期研究基础，提出面向系部课程群的思政课题，旨在通过该课题研究，精准挖掘极具冶金专业特色的思政元素，形成典型案例，同时研究成果也可在系部的课程思政建设过程中起到示范引领作用。

二、研究内容

（一）构建适应新时代的全链条课程思政育人格局（图 7-3）

1. 多点组网、三线联动，创建思政育人大环境

为全面落实立德树人根本任务，以课程思政建设作为落实意识形态主体责任的有力抓手，统筹推进课程思政工作，把思想育人理念贯穿教育教学全过程，确保思政建设卓有成效。为提升人才培养的针对性和实效性，发挥高校基

层党组织的战斗堡垒作用，做好顶层谋划，形成以教工党支部为“中心线”，引领学生党支部“生命线”、带动企业党支部“主航线”，建立多点组网、三线联动的长效机制。

2. 一纵一横、双向共行，形成德育时空大熔炉

全面贯彻三全育人理念，提出“纵横双向”思政推进方案。其中，“纵”指课程体系教育，即课程思政全覆盖，形成了“课程门门有思政、教师人人讲育人”的新局面；“横”指创造诸多有利条件，包括本科生进团队、参与科研项目攻关、实验室开放日、社会实践等形式，与课堂教育形成合力，搭建全链条熔炉式时空教育体系。

图 7-3　全链条课程思政育人格局

（二）打造应对新挑战的全方位课程思政实施体系（图 7-4）

1. 转变观念、破除壁垒，强化教师育德能力

课程思政的成效在学生，但关键在教师。专业重视师资队伍和基层教学组织建设，立足培养师德高尚、业务精湛、结构合理的高水平教研双优梯队。确立教学中心地位，以赛促教、以赛促学、以赛促改、以赛促建，有计划地培育一批优秀教学团队和思政名师，形成示范效应。

2. 打造团队、汇聚资源，牢铸思政支撑体系

依据课程属性划分模块，打造特色教学团队。分别成立课程教学、实践教

学、虚拟仿真教学等各类型教学团队 10 个。教学团队实行主讲教授负责制，发挥集体力量和人员优势，制定各门课程的思政教学改革方案，落实思政育人目标。以教学组为单位，对本科课程教学体系进行大幅度优化，发扬老中青传帮带的优良传统，实现教学资源共享，全面推广“三集三提”做法，奠定课程思政建设坚实基础。

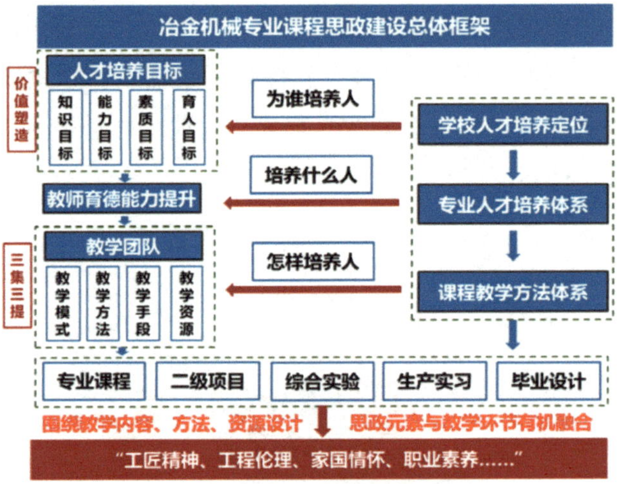

图 7-4 全方位课程思政育人体系

（三）探索面向新工科的全流程课程思政实践路径（图 7-5）

1. 立足学科、科教融合，打造机械特色案例

立足机械学科特殊视野，强调科研特色引领，发挥学院机械工程一级学科国家重点学科优势，凝练机械学科思政精神内核，传承发扬熔铸在燕大人骨子里的奋斗基因、工匠精神、卓越品质和家国情怀，以“燕大人”“燕大事”为着力点，增加课堂温度，激励学生的求知欲望和专业自豪感。将德育与专业教学有机融合，促使知识传授与价值引领同频共振。

图 7-5 全流程课程思政实践路径

2. 三个结合、润物无声，拓展教学时间空间

在思政案例的创新设计中，重点解决思政元素的自然融入问题，切忌“贴标签”，破解思政教育“孤岛”困境，将价值观培育和塑造“基因式”植入课程，实现知识传播与价值引领无缝衔接。思政教学方法多元化，引导学生积极参与和体验。课堂内外、学校内外、线上线下三个结合，以现代科技手段为平台，给学生适当增负，拓展课堂边界，通过情感体验和行为锻炼，促进价值观生成。

三、实施效果

经过该课题的系统研究和实践经验，对该专业的课程思政育人体系建设工作已经有了全面的认识和深刻的理解，已经基本掌握了思政育人的核心思想和理念，在综合研判新时代工科思想政治教育形势的基础上，结合工科类专业思想政治教育的现状，紧贴“燕大精神”“机械文化”“课程思政”教学实际，构建了基于专业综合治理的协同育人模式，深挖专业特色与思政元素，进行思政案例的创新设计与实践研究，经过系部推广，在实际教学过程中取得了显著的教学效果。在做好顶层设计、实施路径和机制建设的同时，打造了极具专业特色的思政案例集，帮助系部教师解决案例缺乏亲和力、思政元素糅入生硬的实际困难，培养具有机械知识、工匠精神、人文精神、家国情怀的新时代机械专业人才的目标。

1. 协同育人成效显著，集体凝聚力稳步提升。获批全国高校“百个研究生样板党支部”；冶金机械系与一重集团大连工程技术有限公司联建党支部；建设 1 个虚拟仿真实验平台项目，与首钢、鞍钢、一重、河钢等企业联合建成多个校外实践教学基地。

2. 教师育德能力显著提高。系部教师获批 2021 年度河北省课程思政教学名师 1 人，获燕山大学优秀教学团队 1 个，课题组成员承担教育部产学合作协同育人项目、河北省党建研究课题、河北省教改等各级教改项目 10 余项。

3. 学生创新能力大幅度提升。专业学生科技竞赛累计获得国家级奖项 10 余项，省级奖项 20 余项；获批国家专利 30 余项；完成创新课题多项，研制作品 20 多套；就业率达 95% 以上，行业骨干及外资企业就业率 75% 以上；应届毕业生保研直博比例 10% 以上，每年向哈工大、浙大、大连理工等知名院校

输送大批优秀毕业生。

4. 示范辐射效应突出。项目组成员多次在研讨会上作报告向其他院校推广教学改革成果，在全校范围内开展课程思政专题讲座、主题报告、经验分享会，面向全校分享课程教改经验累计参加培训 3000 余人次。将“课程思政”和“网络思政”相结合，将学科特色思政案例通过国家工程中心微信公众号，学院“机思广益”“听 TA 说”等公众号栏目向广大师生推送，反响良好。

四、特色与创新

（一）“三线联动、双向共行”的思政育人模式

在当今高校大思政背景下，针对专业课程思政体系化建设尚未健全的问题，充分发挥院系基层党组织的战斗堡垒作用和教师党员、学生党员的先锋模范作用，并联合企业党支部，构建“教工党支部—学生党支部—企业党支部”三线联动的运行机制，为课程思政、实践教学思政打通壁垒，三位一体，相互联动，相互贯通；提出“一纵一横、双向共行”的思政推进方案，构筑全方位育人的德育时空大熔炉，与课堂教育形成合力，形成全链条式的三全育人“大思政”新格局。

（二）“教师引领、团队强筋”的思政实施体系

全面推行课程思政，必须充分调动各类教师特别是专业教师的育人积极性、主动性和创造性。针对专业教师育德能力与时代需求不匹配的问题，建立了应对新挑战的全方位课程思政实施体系。重视师资队伍和基层教学组织建设，全面提升教师思政育人的意识和能力，立足培养师德高尚、业务精湛、结构合理的高水平教研双优梯队。利用团队的人员优势和凝聚力，汇聚优质教学资源，牢铸课程思政支撑体系，积极探索院系、党支部与专业课程教学团队活动相协调的工作机制，建立和健全教师课程思政的交流机制和平台。

（三）“点线面体、三个结合”的思政实践路径

针对课程思政和专业课程之间存在的“两张皮”问题，精准发力，推动课程思政“研究体系化”“资源校本化”“融合多元化”建设，深入挖掘课程所蕴含的思政元素，在课程思政视角下重塑课程教学体系，丰富课程内涵，打破专业课程与思想政治教育课程融合度低、协调性弱，不能有效发挥价值观引领作用的课程教学现状。

从专业课程培养方案着手谋划，做好顶层设计，统筹规划，在专业课程体系、教学规范、教师队伍、教学条件、教学监控、教学质量、服务保障等方面，真正体现以思政育人为导向，人人参与，环环相扣。采用“三个结合”的多元化教学，拓展课堂边界，按照“点线面体”的路径，从知识点出发，发掘课程价值观主线，创新课程思政的教学评价体系。

参考文献

一、经典著作与文献

[1] 中共中央马克思恩格斯列宁斯大林著作编译局 . 马克思恩格斯文集（第 2 卷）[M]. 北京：人民出版社，2009.

[2] 中共中央马克思恩格斯列宁斯大林著作编译局 . 马克思恩格斯文集（第 4 卷）[M]. 北京：人民出版社，2009.

[3] 毛泽东 . 毛泽东选集（第四卷）[M]. 北京：人民出版社，1991.

[4] 邓小平 . 邓小平文选（第二卷）[M]. 北京：人民出版社，1994.

[5] 江泽民 . 江泽民文选（第二卷）[M]. 北京：人民出版社，2006.

[6] 胡锦涛 . 胡锦涛文选（第三卷）[M]. 北京：人民出版社，2016.

[7] 习近平 . 习近平谈治国理政（第一卷）[M]. 北京：外文出版社，2018.

[8] 习近平 . 习近平谈治国理政（第二卷）[M]. 北京：外文出版社，2017.

[9] 习近平 . 习近平谈治国理政（第三卷）[M]. 北京：外文出版社，2020.

[10] 习近平 . 习近平谈治国理政（第四卷）[M]. 北京：外文出版社，2022.

[11] 中共中央文献研究室 . 建国以来重要文献选编（第十一册）[M]. 北京：中央文献出版社，1995.

[12] 中共中央文献研究室 . 十八大以来重要文献选编（上）[M]. 北京：中央文献出版社，2014.

[13] 中共中央文献研究室 . 十八大以来重要文献选编（中）[M]. 北京：中央文献出版社，2016.

[14] 中共中央文献研究室 . 十八大以来重要文献选编（下）[M]. 北京：中央文献出版社，2018.

[15] 教育部课题组．深入学习习近平关于教育的重要论述 [M]. 北京：人民出版社，2019.

二、著作

[1] 中共中央关于加强和改进新形势下党的建设若干重大问题的决定 [M]. 北京：人民出版社，2009.
[2] 关于坚持和完善普通高等学校党委领导下的校长负责制的实施意见 [M]. 北京：人民出版社，2014.
[3] 丁振国．高校党建与思想政治教育新论 [M]. 武汉：中国地质大学出版社，2016.
[4] 张明楚．中国共产党基层组织建设史 [M]. 福州：福建人民出版社，2017.
[5] 姚小玲，刘佳．改革开放以来北京高校党建史 [M]. 北京：人民出版社，2018.
[6] 方雷，周明明，张荣林．新时代高校党建创新形态研究 [M]. 济南：山东大学出版社，2021.
[7] 宋作勇．高校党建工作探索与实践——天津师范大学“领航工程”创建培育成果集 [M]. 天津：天津社会科学院出版社，2020.
[8] 首都高校党建研究基地．首都高校党建研究报告 [M]. 北京：人民日报出版社，2021.

三、期刊论文

[1] 习近平．贯彻落实新时代党的组织路线不断把党建设得更加坚强有力 [J]. 求是，2020（15）：1-3.
[2] 习近平．把思想政治工作贯穿教育教学全过程开创我国高等教育事业发展新局面 [N]. 人民日报，2016-12-09（9）.
[3] 曹萍．建国以来我党关于高校党建的重要思想回顾 [J]. 理论与改革，2011（6）：127-129.
[4] 李荣胜．新形势下高校党建存在的问题及对策 [J]. 中州学刊，2016（4）：17-20.

[5] 杜华 . 高校党建工作考核评价体系设计探讨 [J]. 思想教育研究，2017（7）：93-96.

[6] 黄海清 . 基层党组织组织力初探 [J]. 党建研究，2018（2）：36-38.

[7] 刘佳 . 习近平新时代高校党建思想的理论内涵研究 [J]. 思想政治教育研究，2018（2）：12-16.

[8] 张甲哲，丁俊萍 . 习近平新时代高校党建思想初探 [J]. 学校党建与思想教育，2008（12）：4-6.

[9] 方守恩 . 以一流党建引领高校治理体系和治理能力现代化 [J]. 思想理论教育，2020（9）：77-81.

附　　录

附录 1　中共教育部党组关于高校党组织“对标争先”建设计划的实施意见

教党〔2018〕25 号

各省、自治区、直辖市党委教育工作部门、教育厅（教委），新疆生产建设兵团教育局，部属各高等学校党委、部省合建各高等学校党委：

为全面贯彻落实习近平新时代中国特色社会主义思想和党的十九大精神，深入贯彻落实全国高校思想政治工作会议精神，坚持和加强党对高校的全面领导，推动全面从严治党向高校基层延伸，落实立德树人根本任务，培养德智体美全面发展的社会主义建设者和接班人，培养担当民族复兴大任的时代新人，根据写好教育“奋进之笔”的总体部署，结合工作实际，现就高校各级党组织“对标争先”建设计划提出如下实施意见。

一、总体要求

实施“对标争先”建设计划，要以习近平新时代中国特色社会主义思想为指导，全面贯彻落实党的十九大和十九届二中、三中全会精神，按照新时代党的建设总要求，坚持以政治建设为统领，统筹推进高校党的政治建设、思想建设、组织建设、作风建设、纪律建设，把制度建设贯穿其中，深入推进反腐败斗争，严格对标看齐，勇于改革创新，努力争创先进，有效提升基层党组织组织力，突出政治功能，充分发挥基层党组织的战斗堡垒作用和党员的先锋模范作用，为加快一流大学和一流学科建设、实现高等教育内涵式发展、办好人民满意的教育提供坚强的政治保证、思想保证、组织保证。

（一）强化政治建设。坚持把党的政治建设摆在首位，大力推进习近平新时代中国特色社会主义思想进课堂、进教材、进师生头脑，推动各级党组织和干部党员学习贯彻党章党规党纪，不断增强“四个意 识”，坚定“四个自信”，坚决维护习近平总书记党中央的核心、全党的核心地位，坚决维护党中央权威和集中统一领导。

（二）突出问题导向。坚持问题导向和目标导向相统一，聚焦高校党的领导弱化、党的建设缺失、全面从严治党不力，以及院（系）党组织政治核心作用发挥不足、基层党支部作用发挥不够、团结引领知识分子能力不强等问题，系统谋篇布局，精准施策发力。

（三）提升党建质量。坚持质量抓标准，以标准化建设为牵引，以提升组织力为重点，优化基层党组织设置，扩大组织覆盖，创新活动方式，增强党员队伍的生机活力，促进党建工作规范化、科学化，使高校党建工作体系更加科学、更加严密、更加有效。

（四）完善引领机制。坚持把典型引领作为重要推动力，积极创建全国党建工作示范高校、党建工作标杆院系、党建工作样板支部，大力开展基层党组织书记示范培训，精心培育、总结凝练成熟机制、有效办法、典型经验，示范引领、辐射带动基层党建工作开展，推动高校各级党组织全面进步全面过硬。

（五）推动事业发展。坚持把统筹推进中心工作作为基本落脚点，有效发挥高校各级党组织的政治功能、组织功能和服务功能，加强和改进新时代高校师生思想政治工作，统一思想、凝聚共识，引领推动学校改革发展稳定，扎根中国大地办好中国特色社会主义大学。

二、主要任务

高校各级党组织实施“对标争先”建设计划，要全面对标习近平新时代中国特色社会主义思想，全面对标党的十九大精神，全面对标党章党规党纪，全面对标《中共中央 国务院关于加强和改进新形势下高校思想政治工作的意见》，努力在管党治党取得新成效上争先，在办学治校展现新作为上争先，在推动高质量发展取得新突破上争先，在全面从严治党呈现新气象上争先。

高校党委全面领导学校工作，履行管党治党、办学治校主体责任，在“对标争先”中要做到“四个过硬”。（1）把方向过硬。自觉在思想上政治上行动上同以习近平同志为核心的党中央保持高度一致，巩固马克思主义在高校意识形态领域的指导地位，全面贯彻党的教育方针，确保中国特色社会主义大学鲜明的政治方向、服务面向、育人导向。（2）管大局过硬。坚持党管办学方向，坚持党管改革发展，坚持党管干部、党管人才，认真落实党建工作责任制和意识形态工作责任制，谋大局、议大事、抓重点，认真贯彻落实中央八项规定及其实施细则精神，锲而不舍地反对“四风”，确保高校党委始终发挥总揽全局、协调各方作用。（3）做决策过硬。坚持和完善党委领导下的校长负责制，坚持民主集中制原则，落实“三重一 大”决策制度，健全领导班子议事和决策机制，实行科学决策、民主决策、依法决策，统筹推进高校改革发展稳定、教学科研管理等各项工作。（4）保落实过硬。紧紧围绕学校党的建设和人才培养、科学研究、社会服务、文化传承创新、国际交流合作各项任务，抓调研谋划、抓落实推进、抓监督检查。对事关全局的中心工作和事关师生根本利益的重大事项，党政主要负责同志要亲自挂帅、严格把关、负责到底。

院（系）党组织是办学治校的中坚力量，在“对标争先”中要做到“五个到位”。（1）党组织领导和运行机制到位。党的路线方针政策和上级党组织决定有效宣传贯彻执行，保证监督作用充分发挥。坚持民主集中制，健全完善院（系）党组织会议和党政联席会议制度，领导班子整体功能强，议事决策水平高，院（系）班子成员工作职责明晰，集体领导、党政分工负责、协调运行的工作机制顺畅，在干部队伍、教师队伍建设中发挥主导作用。（2）政治把关作用到位。严格落实意识形态工作责任制，在教师引进、课程建设、教材选用、学术活动等重大问题上把好政治关，在教学科研管理等重大事项中，坚持正确的政治立场、政治方向、政治原则。加强对院（系）学术组织、研究机构、学生社团等的引导，落实“一会一报”和“一事一报”制度，管好各类宣传思想文化阵地。（3）思想政治工作到位。院（系）理论学习中心组制度、师生政治理论学习制度健全，习近平新时代中国特色社会主义思想教育深入开展，师生思想政治工作亲和力和针对性强，推进社会主义核心价值观培育践行扎实有效，师德师风、学术道德、教风学风建设成效显著。（4）基层组织制度执行到位。对师生党支部工作指导推动到位，基层组织设置合理、按期换届。党内集中学习教育、经常性教育有序推进，党内组织生活经常、认真、严肃。教育、管理、监督党员和组织、宣传、凝聚、服务群众工作扎实有力，党务公开、党纪处分、组织处置等制度执行到位。师生党支部书记选优配强，“双带头人”教师党支部书记全面覆盖。在高层次领军人才、优秀青年教师和大学生中培养入党积极分子、发展党员工作成效明显。专职组织员配齐配强。（5）推动改革发展到位。谋划推进、保障落实人才培养、学科建设、科研管理等重大改革、重要事项、重点安排坚强有力，党的建设和群团组织建设、基层治理体系建设和维稳工作体系建设有机融合，切实维护学校和谐稳定，文明校园、平安校园建设业绩突出。

基层党支部是党在高校全部工作和战斗力的基础，在“对标争先”中，要做到“七个有力”。（1）教育党员有力。坚持以“三会一课”为基本制度，以“两学一做”为基本内容，党员理想信念教育、党性教育、纪律教育、道德品行教育扎实开展，主题党日严格规范。（2）管理党员有力。党员发展、党员培训、党籍管理、党费收缴、党员激励关怀帮扶等工作扎实有效，党员先锋模范作用充分发挥，不合格党员组织处置稳妥有序。（3）监督党员有力。坚持把纪律和规矩挺在前面，善于发现苗头性倾向性问题，“咬耳扯袖”成为常态，监督党员履行义务、遵规守纪及时到位，教育引导、组织处置等措施有效运用。（4）组织师生有力。最大限度地把师生组织起来，引领带动师生投入中心工作的动员力、实效性强。（5）宣传师生有力。学习传达上级党组织决策部署及时到位，注重发现树立、宣传推广师生身边典型人物、典型事迹。（6）凝聚师生有力。善于统一思想、凝聚人心、增进共识，思想引领和价值观塑造有机融入教师教学科 研、学生学习生活，组织引领师生听党话、跟党走成效突出。（7）服务师生有力。常态化了解师生困难诉求、倾听师生意见建议，师生有困难找支部、有问题找党员的帮扶机制健全有效。

三、方法步骤

（一）对标自查。高校各级党组织对照“对标争先”建设计划总体要求和主要任务，每年普遍开展一次集中自查。自查重点包括，中央关于高校党建和思想政治工作有关精神、制度和上级党组织决策部署学习贯彻、推进落实情况；党的十八大以来党内集中教育、上级党组织对高校巡视提出的整改措施，年度民主生活会、组织生活会制定的整改措施等落实情况；党建工作存在的短板弱项、问题根源、病灶成因；党员干部特别是领导干部在净化政治生态方面的表现和作为；各级党组织和领导干部、普通党员政治担当、责任落实情况。在此基础上，形成问题清单、责任清单，确定创建目标，细化任务举措，研究制定“对标争先”建设计划实施方案。

（二）争先创建。高校各级党组织按照实施方案，结合落实高校党建工作重点任务，积极开展争先创建工作。推进过程中，要着眼健全体制机制抓创建，认真贯彻执行党委领导下的校长负责制，健全执行民主集中制具体制度，规范院（系）党组织会议和党政联席会议制度，建立完善党组织按期换届提醒督促机制，建立后进党支部常态化整顿机制，通过完善制度体系巩固高校党建工作“四梁八柱”。要着眼解决突出问题抓创建，聚焦党建工作体系不健全、基层党组织政治功能弱化、党内政治生活不经常不认真不严 肃、少数党支部软弱涣散、在知识分子中发展党员不力、大学生党员数量质量不协调等问题，通过补齐短板弱项精准做好高校党建工作“内部装修”。要着眼总结凝练经验抓创建，积极探索新时代高校党建工作规律，拓展工作载体，完善工作机制，创新工作方法，增强工作实效，通过形成可复制可推广经验打造高校党建工作“特色品牌”。

（三）选树培育。高校各级党组织每年对“对标争先”建设成效进行评估，作为年度党组织书记抓党建述职评议考核内容，及时向上级党组织报告，上级党组织以此作为选树培育工作的重要依据。教育部参照各地各高校评价意见，以两年为一个周期，面向全国高校培育创建 10 所党建工作示范高校、100 个党建工作标杆院系、1000 个党建工作样板支部，培训万名基层党组织书记（以下简称“十百千万”工程），发挥先进典型的示范引领带动作用，调动激发各地各高校创建基层先进党组织、提升党建工作质量的积极性、主动性和创造性。首批培育创建工作将于 2018 年下半年开展。

（四）推广运用。要坚持边培育、边创建、边推广，积极宣传展示、推广运用党建工作示范高校在坚持和加强党的全面领导、健全党建工作体系方面的好体制好机制，党建工作标杆院系在破除“中梗阻”现象、抓好党建重点任务落实等方面的好经验好举措，党建工作样板支部在推动工作创新、开展“三会一课”等方面的好方法好办法，通过召开推进会、观摩会、宣传展示典型案例、推广运用优秀工作法，巩固深化高校基层党建工作成果，为高校党建工作注入活力，推动党建质量普遍提升。

四、组织领导

（一）抓实领导责任。“对标争先”建设计划作为写好教育“奋进之笔”重要内容，与推进“双一流”建设、实现高等教育内涵式发展各项工作，统一部署、统筹推进、同步考核。各地党委教育工作部门落实属地管理责任，将这项工作长效纳入高校党建工作安排，专门研究、专项规划、专题部署，加强过程跟踪指导和督导检查。各高校党委要切实担负起主体责任，认真谋划研究，精心组织实施，狠抓工作落 实，确保取得实效。

（二）强化保障措施。“对标争先”建设计划纳入高校思想政治工作专项经费保障，支持党建工作示范高校、标杆院系、样板支部创建，培育建设“双带头人”教师党支部书记工作室，促进“十百千万”工程开展。各地党委教育工作部门要出台支持政策，把“对标争先”建设作为高校党建和思想政治工作测评检查、评先评优等工作的重要内容，引导支持高校各级党组织着力提升党建工作质量。各高校要统筹资源和力量，完善机构，配强人员，搭建平台，加大经费投入，为实施“对标争先”建设计划创造良好条件。

（三）加大宣传力度。要将宣传工作贯穿“对标争先”建设计划实施始终，充分借助教育系统内外媒体、统筹高校内外宣传资源、用好网上网下宣传平台，以接地气、形象化的方式，多形式、多渠道宣传展示高校基层党建先进组织、优秀成果和典型案例，发挥示范引领作用，在高校树立起大抓基层、严抓基层的鲜明导向，形成学习先进、争当先进的良好氛围，为提升高校党建质量营造良好工作氛围和舆论环境。

中共教育部党组

2018 年 5 月 22 日

附录 2　教育部办公厅关于开展新时代高校党建示范创建和质量创优工作的通知

教思政厅函〔2018〕23 号

各省、自治区、直辖市党委教育工作部门，新疆生产建设兵团教育局，部属各高等学校党委，部省合建各高等学校党委：

根据《中共教育部党组关于高校党组织“对标争先”建设计划的实施意见》（教党〔2018〕25 号，以下简称《实施意见》）安排，现就开展新时代高校党建示范创建和质量创优工作（以下简称新时代高校党建“双创”工作）通知如下。

一、目标任务

（一）建设目标。深入贯彻落实习近平新时代中国特色社会主义思想和党的十九大精神，按照新时代党的建设总要求，坚持培育为基、重在建设、典型引领、整体推进，以政治建设为统领，以质量攻坚为动力，以提升组织力为重点，以推动事业发展为落脚点，严格对标看齐，勇于改革创新，努力争创先进，为加快一流大学和一流学科建设、实现高等教育内涵式发展、办好人民满意教育提供坚强的组织保证。

（二）建设任务。面向全国高校首批培育创建 10 所党建工作示范高校、100 个党建工作标杆院系、1000 个党建工作样板支部，开展万名基层党组织书记示范培训，建设周期为两年，以点带面发挥引领带动作用，推动全国高校各级党组织全面进步全面过硬，推动全国高校党建质量全面创优全面提升。

二、基本条件

新时代高校党建“双创”工作，面向全国普通高等学校党委（含高职高专院校、民办高校）及其院（系）党组织、基层党支部开展，校、院（系）党组织一般应至少成立 5 年，基层党支部一般应至少成立 3 年。参加培育创建的高校党组织，要按照《实施意见》明确的主要任务及方法步骤，综合评估工作基础，统筹确定建设任务，精心谋划预期成效。同时，应具备以下条件。

（一）培育创建“全国党建工作示范高校”

参加培育创建的高校党委，要按照《实施意见》规定，严格做到“四个过硬”，所属院（系）党组织要普遍做到“五个到位”，所属基层党支部要普遍做到“七个有力”。重点应满足下列条件：

1. 党的十八大以来，学校党委加强党对高校的全面领导，把抓好党建作为最大政绩，认真履行管党治党、办学治校主体责任，模范发挥党委领导核心、政治核心作用，坚决贯彻落实党委领导下的校长负责制，落实立德树人根本任务，加强和改进高校思想政治工作，推动学校改革发展稳定事业取得优异成绩。

2. 近五年来，学校党委曾获得省部级（含）以上表彰，或在上级党组织最近一次开展的党建和思想政治工作考核评估中获得“优秀”或相应等次，或在党组织书记抓党建工作述职评议考核工作中连续获得“好”或相应等次；学校多名师生获评全国优秀党员或先进典型。

3. 近三年来，学校党委在党建和意识形态领域未出现过重大问题，未发生过重大稳定事端、安全事故和舆情事件；学校党政领导班子成员未出现过违纪违法、违反八项规定精神等问题。

4. 符合《新时代高校党建“双创”工作重点任务指南（高校党委）》所列其他要求（见附件 1）。

（二）培育创建“全国党建工作标杆院系”

参加培育创建的高校院（系）党组织，要按照《实施意见》规定，严格做到“五个到位”，所属基层党支部要普遍做到“七个有力”。重点应满足下列条件：

1. 党的十八大以来，院（系）党组织充分发挥政治核心作用，优化院（系）运行机制，模范执行党政联席会议制度，院（系）党组织会议制度健全、执行有力，落实党建工作重点任务，提升师生思想政治工作质量，促进院（系）人才培养、学科建设、科学研究、社会服务等工作取得优异成绩。组织员、辅导员等党建和思想政治工作骨干按规定配齐配强。

2. 近五年来，院（系）党组织曾获得校级（含）以上党组织的重大表彰，或在党组织书记抓党建工作述职评议考核工作中连续获得“好”或相应等次；所在院（系）多名师生获评省部级（含）以上优秀党员或先进典型；所在院（系）承担省部级（含）以上党的工作创新项目或重大研究课题，并发挥推广示范效应；在高层次人才、中青年教师中发展党员工作成效突出。

3. 近三年来，院（系）党组织在党建和意识形态领域未出现过重大问题，未发生过重大稳定事端、安全事故和舆情事件。院（系）党政领导班子成员未出现违纪违法、违反八项规定精神等问题，所在院（系）未出现违反师德师风有关规定等突出问题。

4. 符合《新时代高校党建“双创”工作重点任务指南（院＜系＞党组织）》所列其他要求（见附件 2）。

（三）培育创建“全国党建工作样板支部”

参加培育创建的高校基层党支部，要按照《实施意见》规定，严格做到“七个有力”。重点应满足下列条件：

1. 党的十八大以来，党支部充分发挥战斗堡垒作用，以提升组织力为重点，着力发挥政治引领、规范党的组织生活、团结凝聚师生、促进学校中心工作等方面的主体作用，党员先锋模范作用突出，师生思想政治工作针对性和亲和力强，在教学、科研、管理、服务等领域取得优异成绩。

2. 近三年来，党支部或党支部书记曾获得校级（含）以上党组织的重大表彰，或在党组织书记抓党建工作述职评议考核工作中连续获得“好”或相应等次；至少 1 名支部成员获评省部级（含）以上优秀党员、师德典型等荣誉称号；在“双带头人”支部书记培育工作中做出突出成绩，发挥示范引领作用。

3. 近三年来，党支部在党建和意识形态领域未出现过突出问题，未发生过影响安全稳定的重大事件；党支部成员及支部所在单位人员未出现违法违纪、违反八项规定精神、师德师风等问题。

4. 符合《新时代高校党建“双创”工作重点任务指南（基层党支部）》所列其他要求（见附件 3）。

（四）全国万名基层党组织书记示范培训

每年面向全国万名高校院（系）党组织书记、基层党支部书记开展示范培训，优先安排入选新时代高校党建“双创”工作培育创建项目的党组织书记参加培训。结合培训课程安排，采取理论和实践相结合、线上和线下相结合、面上培训和专题研修相结合的方式，以专题辅导、案例介绍、经验交流、主题展览等方式全面展示培育创建工作成果。

2018 年下半年，将举办全国高校基层党组织书记培训班、教师党支部书记“双带头人”精品研修班、4 万名基层党支部书记网络示范培训班，其中网络示范培训将涵盖全国所有民办高校党支部书记。

三、组织实施

全国党建工作示范高校、标杆院系、样板支部培育创建工作在教育部党组领导下，由教育部思想政治工作司具体负责组织实施，按照申报认定、创建达标、中期评估、验收巩固四个步骤开展。

（一）申报认定（2018 年 7 月—2018 年 8 月）

高校党委应专题研究新时代高校党建“双创”工作，确定本级党组织及所属院（系）党组织、基层党支部申报意向。参与申报的高校各级党组织按照《实施意见》规定，对照《新时代高校党建“双创”工作重点任务指南》，对党建工作基础、成功做法、特色经验等进行梳理和总结，统筹谋划 2 年建设周期和各年度工作目标、实施计划、预期成果，编制经费预算，按类别分别填写《新时代高校党建“双创”工作申报书》（见附件 4），并准备支撑材料。相关材料报送前须经学校党委审核把关。报送要求如下：

1. 教育部直属高校、其他部委属高校和部省合建高校，每校“党建示范高校”项目限报 1 个，“党建标杆院系”项目限报 1 个，“党建样板支部”项目限报 2 个，经属地省级党委教育工作部门审核同意后申报。

2. 其他地方高校由省级党委教育工作部门组织遴选后申报。“党建示范高校”项目，每省（区、市）限报 1 个；“党建标杆院系”项目，本地区地方高校 50 所（含）以下的限报 2 个，51 ～ 100 所（含）的限报 3 个，100 所以上的限报 5 个；“党建样板支部”项目，本地区地方高校 50 所（含）以下的，每省（区、市）限报 15 个，51 ～ 100（含）所的限报 20 个，100 所以上的限报 25 个。

3. 民办高校参加新时代高校党建“双创”工作，实行计划单列，由省级党委教育工作部门组织遴选后申报，每省（区、市）“党建示范高校”“党建标杆院系”项目各限报 1 个，“党建样板支部”项目限报 5 个。

4.“党建样板支部”项目，重点面向教职工、本科生党支部建设，依托科研平台、重大项目、创新团队设置的党支部要占一定比例。项目中单列 100 个计划，用于加强研究生党支部建设，具体办法另行通知，不在本次申报之列。

各高校（含部委属高校）申报材料纸质版（一式两份）、电子版（以光盘刻录形式），由属地省级党委教育工作部门统一汇总后，于 2018 年 8 月 15 日前（以邮戳为准）报送教育部思想政治工作司。按照“标准引领、专家评议、实地考察、组织统筹”的原则，教育部思想政治工作司对材料进行初审，组建专家组进行评议，择优确定入选对象名单。实地考察“党建示范高校”等项目入选对象后，按程序进行公示，报教育部党组审核确定正式入选名单。遴选工作全程接受监督。对入选的校、院（系）党组织，将提供专项经费支持，相关经费应严格管理、专款专用。

（二）创建达标（2018 年 9 月—2019 年 8 月）

入选的校、院（系）党组织和党支部（以下简称各建设单位）要按照《实施意见》和《新时代高校党建“双创”工作重点任务指南》要求，坚持软件建设和硬件建设相结合、统筹规划和分步实施相结合、整体提升和品牌塑造相结合，按计划、分步骤开展培育创建工作。建设期内，创建“党建示范高校”，要着重围绕坚持和加强党的全面领导、健全党建工作体制机制等出成果；创建“党建标杆院系”，要着重围绕破除“中梗阻”现象、抓好党建重点任务落实等出成果；创建“党建样板支部”，要着重围绕严格“三会一课”、创新工作方法等出成果。成果形式包括但不限于：（1）成熟有效的党建工作制度体系、机制办法；（2）优秀基层党建工作法、典型案例；（3）高校师生思想政治工作品牌、育人载体；（4）有较大影响力的宣传平台、网络阵地；（5）高水平研究论文、专著；（6）经验推广示范、辐射带动成效等。

（三）中期评估（2019 年 9 月）

教育部以目标管理和过程管理相结合的方式，加强培育创建工作管理考核。各建设单位应于2019年8月底前，提交年度工作总结和成果报告。教育部思想政治工作司组织进行考核评估，相关意见及时反馈建设单位。考核合格的，拨付下一年度建设经费；考核不合格的，限期整改，视情决定是否继续予以支持。有关建设成果在全国高校思想政治工作网（http：//www.sizhengwang.cn）等平台上集中宣传展示，纳入基层党组织书记集中轮训、高校党建教材编写、典型案例结集出版等工作，面向全国高校推广应用。

（四）巩固验收（2019年10月—2020年8月）

各建设单位根据中期评估反馈意见，及时整改问题，推进任务开展，巩固建设成果，提升示范成效。2020年7月前，教育部对各建设单位开展项目验收工作。各建设单位应于2020年5月前，提交工作总结报告、培育创建成果。相关成果原则上不能少于“四个一”：即，在体制机制、经验举措、方法办法上形成1套可复制、推广的典型经验，高质高效运作1个新媒体平台，制作1个示范点建设微视频，汇编1本示范点建设成果资料。教育部思想政治工作司组织专家组在审查总结报告、成果材料的基础上，采取听取专题汇报、实地考察验收等方式进行综合评定。2020年8月公布评定结果，评定达标的，予以结项，深化宣传推广；评定不达标的予以通报，严格追责问责。

四、工作要求

各地党委教育工作部门、各高校党委要高度重视，认真组织好全国党建工作示范高校、标杆院系、样板支部的申报、推荐和建设工作。各建设单位所在高校党委，要健全完善组织机构，进一步细化建设方 案，确定任务书、路线图、时间表和责任人，加强常态化跟踪指导，及时解决建设过程中遇到的困难和问题，推进取得建设成效。各地各高校要结合实际，为入选校、院（系）党组织和党支部提供必要的配套经费、资源条件等支持。建立激励保障机制，对做出突出业绩的党组织、党员骨干予以表彰奖励。及时发掘、凝炼、宣传入选党组织的探索经验、培育成果、创建成效，充分发挥引领示范、辐射带动作用，有计划有步骤地把点上的经验做法推广到面上去，引领带动高校党建工作质量整体提升，办好中国特色社会主义大学，培养社会主义合格建设者和可靠接班人。

五、联系方式及附件

略

教育部办公厅

2018 年 7 月 4 日

附录3　中共教育部党组关于高校教师党支部书记“双带头人”培育工程的实施意见

教党〔2018〕26号

各省、自治区、直辖市党委教育工作部门、教育厅（教委），新疆生产建设兵团教育局，部属各高等学校党委、部省合建各高等学校党委：

为加强党对高校的全面领导，深入贯彻落实中共中央、国务院印发的《关于加强和改进新形势下高校思想政治工作的意见》，根据中组部、教育部党组《高校党建工作重点任务》要求，按照教育部党组关于写好教育“奋进之笔”的总体部署，现就高校教师党支部书记党建带头人、学术带头人培育工程（以下简称“双带头人”培育工程），提出如下实施意见。

一、总体要求

1. 指导思想。以习近平新时代中国特色社会主义思想为指导，全面贯彻落实党的十九大和十九届二中、三中全会精神，按照新时代党的建设总要求，全面贯彻党的教育方针，坚持立德树人，推动全面从严治党向高校基层延伸，全面落实《关于加强新形势下高校教师党支部建设的意见》，完善建设标准，强化教育培养，深化改革创新，严格监督问责，着力把教师党支部书记队伍建设成为新时代高校党建和业务双融合、双促进的中坚骨干力量，着力把教师党支部建设成为新时代高校基层的坚强战斗堡垒，为加快一流大学和一流学科建设、实现高等教育内涵式发展、培养德智体美全面发展的社会主义建设者和接班人提供坚强组织保证。

2. 主要目标。通过实施“双带头人”培育工程，力争在2020年底前，基本实现“双带头人”支部书记选拔方式全覆盖，使教师党支部书记普遍成为“双带头人”。高校教师党支部书记履职尽责、培养培育、管理监督、激励保障、示范带动等机制更加健全，党支部建设质量显著提升，党支部主体作用有效发挥，党支部书记“头雁效应”有力彰显。

3. 工作原则。（1）突出政治建设。把坚定正确的政治方向放在“双带头人”教师党支部书记培育工作的首位，严明党章党规党纪，引领带动广大教师牢固树立“四个意识”、坚定“四个自信”。（2）坚持双向提升。把符合条件的学术带头人培养选拔为教师党支部书记，把有条件的教师党支部书记培养成为学术带头人，实现高校基层党建工作与教学科研工作双促进、双提高。（3）注重分类指导。区分学校办学类型，结合学科专业实际，把握党建带头人、学术带头人的不同特点，遵循规律、分类施策、分层培养、整体推进。（4）强化基层导向。牢固树立党的一切工作到支部的鲜明导向，把思想政治工作落到支部，把从严教育管理监督党员落到支部，把群众工作落到支部，切实履行好党支部组织师生、宣传师生、凝聚师生、服务师生的职责。

二、培育任务

1. 明确选任标准。“双带头人”教师党支部书记，既要政治强，具备过硬思想政治素质，又要业务精，在教育教学、科学研究等方面能力业绩突出，一般从具有副高级以上专业技术职务（职称）或者博士研究生学历学位的优秀党员教师中选任。同时应把握以下基本条件：有较好的党务工作能力，熟悉了解教师党支部情况，具备开展思想政治工作、知识分子工作等能力水平；服务意愿强，热心党的工作，积极投身基层党务工作，有较强的奉献精神和服务意识；群众威信高，师德师风好，在所在单位具有良好的评价，在专业领域具有较强的学术影响力，得到师生的认可和信任。积极鼓励“双带头人”教师党支部书记兼任本单位行政职务或业务管理职务。

2. 规范选任方式。“双带头人”教师党支部书记的选任，要严格遵循党章党规有关规定和程序，由高校党委统一领导、党委组织部门具体指导，院（系）党组织负责实施，支部委员会或党员大会选举产生。对新成立或党员流动性较强的教师党支部，以及暂时没有符合“双带头人”条件的教师党支部，支部书记人选可由上一级党组织从相关学科专业范围内选派。教师党支部书记任期内应保持相对稳定。

3. 聚焦重点任务。“双带头人”教师党支部书记，在带头履行好党支部书记基本职责的同时，应把工作重点聚焦到强化教师党支部政治功能、做好教师思想政治工作、推进中心工作上来。要紧扣习近平新时代中国特色社会主义思想入脑入心这个重点，把严肃规范开展党支部政治生活摆在突出位置，把推进“两学一做”学习教育常态化制度化贯穿始终。要突出增强教师思想政治工作亲和力和针对性这个关键，着力做好新时代知识分子工作，使高校教师成为先进思想文化的传播者、党执政的坚定支持者、学生健康成长的指导者。要立足推进事业发展这个落脚点，推动党建工作与教学科研工作相互结合、有机融入，把党组织的领导力和组织力转化为推进中心工作的强大动力。

4. 着力培养教育。“双带头人”教师党支部书记的培养教育，要突出针对性和精准性，把经常性教育和个性化培养结合起来，实现党务和业务同向发力、联动提升。对于符合学术带头人要求、党务工作能力较弱的党支部书记，要通过集中培训、专题辅导、实践锻炼、岗位挂职等多种方式，不断提升其政治素质、理论水平、党性修养和党务工作能力。对于符合党建带头人要求、具备学术带头人基础和潜力的党支部书记，要在课堂教学、科研立项、组建团队、海外研修等方面创造条件，帮助其拓展学术发展通道、不断提高教学科研水平。要建立健全“双带头人”后备人才长效培养机制，及时把政治素质好的骨干教师培养发展为党员，把专业基础好的党员教师培养发展为教学科研骨干，为“双带头人”教师党支部书记提供后备人才支撑。

5. 加强示范引领。注重梳理提炼、总结推广“双带头人”教师党支部书记培育工作好方法、好经验，积极探索形成符合高校实际、兼顾学科专业特点、可示范可推广的“双带头人”教师党支部书记工作法。教育部将面向全国高校，以 3 年为一个周期，支持建设一批“双带头人”教师党支部书记工作室，总结凝炼、推广应用成熟经验举措。各地各高校要以建设工作室为重要手段，积极搭建平台载体、提供政策条 件，支持“双带头人”教师党支部书记开展理论和实践探索。充分利用教育系统内外、网上网下媒体资 源，宣传展示“双带头人”教师党支部书记培育工作和典型人物、典型经验，引领带动高校党建和思想政治工作质量提升。

三、工作要求

1. 加强组织领导。各地党委教育工作部门要加强对高校教师党支部书记“双带头人”培育工作的领 导，按照属地党委的总体部署，统筹指导、协调推进工作开展，切实做到有部署、有推动、有督查、有问责。各高校要把教师党支部书记“双带头人”培育工作作为一项制度安排，纳入本单位党建工作规划和年度工作要点，并制订近三年教师党支部书记“双带头人”全覆盖的工作规划和年度计划，列入党委重要议事日程，学校常委会或党委会每学期至少听取1次培育工作情况汇报。高校党委组织、教师工作部门牵头，人事、学科建设等部门参与，会同院（系）党组织常态化跟踪指导，及时总结经验做法，解决突出问题，推动工作有效开展。

2. 完善政策保障。各地各高校要出台政策，在干事平台、发展空间、工作条件、待遇保障等方面支持“双带头人”教师党支部书记培育工作。“双带头人”教师党支部书记应参与本单位工作规划、干部人事、年度考核、提职晋级、评奖评优等重要事项讨论决策，其党务工作计入工作量，享受相应的津贴补贴待遇。“双带头人”教师党支部书记培训纳入各级党务培训和人才培训安排，按有关规定做好评选表彰工作。要把“双带头人”教师党支部书记经历作为高校选拔任用院（系）级党政干部的重要条件，作为专业技术职务（职称）评定的重要参考。

3. 狠抓责任落实。各地党委教育工作部门要把“双带头人”教师党支部书记培育工作纳入高校党建工作责任体系，高校党委担负主体责任，院（系）党组织担负直接责任，校、院（系）党组织书记为第一责任人。有关工作情况要纳入高校党建、思想政治工作测评考核，作为学校各级党组织书记抓党建工作年度述职评议考核的重要内容。各地党委教育工作部门要及时掌握进展情况，定期开展专项督查，对工作开展不力、落实不到位的，要严肃问责追责。

中共教育部党组

2018 年 5 月 22 日

附录 4 “全国党建工作示范高校”培育创建名单

首批“全国党建工作示范高校”培育创建单位验收通过名单

序号	名称
1	清华大学党委
2	东北大学党委
3	哈尔滨工业大学党委
4	同济大学党委
5	浙江大学党委
6	中国科学技术大学党委
7	重庆大学党委
8	贵州大学党委
9	西安外事学院党委
10	湖南化工职业技术学院党委

注：排名不分先后。

第二批“全国党建工作示范高校”建设单位验收通过名单

序号	名称
1	北京师范大学党委
2	天津大学党委
3	河北工业职业技术学院党委
4	复旦大学党委
5	华北水利水电大学党委
6	武汉东湖学院党委
7	华南师范大学党委
8	西北工业大学党委
9	石河子大学党委

注：排名不分先后。

第三批“全国党建工作示范高校”培育创建单位名单

序号	单位
1	北京航空航天大学党委
2	上海交通大学党委
3	上海建桥学院党委
4	苏州大学党委
5	中国美术学院党委
6	郑州大学党委
7	中国地质大学（武汉）党委
8	中山大学党委
9	深圳职业技术学院党委
10	陕西工业职业技术学院党委
11	新疆大学党委

注：排名不分先后。

附录 5 “全国党建工作标杆院系”培育创建名单

首批“全国党建工作标杆院系”培育创建单位验收通过名单

序号	名称
1	北京大学化学与分子工程学院党委
2	清华大学电子工程系党委
3	中国人民大学财政金融学院党委
4	北京师范大学文学院党委
5	中国农业大学理学院党委
6	北京科技大学材料科学与工程学院党委
7	中国矿业大学（北京）地球科学与测绘工程学院党委
8	北京林业大学水土保持学院党委
9	中央财经大学金融学院党委
10	华北电力大学能源动力与机械工程学院党委
11	北京航空航天大学机械工程及自动化学院党委
12	北京理工大学机械与车辆学院党委
13	中央民族大学生命与环境科学学院党委
14	北京工业大学环境与能源工程学院党委
15	天津大学精密仪器与光电子工程学院党委
16	天津理工大学材料科学与工程学院党委
17	河北大学化学与环境科学学院党委
18	山西大学哲学社会学学院党委
19	内蒙古农业大学水利与土木建筑工程学院党委
20	大连理工大学物理学院党委
21	东北大学信息科学与工程学院党委
22	吉林大学地球探测科学与技术学院党委
23	东北师范大学物理学院党委
24	哈尔滨工业大学航天学院党委
25	复旦大学基础医学院党委
26	上海交通大学生命科学技术学院党委
27	同济大学建筑与城规学院党委
28	华东理工大学化学与分子工程学院党委
29	东华大学纺织学院党委
30	华东师范大学教育学部党委

（续表）

序号	名称
31	上海外国语大学新闻传播学院党总支
32	上海大学理学院党委
33	上海理工大学医疗器械与食品学院党委
34	南京大学哲学系党委
35	东南大学土木工程学院党委
36	中国矿业大学矿业工程学院党委
37	河海大学能源与电气学院党委
38	江南大学生物工程学院党委
39	南京农业大学植物保护学院党委
40	中国药科大学药学院党委
41	南京航空航天大学能源与动力学院党委
42	南京理工大学理学院党委
43	苏州大学材料与化学化工学部党委
44	南京师范大学公共管理学院党委
45	南京工业大学化工学院党委
46	浙江大学电气工程学院党委
47	浙江工业大学化学工程学院党委
48	温州医科大学眼视光学院、附属眼视光医院、生物医学工程学院党委
49	浙江师范大学人文学院党委
50	浙江财经大学会计学院党委
51	宁波大学海洋学院党委
52	浙大宁波理工学院土木建筑工程学院党委
53	合肥工业大学仪器科学与光电工程学院党委
54	厦门大学生命科学学院党委
55	福建师范大学马克思主义学院党委
56	华东交通大学信息工程学院党委
57	山东大学材料科学与工程学院党委
58	中国石油大学（华东）石油工程学院党委
59	山东农业大学农学院党委
60	山东青年政治学院舞蹈学院党总支
61	郑州大学法学院党委
62	河南理工大学能源科学与工程学院党委
63	河南大学环境与规划学院党委
64	武汉大学马克思主义学院党委
65	华中科技大学生命科学与技术学院党委

（续表）

序号	名称
66	中国地质大学（武汉）材料与化学学院党委
67	华中师范大学物理科学与技术学院党委
68	华中农业大学理学院党委
69	中南财经政法大学会计学院党委
70	湖北大学商学院党委
71	武汉华夏理工学院智能制造学院党总支
72	中南大学化学化工学院党委
73	湖南大学化学化工学院党委
74	湘潭大学马克思主义学院党委
75	湖南中医药大学人文与管理学院党委
76	湖南师范大学教育科学学院党委
77	湖南文理学院机械工程学院党总支
78	华南理工大学建筑学院党委
79	暨南大学理工学院党委
80	深圳信息职业技术学院软件学院党总支
81	广西民族大学商学院党委
82	海南大学法学院党委
83	重庆大学机械工程学院党委
84	四川大学马克思主义学院党委
85	西南财经大学金融学院党委
86	西南交通大学土木工程学院党委
87	电子科技大学电子科学与工程学院党委
88	贵州师范大学地理与环境科学学院（喀斯特研究院）党委
89	云南大学政府管理学院党委
90	西藏大学经济与管理学院党委
91	西安交通大学能源与动力工程学院党委
92	陕西师范大学文学院党委
93	西安理工大学土木建筑工程学院党委
94	西安工程大学机电工程学院党委
95	青海大学化工学院党委
96	北方民族大学音乐舞蹈学院党委
97	新疆大学政治与公共管理学院党委
98	石河子大学机械电气工程学院党委

注：排名不分先后；创建单位名称以经学校党委确认的现名称为准。

第二批“全国党建工作标杆院系”建设单位验收通过名单

序号	名称
1	北京大学考古文博学院党委
2	清华大学计算机科学与技术系党委
3	中国人民大学马克思主义学院党委
4	北京师范大学教育学部党委
5	中国农业大学动物科学技术学院党委
6	北京语言大学人文社会科学学部党委
7	北京化工大学化学工程学院党委
8	中国石油大学（北京）地球科学学院党委
9	北京林业大学生态与自然保护学院党委
10	对外经济贸易大学国际经济贸易学院党委
11	北京航空航天大学能源与动力工程学院党委
12	北京理工大学信息与电子学院党委
13	北京协和医学院临床学院党委
14	北京工业大学城市建设学部党委
15	北京第二外国语学院中东学院党总支
16	北京联合大学艺术学院党委
17	首都师范大学初等教育学院党委
18	南开大学化学学院党委
19	天津理工大学集成电路科学与工程学院党委
20	天津仁爱学院化工系党总支
21	河北交通职业技术学院物流管理系党总支
22	山西师范大学物理与信息工程学院党委
23	内蒙古科技大学土木工程学院党委
24	大连理工大学化工学院党委
25	大连外国语大学商学院党总支
26	辽宁经济职业技术学院财经学院党总支
27	东北师范大学马克思主义学部党委
28	哈尔滨工业大学化工与化学学院党委
29	哈尔滨师范大学马克思主义学院党委
30	复旦大学物理学系党委
31	上海交通大学电子信息与电气工程学院党委
32	同济大学土木工程学院党委
33	上海外国语大学德语系党总支
34	上海工程技术大学电子电气工程学院党委

（续表）

序号	名称
35	上海建桥学院信息技术学院党委
36	南京大学地理与海洋科学学院党委
37	东南大学建筑学院党委
38	河海大学港口海岸与近海工程学院党委
39	江南大学食品学院党委
40	南京航空航天大学经济与管理学院党委
41	南京理工大学电子工程与光电技术学院党委
42	南京工业大学生物与制药工程学院党委
43	南京铁道职业技术学院财经与物流管理学院党总支
44	浙江大学机械工程学院党委
45	浙江财经大学财政税务学院党委
46	浙江工商大学计算机与信息工程学院党委
47	浙江工业大学机械工程学院党委
48	浙江中医药大学护理学院党委
49	宁波大学信息科学与工程学院党委
50	嘉兴学院文法学院党委
51	宁波职业技术学院机电工程学院（中德智能制造学院）党总支
52	中国科学技术大学信息科学技术学院党委
53	安徽农业大学茶与食品科技学院党委
54	厦门大学马克思主义学院党委
55	福建林业职业技术学院信息工程系党总支
56	南昌大学经济管理学院党委
57	南昌航空大学测试与光电工程学院党委
58	江西师范大学马克思主义学院党委
59	江西财经大学统计学院党委
60	江西理工大学马克思主义学院党委
61	江西外语外贸职业学院国际商务学院党总支
62	山东科技大学能源与矿业工程学院党委
63	鲁东大学资源与环境工程学院党委
64	河南理工大学测绘与国土信息工程学院党委
65	河南师范大学化学化工学院党委
66	武汉大学历史学院党委
67	华中科技大学电气与电子工程学院党委
68	中国地质大学（武汉）环境学院党委

（续表）

序号	名称
69	华中师范大学人工智能教育学部党委
70	武汉工商学院管理学院党总支
71	湖南铁道职业技术学院轨道交通装备智能制造学院党总支
72	华南理工大学机械与汽车工程学院党委
73	暨南大学新闻与传播学院党委
74	广东轻工职业技术学院轻化工技术学院党总支
75	广西建设职业技术学院土木工程学院党总支
76	海南大学外国语学院党委
77	西南大学马克思主义学院党委
78	西南政法大学经济法学院党委
79	重庆工业职业技术学院车辆工程学院党总支
80	四川大学华西临床医学院（华西医院）党委
81	西南财经大学会计学院党委
82	西南交通大学牵引动力国家重点实验室党委
83	贵州师范大学马克思主义学院党委
84	云南农业大学植物保护学院党委
85	云南师范大学生命科学学院党委
86	昆明理工大学交通工程学院党委
87	昆明文理学院经济学院党总支
88	西藏民族大学医学部党委
89	西安交通大学大学生党委
90	西北农林科技大学动物科技学院党委
91	陕西师范大学马克思主义学院党委
92	西北工业大学航天学院党委
93	兰州大学生命科学学院党委
94	兰州理工大学经济管理学院党委
95	青海师范大学数学与统计学院党总支
96	宁夏医科大学药学院党委
97	新疆大学机械工程学院党委
98	石河子大学化学化工学院党委

注：排名不分先后；建设单位名称以经学校党委确认的现名称为准。

第三批"全国党建工作标杆院系"培育创建单位名单

序号	单位
1	北京大学口腔医院党委
2	中国人民大学信息资源管理学院党委
3	北京师范大学生命科学学院党委
4	中国农业大学动物医学院党委
5	北京化工大学马克思主义学院党总支
6	中国地质大学（北京）地球科学与资源学院党委
7	北京林业大学马克思主义学院党委
8	中国传媒大学电视学院党委
9	北京航空航天大学物理学院党委
10	北京理工大学管理与经济学院党委
11	北京体育大学运动人体科学学院党委
12	北京建筑大学土木与交通工程学院党委
13	北京电子科技职业学院生物工程学院党总支
14	天津职业大学眼视光工程学院党委
15	华北电力大学（保定校区）电子与通信工程系党委
16	河北师范大学马克思主义学院党委
17	燕山大学机械工程学院党委
18	石家庄铁路职业技术学院经济管理系党总支
19	山西财经大学管理科学与工程学院党委
20	包头职业技术学院车辆工程系党总支
21	大连理工大学机械工程学院党委
22	东北大学资源与土木工程学院党委
23	沈阳体育学院运动训练学院党总支
24	东北师范大学化学学院党委
25	黑龙江大学哲学学院党总支
26	黑龙江外国语学院英语系党总支
27	黑龙江财经学院经济学院党总支
28	复旦大学国际关系与公共事务学院党委
29	同济大学交通运输工程学院党委
30	华东师范大学生命科学学院党委
31	东南大学交通学院党委
32	中国矿业大学安全工程学院党委
33	河海大学水利水电学院党委
34	江南大学设计学院党委
35	南京航空航天大学航空学院党委
36	南京理工大学自动化学院党委

（续表）

序号	单位
37	南京工业大学电气工程与控制科学学院党委
38	江苏大学农业工程学院党委
39	常州工业职业技术学院智能控制学院党总支
40	浙江大学管理学院党委
41	浙江工业大学生物工程学院党委
42	浙江师范大学数学与计算机科学学院党委
43	温州大学教育学院党委
44	宁波大学机械工程与力学学院党委
45	温州职业技术学院数字经贸学院党总支
46	浙江树人学院生物与环境工程学院党委
47	安徽师范大学马克思主义学院党委
48	福建师范大学经济学院党委
49	南昌大学化学学院党委
50	山东大学马克思主义学院党委
51	中国海洋大学水产学院党委
52	中国石油大学（华东）地球科学与技术学院党委
53	山东青年政治学院政治与公共管理学院党委
54	山东师范大学马克思主义学院党委
55	聊城职业技术学院马克思主义学院党总支
56	郑州大学公共卫生学院党委
57	河南农业大学农学院党委
58	郑州电力高等专科学校能源与动力工程学院党总支
59	黄河水利职业技术学院测绘工程学院党总支
60	武汉大学遥感信息工程学院党委
61	华中科技大学能源与动力工程学院党委
62	华中师范大学教育学院党委
63	华中农业大学动物科学技术学院、动物医学院党委
64	武汉科技大学资源与环境工程学院党委
65	中南大学交通运输工程学院党委
66	湖南大学信息科学与工程学院党委
67	湘潭大学数学与计算科学学院党委
68	湖南化工职业技术学院化学工程学院党总支
69	中山大学附属第一医院党委
70	华南理工大学食品科学与工程学院党委
71	广州医科大学附属第一医院党委
72	广州中医药大学第二临床医学院党委

（续表）

序号	单位
73	华南师范大学心理学院党委
74	广东工业大学机电工程学院党委
75	广东水利电力职业技术学院市政工程学院党总支
76	广州番禺职业技术学院现代物流学院党总支
77	广州城建职业学院信息工程学院党总支
78	广西交通职业技术学院汽车工程学院党总支
79	海南大学植物保护学院党委
80	重庆大学土木工程学院党委
81	重庆邮电大学通信与信息工程学院党委
82	重庆医科大学儿科学院（附属儿童医院）党委
83	西南政法大学民商法学院党委
84	重庆电子工程职业学院人工智能与大数据学院党总支
85	重庆工程学院计算机与物联网学院党总支
86	四川大学华西口腔医学院（华西口腔医院）党委
87	电子科技大学信息与通信工程学院党委
88	西南石油大学石油与天然气工程学院党委
89	成都中医药大学药学院党委
90	贵州大学旅游与文化产业学院党委
91	云南农业大学食品科学技术学院党委
92	西藏民族大学马克思主义学院党委
93	西安交通大学第一附属医院党委
94	西安电子科技大学微电子学院党委
95	西北工业大学计算机学院党委
96	兰州理工大学石油化工学院党委
97	青海师范大学马克思主义学院党总支
98	宁夏医科大学中医学院党委
99	新疆农业大学农学院党委
100	石河子大学农学院党委

注：排名不分先后。

附录6　高校“双带头人”教师党支部书记工作室名单

首批高校“双带头人”教师党支部书记工作室
建设单位验收通过名单

序号	名称
1	北京大学口腔医学院修复科党支部书记工作室
2	清华大学机械系摩擦学所党支部书记工作室
3	中国人民大学中共党史党支部书记工作室
4	北京师范大学思想政治教育教师党支部书记工作室
5	中国农业大学动物遗传育种与繁殖教职工党支部书记工作室
6	北京航空航天大学机械学院师生联合党支部书记工作室
7	北京理工大学自动化学院导航制导与控制研究所党支部书记工作室
8	北京交通大学建筑工程系党支部书记工作室
9	北京科技大学外国语学院亚欧语系党支部书记工作室
10	北京化工大学化学实验教学中心党支部书记工作室
11	中国矿业大学（北京）建筑系党支部书记工作室
12	北京林业大学生态与自然保护学院湿地学党支部书记工作室
13	中央财经大学经济学院经济史学系教工党支部书记工作室
14	北京外国语大学专用英语学院教师党支部书记工作室
15	中央民族大学中国民族理论与民族政策研究院教工党支部书记工作室
16	北京协和医学院临床医院护理部党支部书记工作室
17	北京工业大学材料与制造学部薄膜教师党支部书记工作室
18	北京体育大学运动生理教研室党支部书记工作室
19	南开大学材料科学与工程学院教工能源党支部书记工作室
20	天津大学建筑工程学院水利水电第二党支部书记工作室
21	燕山大学亚稳国家重点实验室党支部书记工作室
22	山西大学历史文化学院社会史研究中心党支部书记工作室
23	内蒙古工业大学食品与生物工程系党支部书记工作室
24	大连理工大学材料物理与化学教工党支部书记工作室
25	东北大学电气工程系第一党支部书记工作室
26	大连海事大学马克思主义学院教工第二党支部书记工作室
27	辽宁中医药大学中医药创新工程技术中心直属党支部书记工作室
28	大连民族大学化学工程系教工党支部书记工作室
29	吉林大学地球探测科学与技术学院固体地球物理党支部书记工作室
30	东北师范大学教育学部农村教育研究院党支部书记工作室
31	长春理工大学纳米测量与制造技术中心党支部书记工作室

（续表）

序号	名称
32	哈尔滨工业大学高分子科学与工程系教工党支部书记工作室
33	复旦大学人体解剖与组织胚胎学党支部书记工作室
34	上海交通大学海洋工程实验室党支部书记工作室
35	同济大学环境工程系教工党支部书记工作室
36	华东理工大学《毛泽东思想和中国特色社会主义理论体系概论》课党支部书记工作室
37	东华大学高技术纺织品系党支部书记工作室
38	华东师范大学生命科学学院生物学系教工党支部书记工作室
39	上海财经大学新闻系党支部书记工作室
40	上海海洋大学海洋科学党支部书记工作室
41	上海大学思想政治教育教研部党支部书记工作室
42	南京大学哲学系教师第一党支部书记工作室
43	河海大学海岸及海洋工程研究所党支部书记工作室
44	江南大学食品科学与技术国家重点实验室教工党支部书记工作室
45	南京农业大学观赏茶学专业教师党支部书记工作室
46	南京师范大学地理科学学院自然地理教工党支部书记工作室
47	南京工业大学化工学院教师第五党支部书记工作室
48	南京理工大学数学与统计学院数学系与数学实验中心联合党支部书记工作室
49	扬州大学中西医结合学系教工党支部书记工作室
50	浙江大学 CAD&CG 国家重点实验室教师党支部书记工作室
51	浙江农林大学森林培育学科党支部书记工作室
52	宁波大学机械工程与力学学院力学与工程科学系教工党支部书记工作室
53	中国科学技术大学空间物理教师党支部书记工作室
54	合肥工业大学资源科学与工程系党支部书记工作室
55	厦门大学生物医学科学系党支部书记工作室
56	福建师范大学全国经济综合竞争力研究中心福建师范大学中心党支部书记工作室
57	福州大学催化中心党支部书记工作室
58	华东交通大学土建学院教工第二党支部书记工作室
59	山东大学塑性成形工艺与模具技术党支部书记工作室
60	中国石油大学（华东）油气田化学研究所党支部书记工作室
61	山东农业大学农学院植物科学与信息党支部书记工作室
62	郑州大学法学院教工第四党支部书记工作室
63	武汉大学信息管理科学系党支部书记工作室
64	华中科技大学物理学院引力中心党支部书记工作室
65	中国地质大学（武汉）石油工程系党支部书记工作室
66	武汉理工大学新材料研究所党总支第一党支部书记工作室

（续表）

序号	名称
67	华中师范大学物理化学研究所党支部书记工作室
68	华中农业大学果树系教工党支部书记工作室
69	中南财经政法大学工商管理学院旅游管理系党支部书记工作室
70	湖北大学材料学院第七科研团队党支部书记工作室
71	武汉科技大学机械工学系第一党支部书记工作室
72	湖南大学生物医学党支部书记工作室
73	中南大学冶金物理化学系党支部书记工作室
74	中山大学管理学院财务与投资系党支部书记工作室
75	暨南大学药学院中药学党支部书记工作室
76	华南农业大学生命科学学院遗传学教工党支部书记工作室
77	华南师范大学生命科学学院创新强校攻坚党支部书记工作室
78	广西大学动物科学技术学院教职工第二党支部书记工作室
79	海南大学药学院长江学者创新团队党支部书记工作室
80	重庆大学机械与运载工程学院智能制造与工业工程系教师党支部书记工作室
81	西南大学心理学部教工第一党支部书记工作室
82	四川大学马克思主义中国化教工党支部书记工作室
83	电子科技大学计算机科学与工程学院教工第六党支部书记工作室
84	西南石油大学海洋油气工程研究所党支部书记工作室
85	四川农业大学园艺系教工党支部书记工作室
86	贵州师范大学基础学科党支部书记工作室
87	云南财经大学科研院所（中心）党委教工第二党支部书记工作室
88	西藏大学医学院教工第一党支部书记工作室
89	西安交通大学环境科学党支部书记工作室
90	西北农林科技大学旱地土壤培肥与高效施肥科研创新团队党支部书记工作室
91	西安科技大学安全学院安全工程系党支部书记工作室
92	陕西师范大学教工无机化学党支部书记工作室
93	西安电子科技大学电子所党支部书记工作室
94	长安大学马克思主义学院原理教研部党支部书记工作室
95	兰州大学草地保护研究所教工党支部书记工作室
96	青海师范大学马克思主义学院教工党支部书记工作室
97	宁夏大学生物技术与工艺系党支部书记工作室
98	新疆大学电气工程及其自动化系党支部书记工作室
99	石河子大学农业机械工程系党支部书记工作室

注：排名不分先后；建设单位名称以经学校党委确认的现名称为准。

附录 7　高校“百个研究生样板党支部”创建名单

首批高校“百个研究生样板党支部”创建名单

序号	党支部名称
1	北京大学心理与认知科学学院学硕党支部
2	清华大学地球系统科学系地研 14 党支部
3	清华大学公共管理学院公管博 15 党支部
4	清华大学马克思主义学院马博党支部
5	北京师范大学艺术与传媒学院 2016 级硕士研究生第二党支部
6	中国农业大学科技小院硕士党支部
7	北京科技大学腐蚀控制系统工程第一党支部
8	中国地质大学（北京）水资源与环境学院 S16-2 党支部
9	中国矿业大学（北京）思想政治教育硕士党支部
10	中国石油大学（北京）石油工程学院研开发 16-3 党支部
11	北京林业大学研森保学生党支部
12	中国传媒大学 2016 级国际新闻传播硕士班党支部
13	北京航空航天大学生物与医学工程学院研究生“月宫一号”党支部
14	北京理工大学光电学院博士物电班党支部
15	北京工业大学 2016 级软件工程方向研究生党支部
16	首都师范大学外国语学院 2016 级研究生第二党支部
17	首都医科大学宣武医院 2016 级研究生党支部
18	南开大学哲学院硕士生第一党支部
19	天津大学现代声学检测实验室纵向党支部
20	河北大学政法学院研究生第二党支部
21	内蒙古农业大学水建学院驻河套灌区硕、博士研究生流动党支部
22	沈阳建筑大学建筑与规划学院研究生第一党支部
23	沈阳药科大学制药工程学院博士研究生党支部
24	东北师范大学马克思主义学部研究生党支部
25	东北林业大学思想政治教育学科研究生党支部
26	哈尔滨工业大学卫星技术研究所研究生党支部
27	东北农业大学动物科学技术学院博士研究生党支部
28	复旦大学新闻学院 16 级科学硕士和博士联合支部
29	复旦大学材料科学系 2016 级研究生党支部
30	上海交通大学核科学与工程博士生党支部

（续表）

序号	党支部名称
31	上海交通大学海洋工程国家重点实验室博士生党支部
32	同济大学建筑与城市规划学院研究生景观党支部
33	东华大学人文学院“学思先锋”硕士研究生党支部
34	华东师范大学教师教育学院 2016 级研究生第一党支部
35	上海外国语大学英语学院 2016 级硕士生第二党支部
36	上海理工大学外语学院英语语言文学党支部
37	上海中医药大学中药学院研究生党支部
38	上海大学社会科学学部 2016 级硕士研究生党支部
39	南京大学新闻传播学院 2016 级学硕党支部
40	东南大学信息科学与工程学院 2016 级硕士通信党支部
41	中国矿业大学信息与控制工程学院硕研 16-4 党支部
42	江南大学生物工程学院生物系统与生物加工工程研究室党支部
43	南京农业大学植物保护学院植病系研究生第一党支部
44	中国药科大学中药学院 2016 级硕士生第一党支部
45	南京理工大学马克思主义学院硕士研究生党支部
46	苏州大学马克思主义学院研究生党支部
47	南京师范大学教师教育学院研究生两年制理科党支部
48	江苏师范大学马克思主义学院研究生党支部
49	南京财经大学 2016 级会计学研究生党支部
50	扬州大学马克思主义学院研究生第二党支部
51	浙江大学农业与生物技术学院茶叶所研究生第一党支部
52	浙江工业大学计算机科学与技术学院博士研究生党支部
53	浙江理工大学建筑工程学院研究生土建类第三学生党支部
54	浙江农林大学木材科学与技术学科研究生党支部
55	温州医科大学第一临床医学院硕博党支部
56	浙江工商大学环境科学与工程学院环境科学专业第二研究生党支部
57	安徽大学化学化工学院研究生第三党支部
58	福州大学北斗团队党支部
59	集美大学法学院研究生党支部
60	福建师范大学文学院 2016 级研究生党支部
61	南昌大学食品学院博士第二党支部
62	江西师范大学马克思主义理论学科研究生党支部
63	中国石油大学（华东）测井重点实验室研究生第一党支部
64	郑州大学化学与分子工程学院博士生第一党支部

（续表）

序号	党支部名称
65	河南大学环境与规划学院研究生第二党支部
66	武汉大学资源与环境科学学院环境类 2016 级博士研究生党支部
67	武汉大学水利水电学院水文系研究生第一党支部
68	华中科技大学光通信与光网络系第二党支部
69	武汉理工大学材料科学与工程学院材博 1603 党支部
70	武汉理工大学文法学院知识产权研究生党支部
71	华中农业大学食品科学技术学院研究生第七党支部
72	湖北大学新闻传播学院研究生党支部
73	湖北中医药大学药学院研究生第三党支部
74	中南大学湘雅医院第十三党总支临床药理研究所研究生党支部
75	湖南大学中国语言文学学院研究生专硕党支部
76	国防科技大学研究生院学员六大队三十队党支部
77	中山大学政治与公共事务管理学院公共管理专业博士生第一党支部
78	华南农业大学农学院植物保护博士生党支部
79	华南农业大学生命科学学院研究生第一党支部
80	广西师范大学教育学部教育经济与管理专业研究生党支部
81	海南大学外国语学院研究生第一党支部
82	四川大学化工学院研究生过程装备与安全科学党支部
83	四川大学化学学院环保型高分子研究生党支部
84	西南交通大学马克思主义学院博士党支部
85	西南交通大学牵引动力国家重点实验室硕士 16 级 2 班党支部
86	贵州师范大学马克思主义学院研究生党支部
87	昆明医科大学附属延安医院研究生党支部
88	西藏农牧学院高原生态研究所学生党支部
89	西安交通大学能源与动力工程学院硕 6026 党支部
90	西北工业大学动力与能源学院研究生第九党支部
91	陕西师范大学马克思主义学院研究生第三党支部
92	延安大学马克思主义学院研究生党支部
93	青海大学研究生会党支部
94	宁夏医科大学临床医学院研究生第二党支部
95	新疆大学马克思主义学院研究生第二党支部
96	石河子大学化学化工学院化学工程系研究生第一党支部
97	石河子大学机械电气工程学院研究生学硕第一党支部

注：排名不分先后。

第二批高校“百个研究生样板党支部”创建名单

序号	学校	院系	党支部
1	北京大学	哲学系	2019 级硕士生党支部
2	清华大学	航天航空学院	航博 181 党支部
3	中国人民大学	经济学院	政治经济学博士班第二联合党支部
4	中国农业大学	农学院	种子科学与技术研究中心研究生党支部
5	北京理工大学	材料学院能源与环境材料系	2019 级硕士第三党支部
6	北京航空航天大学	交通科学与工程学院汽车工程系	研究生党支部
7	北京科技大学	冶金与生态工程学院	炼铁新技术合理化梯队党支部
8	北京交通大学	计算机与信息技术学院	2018 级博士生党支部
9	北京邮电大学	理学院	研究生物理党支部
10	北京林业大学	林学院	研森经学生党支部
11	中央美术学院	设计学院	研究生第二党支部
12	北京中医药大学	中药学院	中药化学研究生第一党支部
13	北京工业大学	城市建设学部	硕士道桥工管党支部
14	北京建筑大学	土木与交通工程学院	道桥工程研究生党支部
15	北京农学院	植物科学技术学院	园艺研究生 1 支部
16	南开大学	化学学院	分析科学研究中心研究生第四党支部
17	天津大学	材料科学与工程学院金属材料系	博士生金属第三党支部
18	天津师范大学	政治与行政学院	行政管理研究生党支部
19	天津外国语大学	高级翻译学院	英语笔译学生党支部
20	燕山大学	机械工程学院冶金机械系	研究生第三党支部
21	山西大学	化学化工学院	研究生第四党支部（开物党支部）
22	太原理工大学	电气与动力工程学院	电气第二研究生党支部
23	内蒙古农业大学	草原与资源环境学院	研究生第一党支部
24	大连理工大学	光电工程与仪器科学学院	博士学生党支部
25	东北大学	资源与土木工程学院矿物工程系	博士生党支部
26	大连海事大学	交通运输工程学院	土木工程研究生党支部
27	东北电力大学	经济管理学院	管研党支部
28	哈尔滨工业大学	机电工程学院	学雷锋小组党支部
29	东北林业大学	野生动物与自然保护地学院	动物保护研究生党支部

（续表）

序号	学校	院系	党支部
30	哈尔滨工程大学	船舶工程学院	船舶与海洋工程结构力学研究所硕博第三党支部
31	哈尔滨师范大学	斯拉夫语学院	研究生党支部
32	哈尔滨医科大学	第一临床医学院	2019级研究生第十党支部
33	复旦大学	中国语言文学系	学硕第一党支部
34	上海交通大学	国际与公共事务学院	博士生第二党支部
35	同济大学	汽车学院	研究生第十八党支部
36	东华大学	化学化工与生物工程学院	“筑梦榜样”生物楼研究生党支部
37	华东师范大学	心理与认知科学学院	学术型硕士研究生第一党支部
38	上海外国语大学	新闻传播学院	研究生第二党支部
39	上海财经大学	法学院	法学会党支部
40	上海中医药大学	龙华临床医学院	附属龙华医院研究生第一党支部
41	南京大学	马克思主义学院	研究生第二党支部
42	东南大学	交通学院	道铁硕士生笃行党支部
43	中国矿业大学	材料与物理学院	材料科学与工程研究生第二党支部
44	河海大学	水利水电学院	水力学及河流动力学博士生党支部
45	江南大学	设计学院	交互设计党支部
46	南京农业大学	资环学院	植物营养与根际健康研究生党支部
47	南京航空航天大学	航空学院	直升机研究生党支部
48	南京理工大学	电子工程与光电技术学院光电技术系	研究生第一党支部
49	南京工业大学	化工学院	研究生第四党支部
50	南京邮电大学	电子与光学工程学院微电子学院	博士第一党支部
51	江苏师范大学	语言科学与艺术学院	研究生党支部
52	扬州大学	环境科学与工程学院	研究生第二党支部
53	浙江大学	医学院	附属第一医院研究生第一党支部
54	杭州电子科技大学	马克思主义学院	研究生党支部
55	浙江师范大学	教师教育学院	教育技术学硕士党支部
56	温州医科大学	眼视光学院（生物医学工程学院）	研究生第二党支部
57	浙江中医药大学	护理学院	研究生党支部
58	中国科学技术大学	物理学院近代物理系	粒子物理与原子核物理研究生党支部

（续表）

序号	学校	院系	党支部
59	厦门大学	管理学院企业管理系	2019 级硕士党支部
60	华侨大学	华文学院	研究生第一党支部
61	福州大学	数学与计算机科学学院	昆冈众创学生党支部
62	福建师范大学	马克思主义学院	求思党支部
63	江西财经大学	工商管理学院	研究生党支部
64	中国海洋大学	管理学院	红旗智援博士团党支部
65	中国石油大学（华东）	地球科学与技术学院	储层地球物理实验室党支部
66	山东科技大学	电气与自动化工程学院	研究生第四党支部
67	郑州大学	政治与公共管理学院	博士生党支部
68	武汉大学	水利水电学院水力发电工程系	研究生第七党支部
69	华中科技大学	生命科学与技术学院生物技术系	研究生第二党支部
70	武汉理工大学	安全科学与应急管理学院	中国应急管理研究中心研究生党支部
71	华中农业大学	生命科学技术学院	作物遗传改良国家重点实验室研究生第八党支部
72	湖南大学	化学化工学院	分析 04 党支部
73	中南大学	冶金与环境学院	环境所研究生第一党支部
74	中山大学	光华口腔医学院附属口腔医院	研究生第三党支部
75	广东工业大学	自动化学院	博士研究生党支部
76	华南师范大学	心理学院	心理服务研究生党支部
77	广东外语外贸大学	高级翻译学院	研究生口译党支部
78	广西医科大学	公共卫生学院	硕士研究生党支部
79	海南大学	植物保护学院	研究生党支部
80	重庆大学	机械工程学院	研究生十二支部
81	重庆工商大学	环境与资源学院	研究生第一党支部
82	重庆理工大学	车辆工程学院	研究生第二党支部（余祖胜班党支部）
83	四川大学	华西口腔医学院	牙体牙髓研究生第二党支部
84	电子科技大学	电子科学与工程学院微波工程系	研究生第六党支部
85	西南石油大学	机电工程学院	钻井提速科研团队党支部
86	成都中医药大学	针灸推拿学院	针推博士党支部
87	贵州医科大学	公共卫生学院	研究生党支部
88	云南农业大学	植物保护学院	博士研究生第一党支部
89	西藏大学	政法学院	民族法学研究生党支部

（续表）

序号	学校	院系	党支部
90	西安交通大学	航天航空学院	博士航空宇航党支部
91	西北农林科技大学	动物科技学院	研究生第十二党支部
92	西北工业大学	航天学院	精确制导与控制研究所 研究生第1党支部
93	陕西科技大学	材料科学与工程学院	绿色无机材料创新团队 第二党支部
94	西安邮电大学	研究生院	研究生爱心青年帮党支部
95	西安建筑科技大学	建筑学院	北斗乡村建设 研究服务团队党支部
96	兰州大学	核科学与技术学院	研究生第三党支部
97	青海民族大学	民族学与社会学学院	研究生党支部
98	北方民族大学	化学与化学工程学院	研究生党支部
99	新疆农业大学	农学院	研究生第二党支部
100	塔里木大学	植物科学学院	研究生党支部

注：排名不分先后。